LA BONNE
CORRESPONDANCE

HENRI FONTENAY

LA
BONNE
CORRESPONDANCE

*Familiale, administrative
et d'affaires*

FERNAND NATHAN

18, rue Monsieur-le-Prince - Paris VIᵉ

AVANT-PROPOS

« *Notre époque n'écrit plus, dit-on volontiers : l'homme moderne pré-fère téléphoner.* » *A l'examen, une telle affirmation s'avère fort discutable. En réalité, l'homme de notre siècle écrit tout autant de lettres que ses pères ; seulement, il les fait plus courtes, plus précises et plus exclusi-vement* utiles.

La grande époque des bavardages épistolaires a passé ; le temps n'est plus des Sévigné et des Voiture ; la lettre moderne a cessé d'être un « *genre* » *littéraire, un aimable passe-temps pour désœuvrés. Elle est redevenue ce qu'elle n'aurait jamais dû cesser d'être : le meilleur et le plus sûr moyen de régler courtoisement, de façon précise et tangible, tous les rapports sociaux, qu'il s'agisse de nos sentiments profonds ou de nos besoins variés, de nos obligations amicales ou de nos relations d'affaires.*

Pour ceux que nous aimons, le téléphone ne remplacera jamais les lignes qu'a tracées une main chère ; jamais, non plus, nos hommes d'affaires, si modernes soient-ils, ne se contenteront d'une conversation commerciale qui ne serait pas suivie d'une confirmation *écrite ; jamais, enfin, on ne pourra présenter une requête importante à quelque haute personnalité par le simple truchement de l'appareil téléphonique. Lettres d'amour, de convenances ou d'amitié, lettres de recommandation, de courtoisie ou d'affaires, lettres de réclamation ou lettres de crédit — dans tous les domaines, quoi qu'on fasse, la Lettre est reine, la Lettre demeure.*

Aussi nous a-t-il semblé qu'un livre comme le nôtre, plus complet, plus précis et plus détaillé que ses devanciers, répondait à un besoin véritable, que d'innombrables personnes de tous les milieux nous sauraient gré d'avoir satisfait. Notre Bonne Correspondance *tient le plus large compte des exigences de la vie moderne et des modifications imposées à la routine par les multiples nécessités de l'existence actuelle. Homme ou femme, jeune ou vieux, paysan ou citadin, chacun, espérons-nous, trouvera dans notre ouvrage le conseiller épistolaire toujours disponible, dont le besoin se fait mille fois sentir dans toutes les circonstances de la vie.*

C'est avec confiance que nous présentons cette Bonne Correspondance *à l'immense public qu'il intéresse et qu'il désire servir de son mieux. L'ouvrage, nous nous permettons d'insister sur ce point,* peut être mis entre toutes les mains. *On y trouvera, dans le chapitre consacré au mariage, des exemples choisis de correspondance sentimentale entre candidats à l'union, mais on n'y rencontrera aucune de ces « lettres d'amour », de goût souvent douteux, qui relèvent d'un propos bien différent du nôtre. On ne trouvera pas davantage, dans la* Bonne Correspondance, *d'échantillons épistolaires empruntés aux grands noms de la Littérature : notre livre est un guide et non une anthologie. Au reste, nous ne vous proposons nullement des* modèles à copier *car une lettre, avant tout,* doit être personnelle. *Nous nous sommes bornés à dégager pour vous les principes essentiels qui s'appliquent aux différentes formes de correspondance et les exemples que nous vous soumettons n'ont d'autre utilité que d'illustrer clairement ces mêmes principes. Chacun, suivant ses besoins du moment, saura s'inspirer de nos conseils, sans renoncer pour autant aux tendances personnelles constituant son individualité propre. Ainsi, croyons-nous — et ainsi seulement — on tirera de notre* Bonne Correspondance *le plus valable profit.*

L'ouvrage est d'une utilisation facile. Après une lecture attentive des indications générales concernant la Correspondance dans son ensemble (pp. 11 à 45), on se reportera, selon les nécessités particulières à chaque circonstance, aux rubriques spéciales où il est traité des différents genres de lettres. Un simple coup d'œil à la Table des Matières, que nous avons eu soin de faire précise et détaillée, permettra de trouver d'emblée la catégorie épistolaire désirée, le genre de missive sur lequel on veut des précisions, des éclaircissements ou des suggestions.

En élaborant pour vous cette Bonne Correspondance, *nous nous sommes constamment efforcés de faire œuvre* utile et pratique. *Nos efforts seront parfaitement récompensés s'ils rencontrent votre approbation.*

LES ÉDITEURS.

PREMIÈRE PARTIE

GÉNÉRALITÉS CONCERNANT LA CORRESPONDANCE, NOTES ET CONSEILS PRÉLIMINAIRES

CHAPITRE PREMIER

RÉDACTION ET COMPOSITION DES LETTRES

« *Les paroles s'envolent,* disaient déjà les vieux Romains, *les écrits restent.* » Tous, tant que nous sommes, qui écrivons des lettres, devons avoir grand soin de garder en mémoire cette affirmation indiscutable et pleine de sagesse, pour en tirer les conclusions et les enseignements qu'elle comporte.

Dans la conversation, il arrive à chacun de nous de commettre des *lapsus* sans grande importance. Nous nous reprenons aussitôt et notre interlocuteur, en général, ne songe point à nous faire grief d'une bévue accidentelle, aussitôt rectifiée : *les paroles s'envolent !*

Pour nos lettres, la question est bien différente. Notre missive une fois expédiée, le mal est fait — si mal il doit y avoir. On nous jugera sur ce que nous avons écrit et nous ne serons plus là pour corriger notre propos ou pour expliquer notre pensée vraie. C'est notre lettre qui s'exprimera en nos lieu et place — et ce sera tant pis pour nous, bien sûr, si l'impression qui s'en dégage vient à l'encontre de nos sentiments profonds, de nos désirs, voire de nos intérêts professionnels ou commerciaux : *les écrits restent !*

Elles resteront, nos lettres, dans les tiroirs ou les sous-mains de nos parents et de nos amis, dans les cartons des hommes de loi, dans les classeurs des administrations, dans les dossiers de nos clients ou de nos fournisseurs — elles resteront et elles porteront un témoignage valable et durable, pour ou contre nous, suivant le cas.

Ces quelques remarques liminaires, loin de nous décourager, doivent seulement nous donner à réfléchir et nous incliner à penser. La rédaction d'une lettre demande toujours une attention soutenue et un léger effort cérébral, même aux plus « doués » d'entre nous. Mais pour rédiger convenablement ses lettres, il faut aussi — il faut *surtout* — bien connaître, avant toute chose, les grands principes essentiels qui régissent la correspondance moderne.

Vous trouverez dans les pages qui suivent, résumées pour vous, toutes les indications pratiques dont vous avez besoin pour écrire vos lettres. Elles sont simples et faciles à retenir ; vous pourrez d'ailleurs vous y reporter à l'occasion, si la mémoire venait à vous faire défaut. Ensuite il vous suffira de consulter, lorsque vous en aurez besoin, les exemples réunis dans ce volume à votre intention. Vous verrez alors que la correspondance moderne ne pose aucun problème qui ne soit facile à résoudre.

LE PLAN, LE BROUILLON. — Quel que soit le genre de la lettre à écrire, le petit travail de réflexion qu'elle nous impose est à peu près toujours le même. Qu'avons-nous exactement à dire ? Quels sont les détails les plus importants ? Sur quels points devons-nous insister particulièrement ? Quels arguments tenons-nous à présenter et à faire valoir ?

S'il s'agit d'une lettre un peu délicate, importante ou complexe, n'hésitons pas à faire un *plan* : c'est encore la meilleure façon d'y voir clair et de ne rien omettre. Une lettre bien faite, tout comme les dissertations ou les « rédactions » que nous faisions à l'école, comporte logiquement trois parties : l'exposition, le développement, la conclusion.

Dans la première partie, après *l'en-tête* (Monsieur, Cher ami, Mon cher confrère, etc.), vous exposez ce qui fait *l'objet* de votre lettre ; au cours de la seconde partie, vous développerez cet objet même, avec tous les détails et précisions nécessaires ; la troisième partie, enfin, vous servira à conclure et se terminera, bien entendu, par la *salutation finale* ou *formule de politesse* (par exemple : *Veuillez agréer, Monsieur, mes salutations distinguées*).

Il est évident que les trois parties de la lettre seront d'inégale longueur. A la seconde, dans laquelle vous développerez *l'objet* de la correspondance, vous ne craindrez pas de donner toute la longueur nécessaire, tous les développements que vous jugez utile. Les première et troisième parties peuvent être tenues pour accessoires, puisqu'elles ne traitent pas du sujet principal. Souvenez-vous pourtant qu'elles ont, en fait, *une importance pratique considérable*. Ce sont des parties de détail, mais il y a des détails qui comptent et la façon d'écrire peut valoir autant — ou plus ! — que ce que l'on écrit !

N'hésitons jamais, en cas de besoin, *à faire un brouillon*. Le procédé n'est nullement enfantin ou déshonorant ; c'est, au contraire, une sage précaution à laquelle ne craignent pas de recourir les plus grands esprits. Tant de gens déchirent plusieurs fois de suite la lettre commencée, pour tenter de nouveaux essais ! N'est-il pas plus simple de faire un bon brouillon, que l'on peut méditer, corriger et raturer à loisir, pour l'amener finalement à une forme satisfaisante en tous points ? En procédant ainsi, on économise son temps et son papier — c'est-à-dire, pratiquement, son argent. On ménage aussi sa patience et ses nerfs, car rien n'est plus déprimant que de longs essais infructueux, successivement avortés. « Je n'y arriverai jamais ! » s'écrie-t-on avec désespoir. Or il n'est rien de plus facile que d'arriver — à condition de savoir partir !

LE STYLE ÉPISTOLAIRE. — Là encore, gardons-nous du découragement de principe. Tout le monde, sans doute, ne peut écrire un roman à succès ou une géniale tragédie, mais chacun de nous, croyez-le bien, possède tout ce qu'il faut, dès le certificat d'études, pour écrire une lettre convenable.

Une lettre, ce n'est pas de la littérature ; la lettre « littéraire », sauf exception, est même la pire espèce qui soit. Avant tout, il faut écrire nos lettres avec *correction*, avec *simplicité*, avec *clarté*.

La correction du style, répétons-le, est à la portée de toute personne ayant bénéficié d'une bonne instruction primaire. Nul n'est infaillible, assurément, mais le dictionnaire et la grammaire ne sont-ils pas toujours à notre disposition, pour nous fournir leur collaboration bénévole ? Une grammaire élémentaire, un petit dictionnaire de la langue française : il n'en faut pas plus pour se tirer d'affaire en toute circonstance.

Porteriez-vous un complet rouge vif, une cravate vert-pomme, des souliers en daim bleu roy ? — Non, n'est-ce pas ? La sobre simplicité du vêtement, c'est encore ce qui permet le mieux de « passer partout ». Eh bien, il en va de même, absolument, pour le style de nos lettres. Fuyons comme la peste l'emphase, la boursouflure, la prétention, le clinquant... La plume à la main, restons nous-même. Il est très bon d'écrire comme on parle — à condition, naturellement, de ne pas parler en charabia !

Notre belle langue française, qui fut longtemps langue diplomatique, est la plus claire qui soit. N'abîmons donc pas ce merveilleux instrument, qui nous a été donné pour exprimer parfaitement notre pensée. Suivons le vieux conseil de Boileau et appelons un chat un chat. Tout le monde sait ce que c'est. Au contraire, si vous dites « un représentant de la race féline », la précision disparaît, la clarté s'en va — et le bon goût, lui aussi, ne résiste pas à l'épreuve !

Souvenons-nous également, lorsque nous écrivons, que nos correspondants, sauf exception, ne sont pas des rentiers. Ne leur envoyons donc pas d'interminables épîtres, qu'ils trouveraient difficilement le temps de lire et qui, d'ailleurs, les décourageraient assez vite. Même à nos amis, n'imposons pas la lecture de « lettres-fleuves », mais ne leur écrivons pas non plus, par un scrupule inverse, des lettres rédigées en style télégraphique. Dans la correspondance comme en toutes choses, il faut un juste milieu. Affectons une précision sans sécheresse, soyons simples sans vulgarité, concis sans laconisme, élégants sans affectation, corrects sans froideur. Une telle discipline épistolaire n'est pas au-dessus de nos forces. Il suffit, pour l'appliquer heureusement, d'avoir un peu de bon sens — et c'est là une qualité qui ne manque pas aux gens de chez nous.

L'ORTHOGRAPHE. — Les grands seigneurs d'autrefois ne rougissaient pas d'émailler leurs épîtres d'innombrables fautes d'orthographe et Napoléon lui-même, à cet égard, est détenteur d'une espèce de record posthume. Que ces exemples du passé, pourtant, ne nous servent point d'excuse : les fautes d'orthographe, aujourd'hui, ne sont plus permises à quiconque écrit une lettre. Recourons sans hésiter au dictionnaire toutes les fois que nous sommes dans l'incertitude ; consultons la grammaire, pour ces fameux accords de participes qui donnent parfois bien du fil à retordre et efforçons-nous constamment d'orthographier sans faute.

Les tournures compliquées, les phrases tarabiscotées et les mots « rares » sont riches en pièges orthographiques. Souvent, en adoptant cette précieuse *simplicité* dont nous avons déjà fait l'éloge, on s'apercevra que, du même coup, tel dilemme orthographique a cessé de se poser.

USAGE DES ABRÉVIATIONS. — Toujours déplaisantes pour nos correspondants, voire irritantes ou grossières, les abréviations, en principe, doivent être formellement bannies de nos lettres et cartes. La même remarque s'applique aux enveloppes. N'écrivons pas *Chère Mlle* mais *Chère Mademoiselle ;* n'adressons pas notre lettre à *M. Untel* ou à *Mme Chose,* mais à *Monsieur Untel, Madame Chose.*

Il ne faut pas envoyer à un correspondant des espèces de rébus du genre de celui-ci : *Cf. vers. C./C. S. P.,* mais écrire en toutes lettres : *reportez-vous au versement qui a été effectué au compte-courant de la Société Parisienne.* Les abréviations n'ont d'autre excuse que de faire gagner du temps ; faut-il que notre correspondant, la sueur au front, perde le sien à les déchiffrer, au risque de n'y même point parvenir ?

Dans la correspondance commerciale, certaines abréviations sont tolérées, que l'on trouvera à leur place ; en correspondance courante, l'abréviation n'est admise que pour certaines charges et certains titres nobiliaires, dont on trouvera la liste dans tous les dictionnaires, et aussi pour désigner certains mots conventionnels d'utilisation fréquente : T. S. V. P. (*prière de tourner la page*), P. S. (*post scriptum*), R. S. V. P. (*prière de répondre*), T.S.F. (*téléphonie sans fil*), etc.

De même, on pourra écrire *Bd* (ou *Bld*.) pour *boulevard, St.* Antoine pour *Saint*-Antoine, *Ar.* (ou *Art*.) pour arrondissement, mais il sera toujours préférable d'écrire le mot en entier.

CE QU'IL NE FAUT PAS ÉCRIRE. — Il ne s'agit pas de faire ici un cours de style ; nous avons dit, par ailleurs, quelles étaient les règles principales qu'il fallait suivre pour rédiger clairement et correctement. Nous voudrions seulement vous donner ci-dessous une petite liste (forcément incomplète) des principaux barbarismes, vulgarités ou incorrections graves qu'on doit éviter à tout prix :

N'écrivez pas...	*...mais écrivez*
Votre dame	Votre femme
Votre demoiselle	Votre fille
Votre jeune fille	Votre fille
Votre jeune homme	Votre fils
J'y vais en bicyclette	J'y vais à bicyclette
Il s'est en allé	Il s'en est allé
Monter en haut	Monter
Il reste à côté	Il demeure à côté
Je lui en causerai	Je lui en parlerai
Je vais au docteur	Je vais chez le médecin
Solutionner	Résoudre
Émotionner	Émouvoir
Concluer	Conclure
Vis-à-vis de moi	A mon égard, envers moi
Partir à Paris	Partir pour Paris, aller à Paris
Agoniser d'injures	Agonir d'injures
Je suis partisante	*Partisan*, comme substantif, n'a pas de féminin. Il faut donc tourner : je suis d'avis, je me déclare en faveur de, etc.
Cent francs chaque	Cent francs chacun
Malgré que	Bien que
Davantage que	Plus que
De façon à ce que, de manière	De façon que, de manière que
Tâcher moyen	Tâcher de
Dans le but de	Avec l'intention, dans le dessein, afin de
Par contre	En revanche
Pallier à ces défauts	Pallier ces défauts

N'écrivez pas...	*...mais écrivez*
Je l'ai vu sur le journal	Je l'ai vu dans le journal
Je cherche après lui	Je le cherche
Une fausse perruque	Une perruque
Un petit nain	Un nain
Une fortune conséquente	Une fortune importante
Un homme conséquent	Un homme important
Je m'en rappelle	Je me le rappelle, je m'en souviens
Je le fais de suite	Je le fais immédiatement
Nous deux ma sœur	Ma sœur et moi
La personne que je vous ai parlé	La personne dont je vous ai parlé
Elle a l'air bonne	Elle a l'air bon
Il m'insupporte	Il m'est insupportable
Il m'indiffère	Il m'est indifférent
Il s'est fait du mal	Il s'est fait mal
Il s'ingurgite	Il ingurgite
Ses soi-disant qualités	Ses prétendues qualités (*soi-disant* ne peut se rapporter qu'à des personnes).

LA PONCTUATION. — Rappelons-en d'abord les divers signes et leur emploi :

LA VIRGULE sépare les parties semblables d'une même phrase, ou les différents termes d'une énumération ; on l'emploie aussi avant et après tout groupe de mots qu'il est possible de supprimer sans que la phrase cesse d'être compréhensible.

LE POINT-VIRGULE sépare deux parties importantes d'une phrase, sans pour cela marquer une coupure aussi nette que le point.

LES DEUX POINTS s'emploient devant une citation, une énumération, ou encore devant une phrase qui développe une idée contenue dans la précédente.

LE POINT sert à marquer la fin de chaque phrase.

LES POINTS DE SUSPENSION placés à la fin d'une phrase montrent qu'une émotion, une pensée soudaine vient occuper l'esprit et l'empêcher d'achever la phrase commencée. Noter que le nombre des points de suspension n'est pas indifférent : la règle veut que l'on en mette trois ou cinq, ni plus, ni moins.

LES POINTS D'EXCLAMATION ET D'INTERROGATION marquent respectivement la fin des phrases exclamatives et interrogatives. Dans chacun de ces deux cas, un seul point suffit ; les *! ! ! !* ou *? ? ? ?* sont seulement des marques de mauvais goût, et le système hybride *! ! ? ? ! !* ou *? ! ? !,* une discutable fantaisie.

La PARENTHÈSE enferme entre ses deux crochets toute phrase ayant un sens à part, au milieu d'une autre.

LES GUILLEMETS se placent au commencement et à la fin des citations ou des paroles que l'on rapporte textuellement. On *ouvre* les guillemets au début de la citation et on les *ferme* après la dernière marque de ponctuation de cette citation. Carnot disait : « On n'emporte pas la patrie à la semelle de ses souliers. »

LE TIRET est surtout utilisé pour séparer les paroles de deux interlocuteurs ; dans tous les autres cas, et notamment lorsqu'il s'agit d'exprimer une idée subsidiaire, il est préférable de recourir à la parenthèse qui ne risque pas, elle, d'être prise pour un trait d'union.

L'ALINÉA se trouve marqué toutes les fois que nous allons à la ligne. Ne craignons pas de le faire aussi fréquemment qu'il le faut : notre lettre y gagnera en clarté et sera d'une lecture plus agréable. Il est indispensable de commencer un nouvel alinéa chaque fois qu'on change de sujet.

On ne saurait trop insister sur l'importance de la ponctuation. Non seulement elle facilite la lecture de nos lettres, dont elle augmente le naturel, la logique et la clarté, mais encore c'est elle, la plupart du temps, qui donne aux lignes que nous traçons leur sens véritable. Trois aspects d'une même phrase vous convaincront de ce que nous avançons là :

« Pierre dit Paul est un menteur. »
« Pierre, dit Paul, est un menteur. »
« Pierre dit : Paul est un menteur. »

La première phrase, totalement privée de ponctuation, est inintelligible ; dans la seconde, deux virgules suffisent à nous faire comprendre que Pierre, au dire de Paul, est un menteur ; dans la troisième, enfin, deux points suffisent à renverser la question, et c'est Paul, selon le témoignage de Pierre, qui devient un menteur.

On pourrait multiplier les exemples de ce genre et montrer même que certains textes, peu ou mal ponctués, ont eu pour effet d'engendrer de graves complications historiques. Dans la pratique, il suffit de se souvenir que des virgules ou des points mal placés (ou absents) peuvent dénaturer complètement le sens d'une phrase et nous causer ainsi un très grave préjudice. La simple politesse, au reste, nous impose de ponctuer notre correspondance comme il convient.

LES MOTS SOULIGNÉS. — Est-il interdit, dans une lettre, de souligner certains mots sur lesquels on veut attirer particulièrement l'attention de son correspondant ? — Assurément, non. Évitons, toutefois, de tomber dans l'excès et de multiplier les soulignements à tort et à travers.

On soulignera les mots qui *doivent* l'être, pour telle ou telle raison d'importance, et l'on n'emploiera ce procédé qu'à titre exceptionnel. Abuser du soulignement aurait un effet doublement fâcheux : nous nous ferions une réputation de malappris et nos correspondants ne parviendraient plus à distinguer, dans l'abondance des traits de plume, ceux qui confèrent une valeur et une signification véritables.

On peut parfaitement écrire : « Je vous *promets* de vous rembourser au plus tard le 15 janvier. » Ce serait une impertinence, au contraire, que d'écrire : « Je suis très pressé de connaître votre décision ; répondez-moi *immédiatement*. » Dans le premier cas, nous insistons sur un engagement formel contracté par nous, mais, dans le second, nous nous livrons à une espèce de mise en demeure à tournure d'*ultimatum*, qui ne peut avoir d'autre effet que de blesser vivement notre correspondant.

Le soulignement, en revanche, est tout à fait indiqué lorsque nous rapportons un terme emprunté à une langue étrangère : « J'ai dégusté hier soir, chez mes amis de Rome, un délicieux *minestrone*. »

LE POST-SCRIPTUM. — Tout comme le soulignement, le post-scriptum (*P.-S.*) est affaire de tact et de mesure. Au dernier moment, alors que vous allez cacheter votre lettre, il peut arriver que vous jugiez indispensable d'y consigner un dernier petit fait, omis jusque-là par inadvertance. Pour une lettre courante, le cas n'est pas pendable : vous ajoutez les deux lettres *P.-S.* au-dessous de votre signature et vous réparez votre omission, en vous excusant d'avoir à le faire.

Mais attention ! Il ne faut pas que le post-scriptum, dans votre correspondance, devienne une habitude. *Un* post-scriptum est pardonnable ; *deux*, c'est trop ; *trois*, c'est inadmissible. Pas de *P.-S.* 2 (ou *P.P.-S.*) et encore moins de *P.-S.* 3. Il est humain de se tromper, mais il est inadmissible de se tromper plusieurs fois de suite dans une même lettre.

Inutile aussi de préciser que le *post-scriptum* ne doit *jamais* renfermer *l'objet même* de votre lettre. Ce procédé, que d'aucuns pourraient croire « astucieux », ne trompe en réalité personne — que celui qui l'emploie.

CHAPITRE II

LA PRÉSENTATION DES LETTRES

S'il est vrai que l'habit ne fait pas le moine, encore ne faut-il pas, pour autant, s'en aller vêtu à la diable et se montrer en tous lieux dans ce « beau désordre » qui n'est pas toujours un effet de l'art.

Ce qui est vrai pour notre costume s'applique également à notre correspondance. La lettre est une messagère que nous déléguons à autrui, un ambassadeur, chargé par nous d'exprimer nos sentiments, de faire flotter notre pavillon ou de contracter en notre nom des alliances qui nous seront agréables, utiles ou profitables. Veillons donc avec tout notre zèle à la dignité de cette messagère, à l'élégance d'allures de cet ambassadeur. *Correction, courtoisie, dignité :* une lettre acheminée sous de tels auspices ne peut manquer d'éveiller l'intérêt et de retenir l'attention.

En matière de lettres comme ailleurs, c'est avant tout la première impression qui compte. Notre correspondant, dès que le facteur lui a remis son courrier, doit être favorablement impressionné par notre missive. A nous, par conséquent, de soigner au maximum la présentation matérielle de nos lettres.

CHOIX DU PAPIER A LETTRES. — Avant tout, évitons les papiers qui témoignent de la « haute fantaisie » des fabricants. Pas de bords à franges, pas de vélins découpés « à l'antique », pas de couleurs voyantes ou sirupeuses, évoquant irrésistiblement le coucher de soleil ou le bonbon fondant. Comme celle d'un vêtement, l'élégance d'un papier à lettres réside surtout dans sa *sobriété discrète.*

Les hommes choisiront un papier blanc uni, de bonne qualité, et les femmes, si le blanc leur paraît trop classique, adopteront une couleur discrète, dans les gris ou les bleus. Le papier une fois choisi, on aura intérêt à lui rester fidèle car *votre* papier est comme un reflet de votre personnalité ; il doit permettre à vos correspondants de reconnaître d'emblée *vos* lettres dans la masse du courrier.

Tous les formats de papier à lettres sont évidemment permis. Toutefois, on se trouvera bien de ne pas jeter son dévolu sur un papier de format *trop grand* (ce qui est prétentieux et mal commode) ni *trop petit* (ce qui augmente les risques de perte et diminue fatalement la lisibilité). Le format dit « commercial » (21 × 27) est actuellement fort employé, même pour les lettres courantes ; le feuillet double, naguère encore imposé par les convenances, n'est plus indispensable aujourd'hui, sauf pour les lettres officielles et protocolaires.

Les initiales, monogrammes et devises, jadis fort en vogue, sont maintenant tombés en désuétude. Il est bien inutile de chercher à singer les armoiries ; la simple mention de notre adresse, imprimée ou gravée (et, éventuellement, accompagnée de notre numéro de téléphone), suffira à renseigner nos correspondants, en même temps qu'elle donnera à notre papier à lettres sa note personnelle.

Les personnes en deuil peuvent se servir d'un papier blanc, encadré d'un mince liséré noir ; la bordure noire *trop large* est vulgaire et de mauvais goût. Le papier dit « demi-deuil », parfois gris ou mauve avec filet de même teinte, est mieux blanc, lui aussi, et bordé du *très mince* liséré de « deuil éternel ». La tendance la plus moderne consiste à employer des feuilles et enveloppes barrées à l'angle gauche d'un simple trait noir.

On trouvera ci-après, aux différents chapitres traitant des lettres officielles, lettres d'affaires, etc..., toutes les indications nécessaires sur les papiers à adopter dans chaque cas particulier (voir Table).

Le *papier parfumé* est naturellement *à éviter*, sauf en cas de correspondance très intime ; encore son emploi n'est-il jamais l'indice d'un goût très sûr.

MARGE ET NUMÉROTAGE DES FEUILLETS. — Une belle marge « donne de l'air » à une lettre et lui confère une dignité polie et de bon aloi. Une marge trop étroite rend la lecture malaisée, en même temps qu'elle suggère la parcimonie et la petitesse. La marge à adopter varie, bien entendu, selon le format du papier choisi, mais on peut admettre qu'elle ne doit jamais être *inférieure à deux centimètres*. Est-il besoin de dire, enfin, qu'on n'écrit pas dans la marge ?

Lorsqu'une lettre comprend de nombreux feuillets, chacun de ces feuillets (sauf le premier) doit être numéroté pour faciliter la lecture. Il est encore des gens qui utilisent un ordre de succession des feuillets très personnel : de la première page, ils sautent à la dernière, puis reviennent au milieu, etc... Un tel procédé est tout simplement abracadabrant. La page 2 doit se trouver naturellement au verso de la première, la page 3 en face de la page 2, et ainsi de suite. La personnalité, certes,

·est une excellente chose, mais *on n'a pas le droit* de l'appliquer à la comptabilité ou au numérotage.

L'ENCRE, LE STYLO A BILLE. — L'encre verte fatigue les yeux, en même temps qu'elle donne à une lettre un caractère des plus fantaisistes. L'encre rouge, bien entendu, ne peut servir qu'en comptabilité, ou pour la correction des devoirs d'écoliers. Pratiquement, donc, il nous faut choisir entre trois couleurs d'encre : noire, bleue, violette.

L'encre noire est classique et ne peut déplaire à personne ; elle offre un trait d'une lisibilité parfaite et s'impose absolument pour toute correspondance de caractère sérieux, *a fortiori* pour la correspondance officielle. L'encre violette fait maintenant « vieux jeu », tandis que l'encre bleue, au contraire, connaît la faveur du public moderne.

On n'écrit plus guère à la plume, le stylographe s'étant imposé depuis longtemps déjà, mais il est un nouveau système, de création relativement récente : le stylo à bille. Il ne nous appartient pas de discuter ici de ses avantages et de ses inconvénients. Bornons-nous à rappeler qu'il vaut mieux en éviter l'emploi pour toute correspondance qui n'est pas de caractère intime.

L'ÉCRITURE. — Il est une sottise bien vieille que l'on entend encore proférer parfois : « L'écriture, c'est la science des ânes ! » Heureux ânes et que ne peuvent-ils nous venir en aide pour la confection de nos lettres !

L'écriture, en réalité, est d'une importance extrême — et tout particulièrement lorsqu'il s'agit de notre courrier. Certes, la grande époque des *pleins* et des *déliés* a disparu en même temps que la dernière diligence. Le stylo impersonnel et rigide a tué la belle calligraphie chère à nos pères. Mais si l'on n'exige plus de chacun qu'il possède « une belle main » et qu'il excelle dans la lettre moulée, au moins lui demande-t-on d'avoir une écriture *lisible*.

Ne tirons pas argument des « pattes de mouches » de tel grand savant ou de l'ordonnance rédigée par tel médecin et que l'on jurerait tracée par un chat. Élégante ou gauche, prétentieuse ou simple, tortueuse ou « coulante », l'écriture est le fidèle reflet du scripteur, de son éducation et même de son caractère.

Dans notre correspondance plus encore qu'ailleurs, appliquons-nous avant tout à être *parfaitement lisibles*. Une lettre indéchiffrable, hérissée de ratures et truffée de hiéroglyphes, ne fait honneur ni à notre politesse, ni à notre jugement. Nous imposons un véritable pensum à notre correspondant ; aurions-nous raison de lui en vouloir si, de guerre lasse, les yeux fatigués et la tête bourdonnante, il jetait finalement notre missive au panier ?

Ecrivons nos lettres *clairement, proprement* : la politesse le veut. Ecrivons-les *lisiblement* : notre courtoisie nous le conseille et notre intérêt l'exige.

LA LETTRE DACTYLOGRAPHIÉE. — Indispensable pour la correspondance commerciale, la machine à écrire, peu à peu, fait son apparition dans la correspondance privée. Est-ce un bien ? Est-ce un mal ? Peut-on, sans manquer aux lois du savoir-vivre et de la correction, envoyer à tout le monde des lettres dactylographiées ?

Là encore, tout est affaire de mesure et de bon goût ; il n'existe pas de règle générale. La machine à écrire, c'est un fait, a conquis droit de cité ; de plus en plus, elle tend à s'installer dans notre vie quotidienne au titre d'outil commode, indispensable même. Pourtant, dans certains cas — et notamment pour toute correspondance protocolaire — la lettre tapée à la machine peut constituer un apparent manque d'égards. Parfaitement convenable lorsqu'elle est destinée à nos amis, elle peut sembler froide ou impersonnelle lorsqu'elle est adressée à certains de nos parents ou intimes. C'est donc à nous-même qu'il appartiendra de déterminer, en dernier ressort, si une lettre tapée à la machine est ou non convenable dans tel cas précis. Il est d'ailleurs un compromis possible que l'on peut indiquer ici : il consiste à ajouter quelques lignes manuscrites à la lettre dactylographiée, ce qui a pour effet de lui donner une apparence plus *personnelle* et plus *vivante*.

Si l'usage de la machine à écrire continue à s'étendre et à se généraliser, ce qui est plus que probable, il faut bien reconnaître, du reste, que notre correspondance ne peut que gagner à cette modernisation. Une lettre *soigneusement dactylographiée* et *clairement interlignée* sera toujours plus lisible et plus flatteuse pour l'œil que la meilleure calligraphie. De plus, la machine à écrire permet de conserver, sans surcroît de besogne, *un double* de toute correspondance. Ce dernier avantage, à tous points de vue, est considérable.

LA DATE. — C'est un détail, mais il est d'importance, et trop de correspondants ont tendance à l'oublier : *toute lettre doit être datée.*

Inscrivez la date au commencement de vos lettres (dans la partie supérieure droite de la feuille), et non à la fin, ce qui est à la fois incommode et cavalier.

N'écrivez pas 10/6/66, mais 10 juin 1966; proscrivez les abréviations suspectes, comme 9bre, 10bre, etc. Il n'en coûte guère plus d'écrire clairement et intelligiblement *novembre, décembre.*

L'EN-TÊTE. — L'en-tête, ou *terme d'entrée*, est également, au même titre d'ailleurs que les salutations finales, une des parties les plus importantes de la lettre. C'est ce qui frappe votre correspondant dès le début de sa lecture, avant même qu'il ait commencé à parcourir la lettre proprement dite. C'est le « bonjour » écrit ; or il est bien évident qu'on ne peut songer à saluer les gens n'importe comment, au petit bonheur. Le premier contact détermine presque toujours ce que seront nos relations ultérieures avec nos correspondants : bonnes ou mauvaises, tièdes ou chaleureuses, agréables ou difficiles. — *Songez-y toujours lorsque vous commencez vos lettres.*

Pour les amis, pas de difficulté : *Chère amie, Bien cher ami, Cher André, Mon cher camarade...* Chacun de nous, par instinct et par habitude, trouve sans longue recherche la formule à employer.

La question est plus délicate, déjà, lorsqu'on écrit à de simples relations et le problème est encore plus difficile à résoudre quand on s'adresse à des inconnus. Voici quelques indications générales, méthodiquement classées, dont on pourra s'inspirer utilement en cas d'incertitude :

A UN ÉGAL, on écrira simplement *Monsieur,* ou *Cher Monsieur* si on le connaît un peu et que l'on veut lui marquer une nuance de sympathie ; pour exprimer plus de cordialité encore, sans sortir toutefois de la stricte correction, on emploiera *Cher Monsieur et ami.*

Suivant les circonstances, on utilisera éventuellement des formules inspirées par les situations qu'occupent respectivement chacun des correspondants : *Mon cher collègue, cher confrère, Mon cher confrère et ami, Cher Président,* etc. Les Anciens Combattants, même lorsqu'ils ne se connaissent pas, utilisent généralement la formule : *Cher camarade.*

A UN SUPÉRIEUR, on marquera sa considération en lui donnant son titre : *Monsieur le Président, Monsieur le Directeur, Monsieur le Secrétaire Général, Madame la Déléguée,* etc.

S'il s'agit d'une personne qui n'occupe aucune fonction particulière, on se contentera de *Monsieur, Madame* ou *Mademoiselle,* en exprimant le respect que l'on veut traduire dans les termes mêmes de la lettre, qui seront empreints de déférence, et surtout dans la formule de politesse finale.

N'oublions pas qu'à situation égale, c'est le plus jeune des deux correspondants qui doit marquer sa respectueuse déférence au plus âgé. Dans le cas d'une personne fort jeune écrivant à un vieillard, cette nuance doit être particulièrement accusée.

A UN INFÉRIEUR, on écrira sensiblement dans les même termes qu'à un égal : *Monsieur, Madame, Cher Monsieur.* Le bon goût actuel et les tendances modernes prohibent l'emploi des formules méprisantes ou protectrices dont on usait jadis.

Un patron écrivant à son employé l'appellera *Monsieur* ou *Cher Monsieur ;* volontiers aussi, il se servira de son nom : *Mon cher Garnier,* lui donnant ainsi la preuve d'une certaine familiarité cordiale.

23

Pour nos fournisseurs, nos obligés et, d'une façon générale, les gens qui dépendent de nous, nous adopterons simplement *Monsieur* ou *Madame*.

Les femmes entre elles feront comme les hommes et se serviront des termes qui traduisent le mieux la nature de leurs relations, le degré de l'amitié ou de l'affection qui les unit, la considération ou le respect qu'elles veulent exprimer : *Madame, Chère Madame et amie, Chère amie, Bien chère amie, Chère Jeanne, Madame la Directrice, Chère Présidente et amie, Ma chère collègue,* etc.

Une femme écrivant a un homme saura également nuancer les termes de sa lettre suivant les circonstances particulières à chaque situation : *Monsieur, Cher Monsieur, Cher Monsieur et ami, Mon cher cousin, Cher Jacques,* etc.

Plus encore que les hommes, les femmes, dans leurs lettres, auront soin de n'employer aucune formule exagérément cordiale, dont la nature pourrait donner lieu à des interprétations fâcheusement inexactes.

Un homme écrivant a une femme observera les mêmes règles générales, veillant attentivement à manifester sa galanterie parfaite en toutes circonstances : *Madame, Chère Madame, Chère Madame et amie, Ma chère amie, Chère Denise,* etc.

Attention ! N'employez jamais de formules comme *Mon cher Monsieur, Ma chère Dame* (ou *Ma chère Madame*), *Cher Monsieur David, Chère Madame Gallois,* etc. Cette façon d'écrire est absolument condamnée par le bon goût et les convenances.

CAS PARTICULIERS. — *En dehors des pétitions, lettres d'affaires, etc., pour lesquelles on trouvera toutes indications utiles aux différents chapitres spéciaux de cet ouvrage, (voir Table), il est un certain nombre de cas particuliers devant lesquels on peut se trouver embarrassé. Résumons-les donc ci-dessous :*

Aux personnalités civiles, hauts fonctionnaires, etc., on écrira en donnant leur titre : *Monsieur l'Ambassadeur, Monsieur le Président. Monsieur le Ministre Plénipotentiaire, Monsieur le Consul Général, Monsieur le Préfet des Études, Monsieur le Censeur, Monsieur l'Administrateur Délégué,* etc.

Aux officiers, les hommes en âge d'être mobilisables donneront leur grade : *Mon Général, Mon Colonel,* etc., et l'inférieur commencera toujours sa lettre à un supérieur par la formule : « J'ai l'honneur ». Dans les relations purement mondaines, on supprime le « mon » : *Général, Colonel, Commandant ;* au-dessous du grade de commandant, on écrit seulement : *Monsieur*.

Noter que les officiers de Marine s'appellent toujours « Monsieur » : Monsieur l'Amiral X... ; Monsieur le Capitaine de Corvette Y... ; Monsieur le Lieutenant de Vaisseau Z...

Aux personnes titrées, on dira seulement *Monsieur, Madame* ou *Mademoiselle*. Seuls, les gens de maison écriront *Monsieur le Marquis, Madame la Comtesse*.

Aux médecins on écrira seulement *Monsieur* [1]. L'appellation *Monsieur le Docteur* doit être résolument proscrite ; rappelons-nous d'ailleurs qu'elle est sottement imprécise, puisqu'il est d'innombrables *docteurs* qui ne sont pas *médecins*.

Aux instituteurs, institutrices, professeurs, on écrira *Monsieur, Madame* ou *Mademoiselle,* en faisant suivre le nom du correspondant de la mention : *Instituteur à X..., Institutrice à X..., Professeur au Lycée de...*

FORMULES DE POLITESSE OU SALUTATIONS FINALES. — La terminaison d'une lettre, avec la formule qui précède immédiatement la signature, est aussi importante que *l'en-tête* et le choix de la tournure à adopter plonge bien souvent les correspondants dans une incertitude inquiète.

Avant tout, souvenons-nous toujours que l'on doit répéter, dans la phrase qui termine une lettre, *les mots mêmes* que nous avons utilisés pour *l'en-tête*. Ainsi, par exemple, si nous nous sommes servi du simple *Monsieur* en commençant, nous terminerons en écrivant : « Veuillez agréer, *Monsieur,* l'expression de mes meilleurs sentiments. » Si nous avons tracé, au début de notre lettre, *Ma chère tante,* nous écrirons pour clore la missive : « Je t'envoie, *ma chère tante,* mes plus affectueux baisers. » Si nous nous sommes adressé à *Monsieur le Directeur,* nous dirons à notre correspondant, pour finir : « Je vous prie d'agréer, *Monsieur le Directeur,* l'expression de mes sentiments respectueusement dévoués. »

N'oubliez jamais d'appliquer cette règle, qui ne souffre aucune exception.

Examinons maintenant les différentes formules de politesse qu'il convient d'employer suivant les circonstances :

Pour la famille et les amis intimes, chacun connaît soi-même, de longue date, les formules et tournures qu'il convient d'employer.

A un égal, on adressera *l'expression de ses sentiments les meilleurs, l'assurance de ses sentiments distingués* (ce qui est plus froid), ou bien, au contraire, pour traduire chaleureusement sa sympathie ou son amitié, on écrira : *Veuillez agréer, cher ami, l'assurance de mes sentiments de cordiale sympathie,* ou *Croyez, mon cher ami, à mes affectueux* (ou *très affectueux*) *sentiments.*

A un supérieur, on écrira une salutation exprimant la déférence, le respect : *Veuillez agréer, Monsieur, l'expression de mes respectueux sentiments, Je vous prie d'agréer, Monsieur le Directeur, mes respectueuses*

---

1. Ou si la circonstance l'exige, *Monsieur le Professeur.*

salutations, Veuillez croire, Monsieur, à tous mes sentiments de respectueuse gratitude (dans le cas où l'on désire marquer sa reconnaissance), etc.

Noter qu'il est d'usage, lorsqu'on s'adresse à un supérieur, de remplacer *l'assurance* (qui convient pour les amis et les familiers) par *l'expression*[1] ; plutôt que *recevez*, ou *veuillez recevoir*, on écrira aussi *Veuillez agréer, Monsieur...* ou bien *Je vous prie d'agréer, Monsieur...* En écrivant à un personnage de très haut rang, on pourra même écrire : « *Daignez agréer, Monsieur l'Inspecteur Général, etc.* »

LES FEMMES ENTRE ELLES, tout comme les hommes entre eux, veilleront à nuancer les salutations finales de leurs lettres, suivant l'âge, le rang, la situation, etc. En conséquence, les formules utilisées pourront être extrêmement variées : *Veuillez agréer, Madame, mon bien respectueux souvenir, Recevez, chère Madame, l'expression de ma considération très distinguée, Croyez, chère Madame et amie, à mes très affectueux sentiments,* etc.

UNE FEMME ÉCRIVANT A UN HOMME, lui adressera *l'expression de ses sentiments distingués* (correction un peu froide), *son meilleur souvenir* (amitié), *ses sentiments affectueux* (amitié plus accusée), etc.

UN HOMME, ÉCRIVANT A UNE FEMME, disposera d'une gamme de nuances tout aussi étendue : *Veuillez agréer, Madame, l'hommage de mes respectueux sentiments, Veuillez agréer, chère Madame et amie, l'expression de ma plus respectueuse sympathie, Croyez, ma chère amie, à ma très vive et très sincère amitié,* etc.

FORMULES A ÉVITER. — Certaines formules de politesse sont tombées en désuétude. C'est ainsi, par exemple, qu'on n'a plus coutume, à notre époque, de *déposer ses hommages aux pieds de Mme Z...*

De même, il n'est plus d'usage de se servir d'expressions jadis fort en faveur, comme : *Je suis avec respect, Monsieur, votre très humble et très obéissant serviteur.*

Une pareille façon d'écrire, de nos jours, passerait à coup sûr pour une mauvaise plaisanterie.

CAS PARTICULIERS. — *Pour les formules à employer en terminant les pétitions, lettres officielles, lettres commerciales ou d'affaires, etc., on se reportera aux différents chapitres spéciaux de cet ouvrage, où sont fournies toutes les indications nécessaires (voir Table).*

Pour les cas particuliers qui peuvent se présenter dans le domaine des relations courantes ou mondaines, il suffira de se conformer aux indications que nous avons données à propos de l'*en-tête* des lettres,

---

1. Pour marquer un très grand respect, on peut employer *les assurances*.

puisque les salutations finales, toujours, doivent s'inspirer (en la rappelant) *de la formule d'entrée utilisée au début.*

Selon les circonstances, on écrira donc : *Veuillez agréer, Monsieur l'Ambassadeur, les assurances* (remarquer ce pluriel) *de ma très haute considération. Veuillez, Monsieur le Recteur, recevoir l'expression de ma considération distinguée* (ou *très distinguée*). *Veuillez agréer, Monsieur l'Amiral, l'expression de mon respectueux dévouement, Veuillez croire, mon Colonel, à mes sentiments très respectueux,* etc.

REMARQUE IMPORTANTE. — Il ne faut *jamais, sous aucun prétexte, rejeter la formule de politesse, toute seule, en haut d'une page blanche. C'est une impardonnable incorrection.*

D'autre part, il est bon de ne pas lier la formule de politesse à la dernière phrase de la lettre. On en fera au contraire l'objet d'un alinéa particulier.

L'ENVELOPPE ET LA MISE SOUS ENVELOPPE. — Tout ce que nous avons dit du papier s'applique également à l'enveloppe, puisqu'elle doit être assortie au feuillet, tant par sa couleur et sa qualité que par ses dimensions. Dans la correspondance courante, il est incorrect d'employer une enveloppe dont la couleur diffère de celle du papier. De même, il est absurde et malséant d'enfermer une immense feuille dans une minuscule enveloppe, ou inversement.

Les enveloppes peuvent être simples ou doublées. L'enveloppe double est plus résistante, plus étanche et ne permet pas aux indiscrets de lire son contenu par transparence.

Si l'on emploie du papier de format « commercial » (21 × 27), l'enveloppe dite *américaine* est à recommander. De forme oblongue, elle permet d'y glisser la feuille repliée en trois parties seulement, dans le sens de la longueur.

La lettre pliée sera glissée dans son enveloppe *de telle sorte que le côté plié repose au fond de l'enveloppe* et que le côté du feuillet qui porte la date et l'en-tête soit tourné vers la patte de l'enveloppe. En procédant de cette manière, la lettre ne risquera pas d'être coupée à l'ouverture (si votre correspondant utilise des ciseaux) et son destinataire pourra lire votre missive sans être obligé de la retourner dans tous les sens pour en trouver le début.

LES CACHETS DE CIRE. Il était autrefois de bon goût de sceller ses lettres d'un ou plusieurs cachets de cire sur lesquels on imprimait volontiers ses initiales. Comme tant d'autres, cette coutume a pratiquement disparu.

Aujourd'hui, on n'utilise plus les cachets de cire que pour les lettres chargées (*voir ci-après*).

L'ADRESSE DU DESTINATAIRE. En rédigeant la suscription d'une enveloppe, vous devez indiquer (*lisiblement !*) :

1° Les nom et prénom du destinataire, précédés de la mention : *Monsieur, Madame* ou *Mademoiselle* ;

3° Son domicile exact : rue et numéro de l'immeuble (avec, pour

2° La qualité ou profession du destinataire, s'il en a une ;

Paris, Lyon et Marseille, la mention de l'*arrondissement*) ;

4° Le nom du département, ou mieux, son numéro. Le numéro du département doit alors figurer *avant* le nom de la ville : 75 Paris.

Il est bon de souligner le nom de la localité et de placer éventuellement celui du département entre parenthèses.

Lorsque la localité habitée par notre correspondant ne possède pas de bureau de poste, ne pas oublier le nom du bureau qui la dessert.

L'ADRESSE DE L'EXPÉDITEUR. C'est une bonne précaution, de la part de l'expéditeur, que d'indiquer au dos de sa lettre, sur la patte de l'enveloppe, son nom et son adresse précise et complète.

Si, pour une raison quelconque, la lettre ne peut être remise à son destinataire, elle sera immédiatement retournée à l'expéditeur dont les nom et adresse figurent sur l'enveloppe. En l'absence d'une mention de cette nature, la missive serait versée au rebut.

AUX BONS SOINS DE... On emploie cette formule lorsqu'on écrit à une personne qui réside chez quelqu'un d'autre :

Monsieur Pierre Gauthier
aux bons soins de Madame Juliette Denis

Il est une formule plus brève et plus moderne, mais moins courtoise :

Monsieur Pierre Gauthier
chez Madame Juliette Denis

Enfin, il en existe une troisième, plus brève encore :

Monsieur Pierre Gauthier
c/o Madame Juliette Denis

Les initiales c/o ne sont qu'une abréviation des mots anglais *care of*, lesquels signifient... *aux bons soins de*.

Peut-être jugerez-vous préférable, dans notre pays au moins, de vous en tenir à l'une des deux formules françaises. Pour les lettres destinées à l'étranger, la mention c/o est plus généralement comprise.

L'AFFRANCHISSEMENT. — Le ou les timbres utilisés pour l'affranchissement d'une lettre doivent être collés bien à leur place, *en haut et à droite de l'enveloppe.*

L'emplacement du timbre n'est nullement laissé au libre arbitre de chacun ; il en va de même pour sa position. Un timbre collé de travers — voire même apposé sur l'enveloppe « la tête en bas » — constituerait une grossièreté à l'égard de notre correspondant.

On évitera aussi, dans toute la mesure du possible, de multiplier inutilement les vignettes postales. Si l'affranchissement nécessaire est de 30 centimes, efforçons-nous de ne pas l'acquitter, par exemple, avec six timbres à 5 centimes. Un pareil procédé pourrait nous nuire dans l'esprit de certaines personnes susceptibles. (Il existe une exception à cette règle : notre correspondant est collectionneur de timbres, et nous savons qu'un échantillonnage lui fera plaisir).

Mais surtout, *prenons bien garde de ne pas exposer le destinataire de notre lettre au paiement d'une surtaxe.* La surtaxe, rappelons-le, est égale *au double de l'affranchissement non acquitté par l'expéditeur.* Si nous avons timbré notre lettre à 20 centimes, au lieu de 30, son destinataire devra donc payer 20 centimes au facteur, et cette petite amende, si indulgente qu'en puisse être la victime, ne manquera pas de l'indisposer à votre égard.

Si nous hésitons sur l'affranchissement nécessaire à certaines lettres, n'hésitons donc pas à nous renseigner à la poste. Le dérangement n'est pas considérable, et l'affaire en vaut la peine [1].

LE TIMBRE POUR RÉPONSE. — Faut-il joindre à sa lettre un timbre pour la réponse ? *En principe, non.* Le procédé ne doit être appliqué qu'*à titre exceptionnel,* et encore avec une *extrême prudence.*

Il est bien évident, en effet, qu'en joignant un timbre à sa lettre, on *oblige* le correspondant à répondre : c'est la « carte forcée » — ou plutôt la lettre forcée. Un pareil « chantage au timbre » n'est pas du goût de tout le monde.

En règle générale, on n'accompagnera d'un timbre pour réponse que les lettres adressées à des inconnus pour leur demander des renseignements qu'ils ne sont nullement obligés de fournir, ou des services que rien ne les force à rendre.

On n'envoie pas de timbres aux fonctionnaires des administrations ou des grands services publics, et pas davantage à ses amis ou à ses supérieurs.

Si l'on écrit à une personne résidant à l'étranger et que l'on tienne à lui fournir le moyen d'affranchir sa réponse, il va de soi qu'on ne lui joindra pas de timbres français, qui seraient sans utilité dans son pays, mais un *coupon-réponse international* (en vente dans tous les bureaux de poste).

« PRIÈRE DE FAIRE SUIVRE ». — Nous porterons cette mention, soulignée de deux traits, en haut et à gauche de l'enveloppe qui renferme une lettre adressée par nous à un correspondant susceptible de se déplacer à l'improviste au moment où nous lui écrivons. La profes-

---

1. Nous n'indiquerons pas ici les *tarifs postaux,* qui varient trop fréquemment

sion de notre correspondant (marin, militaire, voyageur de commerce, artiste, commerçant, etc.) peut rendre cette précaution indispensable, ainsi d'ailleurs que l'époque de l'année (vacances).

De même, nous écrirons *Prière de faire suivre* sur la correspondance adressée à des personnes dont nous ne connaissons que l'ancien domicile. Les services postaux se chargeront alors, dans toute la mesure possible, de l'acheminement rapide du courrier vers la nouvelle adresse de son destinataire. ·

Quand nous partons nous-mêmes en déplacement, nos lettres nous seront réexpédiées *gratuitement* sur toute l'étendue du territoire français, si nous avons eu la précaution de déposer notre nouvelle adresse au bureau de poste de notre localité ou, dans les grandes villes, de notre quartier.

On peut également se procurer dans les bureaux de poste des *enveloppes de réexpédition* dans lesquelles la concierge de notre immeuble, ou encore une personne de notre entourage restée à notre domicile en notre absence, glissera le courrier qui nous est destiné. Remises au facteur *sans affranchissement,* ces enveloppes et leur contenu nous seront réexpédiées à la nouvelle adresse qu'on y aura portée.

PIÈCES JOINTES. —Dans la correspondance commerciale et administrative, on signale les différentes pièces qui sont jointes à une lettre par les initiales *P. J.* portées sur la lettre même (en haut et à gauche, dans la marge), ou encore par un papillon de couleur, généralement rouge ou bleu, collé au même endroit.

Pour la correspondance familière et courante, on se borne à mentionner, dans le corps même de la lettre ou en *post-scriptum,* les diverses pièces qu'on a jugé bon d'y annexer (chèques, mandats, photographies, coupures de presse, documents variés).

Si l'on veut fixer ces pièces annexes sur la lettre même, veillons à le faire de telle manière qu'elles ne risquent pas d'être coupées ou détériorées lors de l'ouverture de l'enveloppe par notre correspondant. *N'employons jamais d'épingles :* collons les documents joints ou, de préférence, *agrafons-les.*

Souvenons-nous aussi qu'on ne peut pas joindre *n'importe quoi* à une lettre. Un simple coup d'œil au calendrier des P. et T. nous renseignera sur ce qu'il est interdit d'y enfermer.

Pour expédier des documents fragiles ou précieux, on les placera entre deux feuilles protectrices, taillées à la dimension requise dans du carton ou du papier fort, et on aura soin d'utiliser pour l'envoi une enveloppe solide.

LETTRES CHARGÉES ET RECOMMANDÉES. — Les *lettres chargées* s'imposent pour les envois d'argent, de documents importants, etc. L'enveloppe en est généralement scellée de cinq cachets de cire (*deux au moins* sont obligatoires), portant une empreinte distinctive uniforme. La mention *Valeur déclarée, X... francs* doit figurer sur l'enveloppe.

En dehors de la correspondance commerciale ou d'affaires, les *lettres recommandées* (qui peuvent être *avec accusé de réception*) comportent, dans la correspondance courante, un caractère de méfiance très marqué. On les adresse, en général, aux personnes dont on a des raisons de suspecter la bonne foi, à celles qui se montrent négligentes dans l'exécution des engagements pris, ou encore aux gens qui prétendent toujours qu'ils n'ont « pas reçu » les lettres ordinaires qui leur ont déjà été envoyées. Par un surcroît de précaution, il arrive même qu'on expédie une lettre recommandée *sans enveloppe,* la lettre repliée sur elle-même et collée aux extrémités en tenant lieu. Dans ces conditions, le correspondant, qui ne peut nier la réception d'une lettre recommandée, ne pourra pas davantage prétendre qu'il a reçu *une enveloppe vide.* La plupart des actes de procédure courante sont inaugurés par l'envoi d'une lettre recommandée.

Précisons toutefois que le caractère comminatoire ou méfiant de la lettre recommandée n'est pas absolument constant. Il arrive assez fréquemment, à l'heure actuelle, de recommander un envoi par simple souci de sécurité ; nul ne songe alors à se formaliser du procédé.

L'expéditeur d'un envoi recommandé perçoit une indemnité en cas de perte de la correspondance.

ENVOIS CONTRE REMBOURSEMENT. — Toute correspondance peut faire l'objet, lors de sa remise au destinataire, d'un *droit de remboursement* dont le montant, perçu par le facteur, sera ultérieurement versé à l'expéditeur.

Assurons-nous toujours, avant d'accepter un envoi qui nous est fait *contre remboursement* que l'expéditeur est connu de nous et que la correspondance nous est bien destinée.

CORRESPONDANCE PAR AVION. — Pour la plupart des pays (sauf Union Française), la correspondance acheminée par la voie aérienne est frappée d'une surtaxe variable (se renseigner à la poste), suivant sa destination et son poids.

Il est bon d'utiliser, pour la correspondance par avion, un papier spécial, à la fois résistant et léger. Les enveloppes assorties comportent une bordure tricolore et la mention PAR AVION ; si l'on n'a pas d'enveloppe spéciale, on trace la même mention en caractères apparents et soulignés dans l'angle supérieur gauche et en travers d'une enveloppe ordinaire.

Noter que l'on peut écrire par avion à l'intérieur de la France même.

LA POSTE RESTANTE. — Toute personne *âgée de 18 ans au moins* peut se faire adresser son courrier *poste restante*, dans un bureau de poste de son choix.

Les lettres destinées à la poste restante doivent obligatoirement porter le nom du destinataire, *à l'exclusion des initiales, numéros, etc.* Le courrier est délivré à son destinataire *sur présentation d'une pièce d'identité.*

En sus du montant ordinaire de l'affranchissement, les lettres destinées à la poste restante sont frappées d'une *surtaxe fixe.* Quand cette surtaxe n'a pas été acquittée par l'expéditeur, le destinataire doit la payer lors de la remise du courrier.

CORRESPONDANCE PNEUMATIQUE. — Elle existe dans Paris et entre plusieurs localités de la banlieue parisienne.

Rapide et commode, la correspondance pneumatique (soumise à certaines limitations de poids et de volume) est distribuée dès son arrivée par des facteurs spéciaux.

Frappée d'une surtaxe, elle doit comporter la mention « PNEUMATIQUE » dans l'angle supérieur gauche de l'enveloppe.

ANNEXE : NOTES ET CONSEILS UTILES POUR VOTRE CORRESPONDANCE

Les pages qui précèdent vous auront donné, nous l'espérons, un ensemble d'indications dont il vous sera facile de tirer très rapidement le meilleur profit pour votre correspondance. Vos incertitudes ont disparu. Vos hésitations se sont évanouies. « Après tout, remarquez-vous, ce n'est pas si difficile ! » — Bien sûr que non. Mais encore faut-il achever ce que nous avons commencé, et discipliner la marche générale de notre correspondance, comme nous avons discipliné nos idées, notre plume et notre écritoire.

Les quelques conseils qui suivent vous aideront à le faire.

RÉPERTOIRE DE CORRESPONDANCE. — Nul n'est infaillible et la mémoire de l'homme est traîtresse. Bien des fois, sans doute, il vous est arrivé de vous demander avec angoisse : « Où ai-je donc mis l'adresse de Paul ?... Est-ce que j'ai répondu, l'autre jour, à cette lettre du Maroc ?... Comment diable s'appelait cet homme qui devait tailler mes arbres ? »

On cherche, on s'évertue, on se démène — et on ne trouve pas toujours !

Pour éviter ce genre de mésaventure, il est bien facile de tenir à jour un *répertoire de correspondance* où figureront, soigneusement classés, les noms et adresses dont nous pouvons avoir besoin pour écrire nos lettres. Chacun, suivant son métier, ses habitudes et son genre de vie, donnera à ce répertoire l'importance qu'il désire. Il peut être *alphabétique* ou *analytique* (avec des subdivisions : *parents, amis, fournisseurs,* etc.), ce dernier système permettant de retrouver aisément *un correspondant dont on ne se rappelle même plus le nom.*

Pour ceux qui écrivent beaucoup — ou bien dont la mémoire est particulièrement mauvaise — le même répertoire peut fournir un précieux *aide-mémoire de la correspondance échangée.* Il suffira de tracer deux colonnes en face des noms de nos correspondants. Dans l'une, nous inscrirons : *Lettre reçue le... au sujet de...* Et dans l'autre : *Répondu le... dans tel sens.*

Enfantin, ce système ? N'en croyez rien : c'est au contraire le meilleur, le plus sérieux qui soit. Il est appliqué par tous les gens qui aiment l'ordre, la méthode et *les résultats.*

Un répertoire est prévu à la fin de ce volume.

CLASSEMENT DES LETTRES ET DOUBLES. — Le répertoire à colonnes ne vous dispense pas de conserver les lettres reçues ou les doubles de vos réponses. Il vous permet seulement de retrouver les unes et les autres avec facilité. Il vous permet aussi de vous remémorer le contenu des lettres et doubles que vous n'auriez pas jugé utile de conserver.

C'est, en effet, une question qui se pose à chacun de nous : quelles lettres faut-il conserver ? Assurément, on peut les conserver toutes, mais il en est pour lesquelles un simple *extrait,* rédigé sous forme de note consignée dans notre répertoire, nous rendra tous les services nécessaires sans nous encombrer de paperasses. Il est aussi des lettres qu'il *faut* détruire, soit que leur auteur nous l'ait demandé, soit que nous tenions à ce que personne ne puisse les lire quand nous aurons disparu. Pour celles-là, une note succincte, et compréhensible de nous seuls, remplacera parfaitement l'original.

Quant aux lettres que nous conserverons — ce sera le plus grand nombre — classons-les soigneusement et adoptons, pour cela aussi, le système alphabétique ou analytique dont nous parlions plus haut. Le premier est bon, sans doute, mais le second est incontestablement plus judicieux, les lettres familiales, sentimentales ou d'amitié n'ayant rien à faire avec celles qui concernent nos propriétés, notre métier ou nos travaux. Ayons donc des chemises, ou dossiers, et répartissons méthodiquement notre correspondance dans chacune des subdivisions naturelles ainsi formées.

Pour les doubles, la machine à écrire triomphante répond d'elle-même à notre préoccupation. Mais tout le monde n'a pas de machine, et toutes les lettres ne peuvent pas être dactylographiées, nous l'avons dit. Cependant *il est indispensable, dans presque tous les cas, de conserver un double de ce que nous écrivons.* En négligeant cette élémentaire précaution, on risque en effet d'innombrables déboires, mécomptes, disputes et contestations de toutes sortes. On risque aussi, et c'est assez vexant, de se demander un beau jour : « Qu'ai-je donc bien pu écrire à Untel ? »

Le meilleur moyen d'éviter cela, c'est de conserver nos brouillons quand nous en avons fait, ou de simples notes résumant l'essentiel de nos lettres. *Dans tous les cas véritablement importants, n'hésitons pas à prendre de nos lettres une copie exacte que nous conserverons.*

Ces doubles, extraits ou copies seront annexés à la correspondance qu'ils concernent, ou bien classés à part, suivant les commodités et les préférences de chacun.

DÉLAIS DE RÉPONSE. — Répertoire et classement méthodique des lettres reçues nous fourniront une aide appréciable pour nos réponses. La réponse est un devoir de politesse, une marque d'affection, d'amitié ou de courtoisie, suivant les cas ; bien souvent aussi, c'est une obligation d'intérêt.

Ne faisons jamais traîner nos réponses. Qu'il s'agisse de sentiment ou de commerce, de baisers ou de gros sous, de la première dent du petit ou de la toiture des bâtiments Mathieu, toute lettre appelle une réponse, tout correspondant est en droit d'attendre la vôtre. Ne le faites donc pas languir. En famille, on vous jugerait indifférent ; dans le monde, on vous trouverait grossier ; en affaires, on estimerait que vous n'êtes pas sérieux.

Il faut toujours répondre aussi rapidement qu'on le peut. Plus vite répondrez-vous, plus favorablement vous jugera-t-on. Il faut répondre *le jour même à un supérieur,* dans les deux ou trois jours à un parent ou ami et *dans la semaine à tout le monde,* sauf empêchement grave.

N'expédiez jamais une réponse sans l'avoir très attentivement relue. Répondez-vous bien à ce que l'on vous demandait ? Votre lettre ne comporte-t-elle aucune faute, aucune tache, aucune rature ? Est-elle bien lisible ? Avez-vous bien rédigé l'adresse, collé le timbre qu'il faut ?

Souvenez-vous de ce mot historique : « Deux lignes de l'écriture de quelqu'un, et je me charge de le faire pendre ! »

Il s'agit là d'une boutade, que l'on aurait bien tort de prendre au tragique. Sous sa forme plaisante, elle comporte néanmoins un profond enseignement, qu'il serait plus mauvais encore de ne pas prendre au sérieux.

CHAPITRE III

CARTES, TÉLÉGRAMMES
ET MESSAGES TÉLÉPHONÉS

CARTE-CORRESPONDANCE. — Réservée aux billets courts et familiers, la carte-correspondance, simple petit carton que l'on glisse dans une enveloppe, est d'un emploi commode lorsqu'on n'a besoin d'écrire qu'un bref message.

Les avantages pratiques de la carte-correspondance ne doivent pas cependant nous amener à généraliser son emploi, car cette sorte de message implique un certain laisser-aller. Il ne peut convenir, à la rigueur, qu'à des membres de notre famille ou à certains de nos très intimes amis. Encore doit-on, la plupart du temps, s'excuser d'être amené à l'employer.

CARTE-LETTRE. — Moins « digne » encore que la précédente, la carte-lettre doit constituer une forme de correspondance tout à fait exceptionnelle, exclusivement réservée aux intimes. Nous ne l'emploierons dans aucune circonstance importante *et ne l'adresserons jamais à des correspondants qui méritent notre considération.*

De tous les modèles de cartes-lettres, celui que l'on vend dans tous les bureaux de postes est incontestablement le plus vulgaire. Nos parents et amis ne nous feront pas grief de l'employer à l'occasion, mais les étrangers pourraient à bon droit se formaliser de nous voir l'utiliser pour eux. Si les circonstances nous y obligeaient, ayons donc soin d'excuser notre geste par un mot de justification.

Veillons bien, en tous cas, à ne pas écrire jusqu'au bord pointillé de la carte-lettre. Au moment de la clore, en effet, on risquerait d'humecter quelques lignes de texte en même temps que la colle de la bordure. Un accident de cette nature aggraverait encore notre cas.

LA CARTE POSTALE NON ILLUSTRÉE. — Proche parente de la carte-correspondance et de la carte-lettre (mais plus « négligée » encore que cette dernière), la carte postale non illustrée risque également d'offenser le destinataire.

On l'utilisera seulement pour des intimes, ou encore pour passer une commande urgente à un fournisseur.

Son prix d'affranchissement est évidemment inférieur à celui d'une lettre ordinaire.

LA CARTE POSTALE ILLUSTRÉE. — Classique message de vacances, la carte postale illustrée est d'un emploi délicat. Tout le monde connaît la vieille plaisanterie sur « les *en noir* et les *en couleurs* ». Ne prêtons pas à rire à nos dépens ; méfions-nous des cartes peinturlurées, bariolées ou encore de celles à prétentions « humoristiques ». Dans le domaine de la carte postale illustrée, le bon goût s'impose plus que jamais — et le bon goût, en matière de cartes, c'est avant tout la *sobriété*.

Veillons à choisir nos cartes suivant les personnes auxquelles nous les destinons : on n'envoie pas une noce villageoise au Recteur de l'Académie, ni un sarcophage gallo-romain à sa jeune cousine. Rappelons-nous les préférences de nos correspondants (paysages, monuments, scènes de mœurs, costumes, etc.) et faisons en sorte que notre « souvenir de vacances » (ou de voyage) soit aussi agréable et intéressant que possible pour son destinataire.

Notre carte postale, du facteur à la concierge, passera devant des yeux nombreux et l'absence d'enveloppe permettra à bien des gens de se faire une idée du genre de message rédigé. Efforçons-nous donc d'éviter les banalités sottes, les tirades prétentieuses ou les plaisanteries d'une opportunité contestable. Tout cela ferait le plus désastreux effet, et pour nous-mêmes, et pour ceux à qui nous écrivons.

Que l'économie de mots enfin ne nous soit pas un prétexte pour adopter un style ridiculement télégraphique. S'il faut absolument sacrifier à la brièveté, *que ce ne soit surtout pas au détriment de la politesse,* du bon goût et des convenances.

Ne commettons pas d'erreur dans l'affranchissement de nos cartes. La carte postale *ne constituant jamais un message absolument indispensable,* son destinataire nous pardonnerait difficilement de lui faire payer une surtaxe.

En vacances, *n'attendons pas le dernier jour* pour envoyer, d'un coup, toutes nos cartes postales. La carte postale doit marquer une aimable pensée ; elle ne doit pas constituer une espèce de *pensum* obligé, bâclé en dernière heure pour souscrire aux convenances.

LES CARTES DE VISITE. — La carte de visite doit être simple, sans fioritures ni caractères extravagants. Elle doit être gravée, et non imprimée. Affaire de moyens, direz-vous ? — Voire. Il est d'autres façons de se restreindre, et de meilleures. En tous cas, si vous devez absolument vous contenter de la carte typographiée, faites-le franchement. Ne trichez pas en adoptant une « simili-gravure » quelconque. Le remède serait pire que le mal.

Pour le bristol de vos cartes, une seule qualité convient : la meilleure. A défaut, veillez au moins à ce que celle qu'on vous fournit soit bonne.

En ce qui concerne les caractères, fuyez *l'anglaise* et toute la guimauve 1900. Choisissez des lettres droites, des *capitales* nettes et rectilignes, ni trop grasses, ni trop maigres.

L'adresse, quand on l'indique, se place en bas et à droite ; le numéro de téléphone, du côté opposé.

CARTE D'HOMMES. — Le mot *Monsieur* n'y figure jamais. L'homme mentionne son titre, s'il en a un, ou les fonctions qu'il occupe. *Il est de très mauvais goût de faire figurer ses décorations sur une carte de visite.*

Il est bon d'indiquer en toutes lettres le prénom usuel, afin d'éviter tout risque de confusion de personnes entre deux ou plusieurs individus pourvus du même patronyme. Au cas, même, où l'on porte un nom très répandu, il peut être utile de le faire précéder de *deux* prénoms.

CARTES DE FEMMES. — Les cartes de femmes sont généralement d'un format légèrement inférieur à celui des cartes d'hommes.

Les femmes mariées font suivre le mot *Madame* du nom de leur

G E O F F R O Y   M A R I E
Agrégé de l'Université

216, rue Bonnières - CAEN

mari, accompagné de son prénom (ou seulement de l'initiale de ce prénom).

Habituellement, l'adresse n'est pas mentionnée, sauf si l'intéressée exerce personnellement une profession quelconque.

Les célibataires font ou non précéder leur patronyme du mot *Mademoiselle.*

PAUL DE SOINDRE
Journaliste

Tél. : 828 16-29   20, rue Boutare - PARIS (XVᵉ)

DOCTEUR GASTON GRENIER
Ancien Interne des Hôpitaux de Paris
Chef de Clinique à l'Hôpital Marie-Béranger

Tél. 8-84   8, rue du Pont - AUXERRE

Les jeunes filles, qui n'indiquaient autrefois, ni leur prénom, ni leur adresse, en usent maintenant comme elles l'entendent. Très souvent, elles suppriment le mot *Mademoiselle.*

LES CARTES COLLECTIVES (OU CARTES DE MÉNAGES). — Ces cartes portent le nom des époux, précédé des abréviations *M. et Mme,* ou *M. & Mme.* Un médecin, un officier remplacent le *M.* par leur titre ou grade. Les membres de l'aristocratie titrée remplacent l'abréviation

M. et Mme par leurs titres respectifs.

USAGE DES CARTES DE VISITE. — *Les cartes de visite n'ont rien de commun avec les lettres et ne sauraient en aucun cas les remplacer.* Toutefois, on les utilise fréquemment dans les circonstances suivantes :
— Pour envoyer des vœux de Nouvel An ;

JEAN-JACQUES WERTEL
Directeur d'École

Saint-Pierre-Quiberon (Morbihan)

— Pour indiquer un changement d'adresse (la nouvelle étant soulignée à l'encre rouge) ;
— Pour exprimer des condoléances ;
— Pour annoncer un baptême, une naissance, une première communion, des fiançailles ou un mariage ;
— Pour donner son adresse à une personne dont on vient de faire la connaissance ;
— Pour s'annoncer à la personne chez qui on se présente ;

MADAME C. NEUVILLE

— Pour accompagner un cadeau, un envoi de fleurs, une offrande quelconque ;

— Pour signaler son passage, lors de l'absence de la personne visitée (l'usage, dans ce cas, est de *corner* la carte en repliant l'angle supérieur du bristol, à droite ou à gauche) ;

— Pour accompagner un règlement effectué par chèque ou mandat, et,

---

MADAME J. DOMBASLE
Professeur de musique

6, rue Pavillon - MARSEILLE

---

d'une façon générale, pour accompagner certains envois d'argent ;

— Pour signaler notre visite à un malade que nous n'avons pu approcher ;

— Pour notifier aux amis et personnes de connaissance que l'intéressé part en vacances. Dans ce cas, on portait naguère sur le bristol les initiales P.P.C. (*pour prendre congé*). Aujourd'hui on se borne à mentionner le départ imminent et la nouvelle adresse à utiliser.

AGNÈS PERLIER

316, rue Ballu - PARIS (XIe)

CARTES DE VISITE SOUS ENVELOPPE. — Acheminées par la poste, les cartes de visite seront naturellement placées dans des enveloppes du format voulu. La poste n'accepte pas les enveloppes d'un format inférieur à 7 cm sur 10 cm.

M. et Mme G. LE REBOURS

Vincennes

On a pris l'habitude, par économie, de ne pas fermer ces enveloppes afin de bénéficier d'un tarif restreint d'affranchissement.

Sans condamner absolument ce procédé, on doit indiquer qu'il est toujours *plus poli* d'envoyer la carte de visite sous enveloppe cachetée, affranchie comme une lettre.

CARTES D'INVITATION. — Il en existe de toutes sortes, pour les cérémonies, les dîners, les bals, les réunions et les mondanités variées (*voir Table*).

Docteur et Mme GILLES TEXIER

Pont-Sainte-Maxence (Oise)

Les cartes d'invitation sont généralement tirées sur bristol blanc ou crème. Comme pour les cartes de visite, il est préférable que le texte en soit gravé.

Les cartes d'invitation doivent être adressées à leurs destinataires longtemps à l'avance (trois semaines, en principe), afin de leur permettre de prendre toutes dispositions utiles.

Le Colonel et Mme Paul VILLIERS

La Bernerie-en-Retz (Loire-Inférieure)

Il est d'usage de répondre aux cartes d'invitation. Beaucoup d'entre elles, d'ailleurs, portent la mention R.S.V.P. (*répondez, s'il vous plaît*).

TÉLÉGRAMMES. — Concis par définition, les télégrammes n'en doivent pas moins affecter une *précision* extrême. Le souci d'économiser des mots — donc, de l'argent — ne doit pas nous amener à confectionner des télégrammes impénétrables ou susceptibles d'interprétations variées.

L'absence de ponctuation, dans les télégrammes, n'est nullement une excuse aux textes hermétiques. On peut toujours, en cas d'absolue nécessité, ponctuer en toutes lettres (*point, virgule,* etc.). On peut surtout se servir du *stop,* terme particulier au télégraphe pour séparer les phrases entre elles.

Un exemple cocasse fera comprendre l'utilité du *stop.* On raconte que le directeur d'un grand cirque avait adressé un jour à l'un de ses fournisseurs ordinaires le télégramme suivant : AI BESOIN SINGES ENVOYEZ URGENCE DEUX MILLE AMITIÉS. — Ce à quoi le destinataire aurait répondu aussitôt : REGRETTE IMPOSSIBLE TROUVER DEUX MILLE SINGES. Bien entendu, il fallait lire ainsi le premier télégramme : « Ai besoin singes ; envoyez urgence deux STOP Mille amitiés. »

L'anecdote est apocryphe, c'est plus que probable, mais le sens en est clair et tous les expéditeurs de télégrammes peuvent en faire leur profit.

Fermons cette parenthèse et rappelons que le temps n'est plus où l'on hésitait à envoyer des télégrammes à certaines personnes « impressionnables », l'arrivée de la feuille bleue pouvant déclencher chez elles des émotions dangereuses. Le rythme de la vie moderne a familiarisé chacun, depuis belle lurette, avec le télégraphe, la radio — voire la télévision. Au cas, cependant, où l'on devrait annoncer quelque catastrophe à son correspondant, il est bon de recourir au vieux procédé qui consiste à envoyer deux ou trois télégrammes successifs de gravité croissante, chacun « préparant » insensiblement son destinataire à ce qui suivra finalement.

On peut enfin, moyennant une surtaxe, envoyer un télégramme « illustré » ; il en existe des modèles adaptés à différentes circonstances de la vie.

N'accusez pas les P et T. de négligence s'ils vous font dire des âneries dans vos télégrammes. L'employé transmet ce qu'il a lu, et il ne peut lire que ce qui est lisible. Entraînez-vous donc à remplir facilement vos formules télégraphiques déposées au guichet. Le meilleur système, pour cela, consiste encore à écrire vos messages en caractères d'imprimerie.

Si le *timbre pour réponse*, comme nous l'avons dit, doit être employé avec infiniment de prudence, il n'en est pas de même pour la *réponse payée* télégraphique. Vous pouvez adresser tous vos télégrammes *réponse payée* sans mécontenter personne.

Dans les affaires, on utilise parfois des *télégrammes chiffrés*, rédigés à l'aide de *codes télégraphiques* conventionnels. On trouvera par ailleurs toutes indications à ce sujet (*voir Table*).

LE MESSAGE TÉLÉPHONÉ. — C'est un télégramme dont le texte est dicté par téléphone. Pour un prix moindre que le télégramme proprement dit, il permet de transmettre un plus grand nombre de mots. Il n'est possible que pour certaines localités.

En cas de besoin, renseignez-vous au bureau de poste sur ce procédé ultra-rapide, qui permet de réaliser des économies de temps et d'argent

LE RADIOGRAMME. — Pour les colonies et l'étranger, le radiogramme, ou message transmis par T.S.F., est le moyen de communication le plus rapide et le moins onéreux.

Par ce système, on peut également télégraphier sans difficulté aucune aux personnes qui se trouvent à bord de paquebots voguant en pleine mer.

DEUXIÈME PARTIE

CORRESPONDANCE
COURANTE, FAMILIALE, AMICALE
ET MONDAINE

CHAPITRE IV

LA NAISSANCE, LE BAPTÊME
LA PREMIÈRE COMMUNION, L'ÉDUCATION

Il serait oiseux de vouloir enfermer les lettres de famille et d'amitié dans le cadre étroit des conventions. Ce genre de correspondance, par sa nature même, échappe à la froide rigidité des principes tout faits. Est-il un homme au monde qui ne sache point comment embrasser sa mère, saluer son oncle, accueillir son parrain ou serrer la main de son meilleur ami ?

Aux parents et amis, on écrit avant tout avec son cœur, spontanément, sans artifice et sans recherche excessive. Le *naturel*, précieux pour toute correspondance, l'est ici plus qu'ailleurs. Pas de « formules de politesse », dans ce genre de missives, mais des manifestations d'amour, d'amitié, de sympathie chaudement cordiale. Pas de calculs ni de détours compliqués, mais une aimable *conversation écrite*, pleine de libre fantaisie.

Cela dit, rappelons-nous, néanmoins, que la liberté n'est pas la licence et que la fantaisie ne doit pas tourner au désordre. La franchise, elle-même, doit être sagement contenue et disciplinée par les précautions que nous imposent la mesure, le bon goût, les convenances. On n'écrit pas à un grand-père octogénaire comme à une cousine de dix-sept printemps. La lettre destinée à la bonne tante un peu rétrograde et facilement effarouchée par les nouveautés modernes ne doit ressembler en rien à la page pleine de verve que nous destinions à notre frère étudiant. Pour nos père et mère, nos lettres les plus primesautières n'en seront pas moins empreintes d'un affectueux respect.

Faut-il tutoyer ses parents ou les vouvoyer noblement, à l'ancienne mode ? Doit-on écrire « Papa, Maman », ou bien « Cher père » et « Ma chère mère » ? Notre opinion personnelle à cet égard est sans importance aucune : c'est à vous de régler votre conduite en pareille circonstance, et vous le ferez toujours mieux que nous ne le saurions faire.

Toutes les lettres qui suivent, dans cette partie du volume, sont donc à peine des *modèles*. Ce sont, tout au plus, des *exemples,* qui devront être adaptés, modifiés par vos soins pour convenir, dans tous les cas, à vos besoins personnels.

LA NAISSANCE.

Lettre d'une jeune femme à ses parents
pour leur annoncer ses espoirs de maternité

Lieu et date.

Mes chers parents,

Vous aviez raison tous deux et, comme vous le disiez dans votre dernière lettre, il y avait bien, en effet, « quelque chose qui n'allait pas ».

Seulement rassurez-vous, mes chers parents, ma maladie n'est pas grave : c'est tout simplement ce que la vieille Aurélie (vous vous en souvenez ?) appelait dans son amusant langage « une maladie de neuf mois ».

J'ai consulté ce matin le docteur Vaudé et il a été formel : vous allez avoir un petit-fils... ou une petite-fille. Ce sera pour la mi-juin, environ.

Ai-je besoin de vous dire toute ma joie ? Ne puis-je deviner, aussi, combien vous la partagez ?

En ce qui concerne Michel, c'est bien simple : il plane, il ne touche plus le sol ! Il est sûr que ce sera un garçon, bien entendu, et il m'a déjà parlé de « son fils » vingt fois au moins depuis ce matin. Sera-t-il instituteur, comme son père, ce fils tant de fois cité, six mois avant sa naissance possible ? Sera-t-il marin, commerçant, officier, explorateur ? Michel examine toutes ces carrières, et bien d'autres ! Vous savez combien mon mari est modeste ? — Eh bien, cette fois-ci, il éclate, il rayonne, il est bouffi d'orgueil comme un ballon !

Pour le reste, mes chers parents, n'ayez surtout aucune inquiétude. Mes inexplicables malaises s'expliquent maintenant d'eux-mêmes et je ne renoncerais pas à eux pour un empire ! Je prendrai, naturellement, toutes les précautions qui s'imposent et suivrai à la lettre les prescriptions et recommandations du docteur Vaudé.

Bientôt, j'espère, Maman pourra venir me tenir compagnie, me réconforter de sa présence et m'aider de ses précieux conseils pour tout un tas de petites choses qu'elle connaît évidemment beaucoup mieux que moi.

L'enthousiaste Michel et votre fille bien heureuse vous embrassent tous deux, mes chers parents, très, très affectueusement.

YVONNE.

Lieu et date.

Ma chérie,

Je ne veux pas attendre plus longtemps pour te crier tout le plaisir que nous a causé ta bonne lettre. Je pleure encore un peu (tu me connais !), mais c'est de joie. Quant à ton père, il n'arrête pas de se moucher à grand bruit depuis que nous avons appris la bonne nouvelle. De temps en temps, il s'essuie les yeux discrètement en marmottant je ne sais quoi sur la fumée de sa pipe... Pour l'instant, il vient de sortir, la poitrine haute, le jarret tendu, en faisant avec sa canne de grands moulinets de jeune homme. C'est chez lui une attitude qui me rajeunit de vingt ans. Il était tout pareil, le cher homme, quand nous attendions ta venue !

Tu me connais, ma chère Yvonne, et tu devines sans doute que j'ai grand'envie de t'abasourdir de conseils et de recommandations de toutes sortes. Rassure-toi, va, je n'en ferai rien. Je sais que le docteur Vaudé, en qui j'ai entière confiance, t'a certainement dit tout ce qu'il fallait et je ne veux rien ajouter aux indications précieuses que sa compétence et sa vieille expérience lui auront dictées.

Je te dirai seulement de bien te reposer et de ne pas faire d'imprudences. Tout, j'en suis sûre, se passera pour le mieux. Les progrès actuels de la science ont d'ailleurs permis de supprimer la plupart des risques dans les « maladies » du genre de la tienne. (A propos, la vieille Aurélie vit toujours ; elle t'envoie toutes ses amitiés.)

Naturellement, ma chérie, j'accourrai auprès de toi dès que tu voudras me le permettre. Si j'avais suivi mon premier mouvement, tu penses bien que je serais déjà dans le train ! En attendant, je vais me mettre à tricoter (un peu de bleu, un peu de rose, pour plus de sûreté, mais je crois que j'aurai tendance, malgré moi, à forcer sur le bleu !)

Embrasse Michel pour nous, et dis-lui qu'il a raison d'être fier : il aura bientôt un élève de plus ! Sois fière, toi aussi, ma fille chérie, de cette première naissance qui s'annonce à ton heureux foyer, et reçois, avec les miennes, toutes les tendresses de ton papa.

MAMAN.

Lieu et date

Bien cher ami,

Tu te gaussais volontiers de mes espoirs, mais je ne me trompais pas : c'est bien un petit-fils que j'ai depuis ce matin.

L'enfant est né vers les six heures. Il est superbe et il a déjà quelques petits cheveux, noirs comme ceux de sa mère. On a décidé de le baptiser Gilles, du nom de son aïeul paternel, le médecin que tu connais.

Naturellement, l'allégresse règne dans la maison. Au reste, tout va pour le mieux et, suivant l'expression classique, « la mère et l'enfant se portent bien ».

La maman me charge de te présenter toutes ses amitiés et j'ai voulu t'écrire en hâte, sans attendre, n'ignorant pas à quel point le vieil ami que tu es pour nous s'intéresse à tout ce qui concerne notre famille.

A bientôt, mon cher ami, et crois-moi toujours, je te prie,

Très sincèrement à toi.

Ch. Menard.

Autre lettre sur le même sujet

Lieu et date

Mon cher oncle,

Vous aviez raison, comme d'habitude, et mes craintes étaient vaines. Mais vous savez ce que c'est, bien sûr : en pareille circonstance, on ne peut se défendre d'une anxiété poignante.

En tous cas, me voici pleinement rassuré et ces quelques lignes rapides n'ont d'autre objet que de vous faire part de la naissance de ma petite fille Micheline-Agnès, qui s'est produite hier soir, peu après huit heures.

L'enfant se porte à ravir et la mère a fort bien supporté son épreuve. Dans quelques jours, elle pourra recevoir des visites, et la vôtre nous fera le plus grand plaisir à tous.

En attendant, mon cher oncle, nous vous prions, Solange et moi, de trouver ici l'expression de nos plus affectueux sentiments.

Serge.

CARTES DE FAIRE-PART. — Les cartes envoyées pour faire part d'une naissance le sont d'ordinaire au moment où la jeune mère se trouve en état de recevoir des visites.

Il en existe de nombreux modèles. On peu se contenter de la carte de visite des parents, accompagnée d'une inscription manuscrite (ou d'un fac-similé d'écriture gravé, typographié à la rigueur.

M. et Mme Ch.-V. DURET

sont heureux de vous faire part de la naissance

de leur fille MICHÈLE

134, rue Beaunier   16 décembre 1966

Le Docteur et Mme Jacques MERCIER

ont la joie de vous annoncer l'heureuse naissance
de leur fillle SIMONE

41, rue Notre-Dame-de-Recouvrance - Orléans   20 août 1966

Plus fréquemment, on utilisera une carte de petit format, glissée dans une enveloppe assortie, et portant en gravure (caractères classiques, de préférence) le libellé habituel.

La carte peut être libellée au nom des frères et sœurs de l'enfant nouveau-né.

Suzanne, Jacques et Pierre WALTER

ont la joie de vous annoncer la naissance
de leur frère CLAUDE

82, rue Séguler   3 novembre 1966

Il existe même des cartes où c'est le nouveau-né qui prend la parole.

Chacun choisit selon son goût ; il nous semble toutefois que le premier de ces trois modèles de cartes est celui qu'on peut le plus volontiers recommander.

TÉLÉGRAMMES ANNONÇANT UNE NAISSANCE — Dans certains cas, on peut recourir au télégramme pour annoncer la naissance d'un enfant. La rédaction des dépêches, là encore, est évidemment très variable. Voici quelques exemples :

ANNIK NÉE NUIT DERNIÈRE PARFAITES CONDITIONS.

YVES ET PATRICK HEUREUX DE VOUS ANNONCER LEUR NAISSANCE.

ROBUSTE GARÇON NÉ CE MATIN MAMAN ET BÉBÉ PARFAITE SANTÉ.

AVIS DE NAISSANCE DANS LES JOURNAUX. — Ils ne sont évidemment pas destinés aux intimes, prévenus par d'autres moyens, et n'ont d'autre but que de faire part de l'événement aux personnes

> J'ai le plaisir de vous annoncer ma
> venue en ce monde. Maman et moi
> sommes en parfaite santé.
>
> ANNE-MARE CHASLES
>
> 116, rue de la Jussienne   9 septembre 1966

de connaissance qu'il peut intéresser à des titres divers. La forme habituelle d'un avis de ce genre est la suivante :

M. Jean VERTEIL et Madame, née SOUMIER, sont heureux de vous faire part de la naissance de leur fils MARCEL.

Passy, 21 juillet

Là encore, la naissance peut être annoncée par les frères et sœurs de l'enfant, par le nouveau-né lui-même, ou par ses grands-parents.

FÉLICITATIONS. — Quel que soit le mode d'annonce choisi par les parents pour faire part de la naissance d'un enfant, les personnes qui en ont été avisées doivent y répondre par des cartes ou lettres de félicitations. Seul, l'avis de naissance paru dans le journal ne comporte pas de réponse obligatoire, puisqu'il n'est destiné à personne en particulier et qu'on peut fort bien ne l'avoir pas remarqué.

Les félicitations, tout comme l'annonce à laquelle elles font suite, peuvent être adressées par télégramme ou carte de visite. Voici une formule empruntée à ce dernier cas :

> ### M. et Mme Pierre SIZAC
>
> Très heureux de la bonne nouvelle qui vient de leur parvenir, présentent à Madame et Monsieur Duret, leurs félicitations très sincères. Ils adressent tous leurs vœux de bienvenue au petit André et souhaitent à son heureuse maman un prompt rétablissement.

A la carte de faire-part, on répondra dans les mêmes conditions, ou bien (de préférence) par une courte lettre. Une visite à l'accouchée n'est pas indiquée avant qu'une quinzaine se soit écoulée depuis la naissance.

Lettre de félicitations au père

Lieu et date

Mon cher ami,

Nous avons été bien heureux, ma femme et moi, en apprenant l'heureuse venue au monde du petit Gilles.

L'enfant vous ressemble, nous dit-on. Que pourrions-nous lui souhaiter de mieux que de continuer dans cette voie et de vous ressembler de plus en plus, à tous égards ? Les belles et solides qualités que nous vous connaissons lui vaudront plus tard, à lui aussi, l'estime et l'amitié de tous.

Ma femme adresse à la maman son meilleur et son plus affectueux souvenir, que je vous prie de partager avec elle. Pour moi, je vous demande de lui transmettre, avec mes félicitations, mes respectueux hommages.

Veuillez agréer pour vous-même, mon cher ami, l'assurance de mes très cordiaux sentiments.

PIERRE SIZAC.

Lettre de félicitations à la mère

Lieu et date.

Toutes mes félicitations, ma chère petite Suzanne ! Puisses-tu trouver ici, avec l'expression de ma plus chaude sympathie, les vœux très fervents que je forme pour le bonheur du petit Marcel et pour le prompt et complet rétablissement de sa charmante maman.

Que tu dois être contente et comme je voudrais être à ta place ! Raymond se joint à moi pour t'exprimer la joie que nous procure l'heureux événement et il te prie de transmettre au père comblé son plus cordial souvenir.

Bravo encore, ma chère Suzanne, et à bientôt ! Je t'embrasse.

MARIE-LOUISE.

Autre lettre sur le même sujet

Lieu et date.

Mon cher confrère et ami,

J'ai appris avec le plus vif plaisir qu'un fils vous est né. Permettez-moi de vous offrir en cette heureuse occasion mes bien sincères félicitations.

L'aîné que je suis se réjouit de voir votre jeune foyer s'augmenter du plus bel ornement qui soit, de la meilleure raison d'espérer que l'on puisse trouver ici-bas.

Avec tous mes vœux de rétablissement parfait et mes respectueux hommages pour madame Ternier, je vous prie d'agréer, mon cher confrère et ami, l'assurance de mes sentiments les meilleurs.

ALEXANDRE SOUMET.

LE BAPTÊME. — Presque toujours, on s'est préoccupé, bien avant la naissance de l'enfant à venir, de lui trouver parrain et marraine.

La demande de parrainage, formulée par les parents, peut être écrite ou verbale. Quelle que soit leur décision, acceptation ou refus, les personnes auxquelles on fait appel en cette occasion doivent répondre promptement.

En cas de refus, il faut toujours avoir soin de remercier de l'honneur qu'on voulait vous faire ; il faut également trouver un prétexte valable pour motiver le refus : âge, infirmités, départ obligé, etc...

L'acceptation comporte la promesse implicite (qu'il est bon, néanmoins, de formuler clairement) de s'intéresser à l'enfant au cours de sa carrière dans la vie et de le soutenir en cas de besoin.

N'oublions pas que le parrainage n'est pas une simple formalité engendrée par l'habitude. Dans le principe au moins, le parrain et la marraine ont pour devoir principal de se substituer aux parents disparus ou défaillants pour les suppléer auprès de l'enfant si les circonstances l'exigent un jour.

A un supérieur pour lui demander d'être parrain

Lieu et date.

Monsieur l'Inspecteur Général,

La très grande bienveillance que vous avez toujours bien voulu me manifester, depuis mon entrée dans l'Administration, et la paternelle sollicitude que vous avez maintes fois montrée pour tout ce qui touche ma famille et ma situation font que je m'enhardis aujourd'hui à vous demander si vous consentiriez à nous faire l'honneur d'être le parrain de l'enfant attendu à notre foyer.

Ma femme et moi aurions là une nouvelle raison de gratitude à votre égard et nous savons bien tous deux que le petit être qui va venir au monde ne saurait avoir de meilleur protecteur, ni de plus éclairé, que celui que nous nous permettons de solliciter ici pour lui.

Je vous prie d'agréer, Monsieur l'Inspecteur Général, l'expression de mes respectueux sentiments.

V. LAPRADE.

Réponse affirmative à la précédente

Lieu et date.

Mon cher Laprade,

Il est tout naturel, pour moi, de m'intéresser à un collaborateur de votre mérite. Je suis persuadé que vous ne me donnerez jamais l'occasion de regretter l'affectueuse estime que je vous porte et que vous méritez entièrement.

C'est avec grand plaisir que j'accepte d'être le parrain de l'enfant à naître. Dites-le de ma part, je vous prie, à votre charmante femme, et n'oubliez pas de lui exprimer les souhaits que je forme sincèrement pour son heureuse délivrance. Quant à mon filleul, vous pouvez compter que je m'occuperai de lui.

Recevez, mon cher Laprade, l'expression de mes meilleurs sentiments.

O. LESAGE.

A un ami, pour lui demander d'être parrain

Lieu et date.

Mon cher Jacques,

Tu sais que Madeleine attend un enfant dont la naissance doit se produire dans trois mois environ. A cette occasion, nous avons pensé, elle et moi, que tu accepterais peut-être de nous faire le plaisir d'être le parrain de ce premier-né ?

Nous nous connaissons trop bien, je pense, et depuis trop longtemps, pour que j'aie besoin de te dire les raisons qui m'ont dicté cette requête. Tu serais pour l'enfant que nous attendons un ami véritable, en même temps qu'un mentor éclairé. Si je venais à disparaître, je sais parfaitement qu'il aurait en toi un protecteur aussi affectueux que clairvoyant et dévoué.

Ma femme et moi attendons impatiemment ta réponse, que nous souhaitons de tout cœur affirmative.

Bien cordialement à toi.

JEAN VIGNEAU.

Acceptation

Lieu et date.

Mon cher Jean,

Comment refuserais-je ce que tu me demandes dans ta lettre d'hier ? Rien ne peut me faire plus de plaisir, rien ne peut me montrer plus clairement et de plus flatteuse manière la solidité de l'amitié qui nous unit.

Je serai avec grand plaisir le parrain du petit (ou de la petite) Vigneau et il (ou elle) peut compter d'ores et déjà sur ma plus affectueuse sollicitude.

Mon meilleur souvenir à Madeleine et pour toi, mon cher Jean, une bonne poignée de main fraternelle de ton vieux

JACQUES.

Refus

Lieu et date

Mon vieux Jean,

Désolé de ne pouvoir accepter ton aimable proposition, qui me touche et me flatte infiniment. Rien, tu le sais, ne pouvait m'être plus agréable que d'être le parrain de l'enfant que vous attendez. A mon grand regret, hélas, il me faut y renoncer.

Ma nomination m'est arrivée hier soir pour ce poste dont je t'avais parlé, à Santiago. Je vais faire là-bas un premier séjour, de trois ans au moins, de cinq, peut-être. De quelle utilité serait pour l'enfant qui va naître un parrain comme moi ?

En attendant d'avoir une existence plus stable et d'exercer, quelque jour, mon activité dans des régions moins lointaines, je dois renoncer pour un temps aux joies de la famille et du parrainage.

Je ne renonce pas, pourtant, à celles de l'amitié, et je vous écrirai régulièrement à tous deux — à tous *trois !*

Je compte sur toi, mon cher Jean, pour exprimer tous mes regrets à Madeleine, avec mes plus affectueux sentiments.

A toi, de tout cœur.

JACQUES.

A une amie, pour lui demander d'être marraine

Lieu et date.

Chère Madame et amie,

Mon mari et moi tenons à vous faire part d'une nouvelle dont nous n'avons encore parlé qu'à très peu de gens : nous attendons un heureux événement pour la fin de l'année.

Connaissant votre cœur excellent et la vive sympathie que vous voulez bien nous porter à tous deux, je suis persuadée que cette nouvelle vous fera partager la joie que nous éprouvons.

Voudriez-vous consentir, chère Madame et amie, à nous accorder ce que Maurice et moi souhaitons si vivement pour mettre le comble à notre satisfaction : devenir la marraine de notre premier enfant ?

Le père de Maurice sera le parrain. Vous êtes, Dieu merci, dans la force de l'âge tous les deux, et je sais que vous pourriez parfaitement, si quelque malheur m'arrivait un jour, me remplacer à merveille auprès de mon enfant. Les admirables qualités que je vous connais et que j'ai pu tant de fois mettre à l'épreuve pour mon propre compte font que je me permets d'insister pour que vous n'hésitiez pas à m'accorder la faveur que je sollicite là.

D'avance, je vous en exprime toute ma plus affectueuse gratitude, en vous priant d'agréer, chère Madame et amie, mon bien respectueux souvenir.

JULIETTE PRAY.

Acceptation

Lieu et date.

Merci, chère petite Juliette, d'avoir songé à moi en cette circonstance agréable entre toutes.

Je serai très heureuse d'être la marraine de votre premier bébé et je m'efforcerai toujours d'être pour lui comme une seconde maman.

Infiniment touchée de votre affectueuse pensée, je vous envoie tous mes meilleurs vœux et vous embrasse tendrement.

BÉATRICE DUPRÉ.

D'ordinaire, le jour du baptême de l'enfant est fixé d'un commun accord avec le parrain, la marraine, les parents du nouveau-né et les autres personnes devant assister à la cérémonie (surtout lorsqu'une ou plusieurs de ces dernières résident dans une localité éloignée de l'endroit où le baptême doit avoir lieu).

Le baptême proprement dit, en principe, ne donne pas lieu à l'envoi de cartes ou lettres d'invitation mais il peut en être envoyé pour la réception, le goûter, voire le repas qui fait parfois suite à la cérémonie.

Carte d'invitation pour une réception donnée
à l'issue d'un baptême

Madame MICHEL DUROY

recevra, à l'occasion du baptême
de sa fille MARIE-CLAIRE,
le samedi 16 avril, de 17 à 20 heures

109, rue de Condé   R.S.V.P.

Réponse d'une amie à la carte précédente

Lieu et date.

Ma chère Annie,

Mon mari et moi aurons grand plaisir à nous rendre auprès de vous, dans la soirée, le jour du baptême de votre petite Marie-Claire.

Sois tranquille, nous ne t'importunerons pas longtemps, sachant bien que tu as une foule de choses à faire dans un pareil moment. Mais nous admirerons ta jolie petite fille qu'Edmond ne connaît pas encore.

Il te présente ses hommages et te prie de le rappeler au bon souvenir de ton mari, ce que je fais aussi de mon côté.

A bientôt, ma chère Annie, je t'embrasse et te demande d'embrasser pour moi la mignonne Marie-Claire.

LUCETTE.

Le parrain, la marraine font traditionnellement un cadeau à leur filleul. Parents et amis apportent également à la jeune mère (ou lui font envoyer, accompagnés d'une carte ou lettre) des présents divers destinés à l'enfant.

Il faut écrire sans tarder aux donateurs pour leur exprimer sa gratitude.

Remerciements du père
pour un cadeau fait à un nouveau-né

Lieu et date.

Mon cher ami,

Permets-moi de te dire tout le plaisir que nous a causé le si joli vêtement que tu as bien voulu adresser à notre petit Jean-Pierre.

Si l'enfant est trop jeune encore pour l'apprécier à sa juste valeur, sa mère est dans le ravissement — et ma joie ne le cède en rien à la sienne.

Merci encore, mon cher ami ; ma femme et moi te prions de trouver ici l'expression de notre affectueux souvenir.

PAUL MINIER.

Remerciements de la jeune mère à la marraine

Lieu et date.

Merci, mille fois merci, ma chère tante, pour la ravissante chaîne de poignet donnée à votre filleul. Il la portera constamment et ce présent affectueux, j'en suis sûre, lui portera bonheur.

Vous renouvelant ici l'expression de notre très vive gratitude, Pierre et moi vous prions, ma chère tante, de croire toujours à nos plus affectueux sentiments.

HENRIETTE.

Remerciements du père au parrain

Lieu et date.

Cher Monsieur et ami,

Si l'on ne savait quel artiste vous êtes, le magnifique cadeau que l'on nous remet à l'instant pour notre petit Maurice suffirait amplement à nous le montrer.

Ce délicieux objet est d'un goût exquis, la forme et la matière en sont assorties à ravir et je suis persuadé, cher Monsieur et ami, que jamais filleul n'aura été aussi heureusement comblé que le vôtre.

Ma femme et moi vous en remercions de tout notre cœur, vous priant d'agréer ici, cher Monsieur et ami, l'expression de nos sentiments respectueusement reconnaissants.

P. ALBAN.

LA PREMIÈRE COMMUNION. — Pour la première communion, les invitations, cadeaux et remerciements empruntent sensiblement le même caractère que pour le baptême, à cette différence près que l'enfant lui-même est alors en état de correspondre avec ses proches parents, pour leur demander d'assister à la cérémonie ou les remercier des présents qu'ils lui ont faits.

Le jour de la cérémonie, les parents ou amis dans l'impossibilité d'y assister adresseront un mot affectueux au communiant (si les circonstances l'exigent, un télégramme).

L'enfant, à l'occasion de sa première communion, distribue à ses parents et amis, à ses camarades et aux personnes qu'il connaît des *images-souvenir*, dont le recto présente une illustration quelconque (variable avec l'opinion, le goût et la mode), tandis que l'inscription portée au verso rappelle, avec le nom du communiant, la date de la cérémonie et l'endroit où elle s'est déroulée.

Si l'on n'offre pas de cadeau au communiant, on peut lui donner une image, choisie avec beaucoup de soin. Mais ce n'est pas une obligation.

Les invitations au déjeuner, au dîner ou au goûter de première communion sont faites par carte ou par lettre.

Lettre d'une fillette à sa marraine
pour l'informer de sa première communion

Lieu et date.

Chère marraine,

J'ai fait hier ma première communion et nous avons bien regretté, mes chers parents et moi, qu'il ne t'ait pas été possible d'y assister.

Maman m'a aidé à m'habiller avec ma belle aube blanche, puis nous sommes parties pour l'église.

Il y avait toutes mes petites amies, et aussi des petites filles que je ne connais pas. Nous étions toutes très émues. Il y en a une qui a pleuré et il y en avait beaucoup d'autres qui en avaient envie et qui se retenaient seulement parce qu'on les regardait.

La communion est très impressionnante. Aujourd'hui encore, je me sens toute drôle.

Après, il y a eu un beau goûter, mais je n'osais pas manger trop de bonnes choses, puisque la gourmandise est un péché. Maman m'a dit que je pouvais.

Le cadeau que tu m'as envoyé est le plus beau que j'aie jamais eu, ma chère marraine. Toutes mes amies ont admiré ce beau livre de messe et sa si jolie reliure en peau. Je te remercie de tout mon cœur. Je ne m'en séparerai jamais.

Je t'envoie une image en souvenir de ce grand jour et, en attendant de te voir bientôt, j'espère, je t'embrasse, ma chère marraine, très, très fort.

GILBERTE.

Lettre d'une petite-fille à sa grand-mère
pour la prier d'assister à sa solennelle communion

Lieu et date.

Ma chère grand-mère,

Voici le jour de ma Communion solennelle qui approche ; ce sera le 8 mai.

J'espère que tu vas bien, ma chère grand-mère, et que tu pourras venir passer ce beau jour avec nous. Ta petite-fille t'en prie de tout son cœur ; elle serait bien triste sans toi.

Papa et Maman sont contents de moi. Je suis très sage. Il faut l'être quand on va faire sa Communion solennelle.

Vite, vite, je t'en prie, ma bonne grand-mère, une petite lettre de toi me disant que tu viens. Je t'attends. Tout le monde t'attend à la maison. Alors, à bientôt !

Ta petite-fille qui t'embrasse tendrement.

MIETTE.

EXEMPLES DE TÉLÉGRAMMES
ADRESSÉS A DES COMMUNIANTS

AFFECTUEUSEMENT UNIS A TOI PAR LA PENSÉE
DE TOUT CŒUR AVEC TOI EN CE GRAND JOUR

MEILLEURES PENSÉES DE TA VIEILLE TANTE QUI
   TE CHÉRIT

TOUTES NOS AFFECTUEUSES PENSÉES VONT VERS TOI
   EN CE BEAU JOUR

NOS PLUS TENDRES SOUHAITS A LA GENTILLE
   COMMUNIANTE

L'ÉDUCATION

Lettre à un proviseur pour l'inscription d'un jeune élève

Lieu et date

Monsieur le Proviseur,

J'ai l'honneur de vous demander de vouloir bien inscrire parmi vos élèves mon fils, Paul-Clément DUSSOUBS. Agé de dix ans (il est né à Paris le 21 juillet 1956), il est, comme vous en pourrez juger quand il aura subi les épreuves de l'examen prévu, capable d'entrer en sixième. Jusqu'à présent, il a été instruit à la maison par des professeurs libres.

Absent de Paris pour quelque temps encore, je ne puis, à mon grand regret, vous conduire moi-même l'enfant comme j'avais l'intention de le faire. J'aurai l'honneur d'aller vous rendre visite dès mon retour.

Je joins à cette lettre un bulletin de naissance et un certificat de vaccination, me réservant de vous faire tenir toutes les autres pièces qui pourraient encore être nécessaires, sur une simple indication de votre part.

Je vous prie d'agréer, Monsieur le Proviseur, l'expression de mes sentiments très distingués.

F. DUSSOUBS.

Lettre à un professeur
pour lui demander des leçons particulières

Lieu et date.

Monsieur,

Ainsi que vous avez pu le constater, et comme le révèle trop éloquemment son dernier bulletin de notes, mon fils Jean-Charles VERNET, élève de 5ᵉ, est extrêmement faible en anglais.

Je désirerais vivement lui faire donner des leçons particulières qui lui permettraient vite, je l'espère, de se retrouver au niveau de ses camarades Vos occupations vous permettraient-elles, Monsieur, de consacrer à mon fils une ou deux heures par semaine, après la classe du soir ?

Si le jeudi vous convenait mieux, il va de soi que l'enfant se tiendrait à votre disposition ce jour-là.

Avec mes remerciements anticipés, je vous prie d'agréer, Monsieur, l'expression de mes sentiments les meilleurs.

J.-J. VERNET.

Lettre à un instituteur pour l'aviser de la maladie d'un élève

Lieu et date.

Monsieur l'Instituteur,

Gérard a passé une fort mauvaise nuit et, ce matin, il avait une assez forte fièvre.

Le docteur Maurel, mandé d'urgence par mes soins, a diagnostiqué une inflammation des ganglions du cou.

Cette affection est sans gravité, m'a dit le médecin, mais elle exigera, étant donné l'âge de l'enfant, une semaine environ de repos allongé.

Dans un jour ou deux, la grosse fièvre sera tombée et l'enfant pourra travailler un peu, de façon à ne pas se trouver en retard sur ses camarades, lors de son retour en classe. C'est pourquoi je vous serais très reconnaissant, Monsieur l'Instituteur, de vouloir bien remettre au jeune Gauthier, notre voisin, un exemplaire de l'emploi du temps de la semaine. Le petit Gauthier me le donnera en passant et je veillerai, pendant mes heures de loisir, à faire travailler un peu le malade.

Croyez, Monsieur l'Instituteur, à l'expression de mes meilleurs sentiments.

S. GARNERAY.

Demande d'admission au directeur d'une Colonie de vacances

Lieu et date.

Monsieur le Directeur,

J'ai l'honneur de vous prier de vouloir bien accueillir parmi les enfants de votre Colonie de vacances mon fils, Gaston Prioux, âgé de treize ans et demi.

L'enfant, qui n'est nullement malade (ci-joint certificat médical), est actuellement quelque peu débilité par la croissance et son médecin-traitant nous a conseillé de l'envoyer dans votre région, dont l'air salubre lui sera profitable.

Le certificat que je joins à ma lettre vous fournira toutes indications sur le régime alimentaire que nous souhaiterions voir appliquer.

Je n'ignore pas, Monsieur le Directeur, que vous recevez de très nombreuses demandes analogues à la mienne et je comprends parfaitement qu'il ne vous est pas matériellement possible de les satisfaire toutes.

Je veux croire, cependant, que vous consentirez à prendre la mienne en particulière considération. Grand mutilé d'Indochine, veuf depuis trois ans et père de cinq enfants, je vis péniblement du montant de ma pension, augmenté de quelques travaux de reliure, les seuls que ma santé me permette encore d'accomplir. Je dois, en outre, subvenir complètement aux besoins d'un père octogénaire.

Dans l'attente de votre réponse, que je veux espérer favorable, je vous prie d'agréer, Monsieur le Directeur, l'expression de mes sentiments les plus distingués.

H. PRIOUX.

Lettre d'une mère à une directrice d'institution
pour l'inscription de sa fille

Lieu et date.

Madame la Directrice,

J'ai l'honneur de solliciter l'inscription de ma fille, Marie-Claire Feuillet, âgée de dix ans, dans votre Institution.

Jusqu'à présent, Marie-Claire a suivi l'enseignement d'une institutrice qui venait lui donner ses cours à la maison. J'ignore à quelle classe il convient d'affecter ma petite fille, vous seule, Madame la Directrice, pouvant juger en connaissance de cause et la décision à prendre.

Souffrante actuellement, je ne puis malheureusement me rendre auprès de vous et cette lettre n'a d'autre objet que d'éviter tout retard supplémentaire, qui risquerait de rendre impossible pour cette année l'inscription de Marie-Claire. Je vous serais donc infiniment obligée de me faire connaître les formalités à remplir.

En attendant d'avoir l'honneur de vous voir, je vous prie d'agréer, Madame la Directrice, l'expression de mes sentiments choisis.

HÉLÈNE FEUILLET.

Lettre d'un père d'élève à un professeur pour excuser son fils

Lieu et date.

Monsieur,

Je vous prie de vouloir bien excuser mon fils Yves, qui n'a pu terminer sa composition française.

L'enfant n'a pas fait preuve de paresse, mais il a été souffrant pendant toute la journée de dimanche (embarras gastrique) et nous avons dû, sa mère et moi, l'obliger à se reposer.

Yves est aujourd'hui rétabli et j'ai tout lieu d'espérer qu'il se montrera soucieux, par un zèle accru, de réparer une omission, au reste indépendante de sa volonté.

Avec mes remerciements pour l'enseignement que vous prodiguez à mon fils, je vous prie d'agréer, Monsieur, l'expression de ma considération distinguée.

G. TRUBLET.

Lettre d'un étudiant sollicitant un poste de précepteur

Lieu et date.

Monsieur,

J'apprends par Mme Verdier que vous cherchez un précepteur pour donner des leçons à vos deux enfants pendant la période des vacances. Cette dame me connaît parfaitement, et c'est à son instigation que je prends la liberté de vous écrire pour vous proposer mes services.

Agé de dix-neuf ans, je poursuis actuellement mes études à la faculté des Lettres de Dijon, où je prépare ma licence ès-lettres (mention : langues). Je suis titulaire de trois certificats et compte présenter le quatrième à la rentrée de novembre.

J'appartiens à une famille nombreuse, sur laquelle Mme Verdier pourra vous fournir tous renseignements utiles, et suis sans fortune. Depuis deux ans, je me suis donc efforcé de trouver pendant les vacances un emploi qui me permette de subsister sans grever le budget, si lourd déjà, de mes parents. C'est ainsi, par exemple, que j'ai été engagé comme précepteur, l'an dernier, par M. Courson, de Beaune. J'ai tout lieu de penser qu'il a été parfaitement satisfait de mes services. Je tiens d'ailleurs à votre disposition, Monsieur, le certificat qui m'a été délivré par M. Courson.

Outre les matières courantes, je puis donner des leçons de latin et grec, d'anglais et d'allemand.

Dans l'espoir que vous voudrez bien me fixer un rendez-vous, je vous prie d'agréer, Monsieur, l'expression de mes sentiments tout dévoués.

M. YRIARTE.

Lettre d'un étudiant à un ancien professeur
pour lui annoncer sa réussite à l'examen

Lieu et date.

Monsieur et cher Professeur,

J'ai la grande joie de vous faire connaître que j'ai subi avec succès, mardi dernier, les épreuves orales de mon dernier examen.

L'enseignement que j'ai reçu de vous et les précieux conseils que vous avez bien voulu me prodiguer sont les principales raisons de ma réussite. Croyez bien que je me garde de l'oublier et que je tiens à vous en marquer ici toute ma déférente gratitude.

Veuillez agréer, Monsieur et cher Professeur, l'expression renouvelée de mes bien respectueux sentiments.

C. BOULMIER.

Demande d'admission aux examens du baccalauréat

.

Lieu et date

Je, soussigné (*nom et prénoms*), né à... (*département*), le... présente à Monsieur le Recteur de l'Académie de..., en vertu de l'autorisation paternelle (ou *maternelle,* ou *du tuteur,* etc.) ci-jointe, la demande d'être admis à subir les épreuves du baccalauréat de l'enseignement secondaire devant la faculté des (*Lettres* ou *Sciences*) de...

Signature.

Autorisation paternelle

Lieu et date.

Je, soussigné (*nom et prénoms*), demeurant à... (*département*), déclare autoriser mon fils, d'après la demande ci-dessus, écrite et signée par lui, à se présenter aux épreuves du baccalauréat de l'enseignement secondaire devant la faculté des (*Lettres* ou *Sciences*) de...

Signature légalisée.

Pour la demande de *dispense d'âge à l'examen* et la *demande de bourse,* on trouvera des modèles dans la *Correspondance officielle* (*voir Table*).

CHAPITRE V

..*LES FIANÇAILLES ET LE MARIAGE*

Les fiançailles et le mariage qu'elles préparent sont dans notre vie des actes assez importants pour qu'on attache toujours le plus grand soin, les plus attentives précautions à la correspondance qui leur est consacrée.

Le bonheur de toute une vie peut dépendre de la façon dont on aura traité les démarches préliminaires à l'union. C'est dire assez quelle circonspection on doit apporter dans les lettres de cette nature.

Bien souvent, les lettres échangées entre différentes personnes (parents, amis, intermédiaires, futurs conjoints, etc.) à l'occasion des fiançailles et du mariage seront ultérieurement conservées dans les archives familiales. C'est encore là une raison nouvelle de veiller toujours à les rédiger du mieux que l'on peut.

LES RENSEIGNEMENTS PRÉALABLES

Demande de renseignements sur un jeune homme

Lieu et date.

Cher Monsieur,

Nos vieilles relations d'amitié et le grand cas que j'ai toujours fait de votre jugement si solide et si pondéré m'incitent aujourd'hui à recourir une fois de plus à votre extrême obligeance pour solliciter votre avis dans une circonstance particulièrement importante.

Il s'agit du jeune Roger Thénard, le fils aîné de vos voisins de Donzy Mon excellente amie, Mme Suret, que vous connaissez un peu, je crois, a reçu de ce jeune homme une demande en mariage pour sa fille Thérèse. L'opinion qu'elle a de ce prétendant est des plus favorables, mais elle aimerait, naturellement, se renseigner sur lui plus à fond, avant de donner son consentement formel à l'union projetée.

Pourriez-vous, cher Monsieur, m'aider à éclairer plus complètement mon amie ? Elle et moi ignorons quelle est la véritable situation de M. Thénard, fort jeune encore ; nous aimerions aussi quelques précisions sur son caractère, ses fréquentations et, d'une façon générale, sur la confiance qu'on peut lui accorder en ce qui concerne sa moralité.

Enfin (les temps sont durs, bien que les amoureux ignorent volontiers ces contingences !) l'aspect strictement matériel de la question est également à considérer. Pourriez-vous, tout à fait confidentiellement, me communiquer quelques indications sur la situation de fortune des parents du jeune homme ?

D'avance, je vous remercie des renseignements que vous voudrez bien me communiquer, cher Monsieur, et je vous prie d'agréer l'expression de mes sentiments les meilleurs et les plus reconnaissants.

SOPHIE MALLET.

Réponse à la précédente (renseignements défavorables)

Lieu et date.

Chère Madame,

C'est avec infiniment de plaisir que je saisis l'occasion de vous être utile que vous voulez bien me fournir par votre dernière lettre, si aimablement confiante.

A mon grand regret, malheureusement, j'ai le devoir de vous faire connaître que la réputation du jeune homme dont vous me parlez est loin d'être bonne, dans notre ville. Me gardant bien d'analyser dans le détail certains faits précis que je n'ai pas toujours pu contrôler, je me bornerai à vous signaler que M. Roger T... est un jeune homme sans grand caractère, extrêmement influençable, et qu'il a contracté ici des relations d'amitié, qui lui nuisent fort, avec des personnages de moralité discutable.

J'ajouterai que ce jeune homme, par la versatilité même de son tempérament, n'a pu réussir à conserver les emplois qu'il a successivement occupés. Actuellement dépourvu de tout travail, on prétend qu'il chercherait à rétablir sa situation matérielle en contractant ce que l'on nomme encore dans nos provinces — et bien à tort — « un beau mariage ». S'il ne s'agissait là que d'un banal commérage, croyez bien, chère Madame, que j'aurais scrupule à m'en faire l'écho. Malheureusement, la situation des parents du jeune homme (extrêmement obérée) semblerait assez bien de nature à confirmer les bruits qui courent.

Tout à fait entre nous, en résumé, je crois que l'union envisagée par Mme Suret est à déconseiller formellement.

Je vous prie de croire, chère Madame, à mes sentiments les meilleurs et les plus dévoués.

CH. BOLET.

P.-S. Dois-je vous demander de détruire cette lettre après lecture ? On ne saurait être trop prudent, ni trop discret, dans ces sortes de choses.

Demande de renseignements sur une jeune fille

Lieu et date.

Ma chère Henriette,

Je m'adresse à toi, aujourd'hui, pour une affaire importante : il s'agit tout simplement du mariage de Michel. Un projet a pris corps, que je serais très heureuse de voir aboutir, dans la mesure, toutefois, où les précieux renseignements que j'attends avec confiance de ta bonne amitié ne viendraient pas m'en détourner.

Michel a rencontré chez toi, l'an dernier, la jeune fille dont il est épris : c'est Mlle Camille Barthet, la si jolie pianiste de tes délicieuses soirées. Pourrais-tu, en confidence, me renseigner un peu plus sur cette jeune personne ?

Tu sais que je ne te demande nullement de m'éclairer sur la fortune de Mlle Barthet. Je suppose qu'elle n'en a aucune, mais la chose, heureusement, est sans grande importance. Michel, qui a hérité tous les biens de sa grand-mère, n'a rien d'un coureur de dot. Mais la situation qu'il occupe et les fonctions qu'il sera certainement appelé à remplir par la suite nous obligent, son père et moi, à tempérer par tous les efforts de nos prudences conjuguées la généreuse ardeur de sa jeunesse insouciante. Un futur diplomate a besoin d'une épouse qui puisse le seconder dans toutes les circonstances de la vie mondaine, qui sache parfaitement recevoir et qui, en bref, puisse lui fournir une collaboratrice accomplie en même temps qu'une compagne tendrement dévouée. L'éducation, les habitudes, la formation de Mlle Barthet lui permettraient-elles de tenir auprès de notre Michel le rôle que nous souhaiterions lui voir jouer pour leur bonheur commun ?

Telles sont, ma chère Henriette, les questions que je me permets de poser à ta complaisance éprouvée.

Te remerciant à l'avance des renseignements que tu voudras bien me communiquer et qui, venant de toi, auront à mes yeux infiniment de prix, je t'embrasse, ma chère Henriette, très tendrement.

Jeanne.

Réponse à la précédente (renseignements favorables)

Lieu et date.

Ma chérie,

Que de plaisir m'a causé ta lettre ! Et comme je suis heureuse de savoir que Michel s'est épris de l'exquise Camille Barthet ! (A vrai dire, et pour ne rien te cacher, je m'en doutais un brin !)

Celle que tu appelles, ma chère Henriette, « la pianiste de mes soirées » est une personne digne en tous points d'éveiller l'intérêt — et de le retenir.

Fille d'amiral, orpheline de bonne heure, elle a été élevée par son oncle, le compositeur Charles-Marie Barthet. C'est te dire assez qu'elle a contracté, au foyer de ce grand homme, des habitudes auxquelles le juge le plus sourcilleux ne pourrait rien trouver à redire. Artistes, écrivains, hauts fonctionnaires, grands industriels, elle a rencontré chez son oncle et tuteur toutes les plus brillantes illustrations de notre époque. Dès qu'elle a été en âge de le faire, c'est elle qui a dirigé en maîtresse de maison accomplie le foyer de son oncle, demeuré veuf de bonne heure. Elève du Conservatoire, enfin, elle y a remporté, l'an dernier, le Premier Grand Prix (harmonie).

Instruite, spirituelle, hôtesse parfaite, grande artiste, avec cela, et belle à peindre — la ravissante Camille serait pour un diplomate l'épouse rêvée. Michel, comme tu vois, n'a pas mal choisi, et je ne crois pas m'avancer beaucoup en te disant que la jeune fille, de son côté, le regarde avec beaucoup de faveur.

Un dernier détail. L'argent, me dis-tu, n'est pas en question. Quoi qu'il en soit, je puis te signaler que Mlle Barthet tient de son père une fortune appréciable et qu'elle est, en outre, l'unique héritière de son oncle qui la chérit tendrement

Donc, tous mes bons vœux, ma chère Jeanne, et toutes mes amitiés à Michel, sans oublier son père.

Je t'embrasse.

HENRIETTE.

Lettre d'un jeune homme à une jeune fille
qu'il voudrait rencontrer de nouveau

Lieu et date.

Mademoiselle,

(ou *Chère Mademoiselle,* ou *Chère Yvette*)

Je pense que vous ne m'en voudrez pas de vous adresser ces quelques lignes pour vous dire tout le plaisir que j'ai pris à notre rencontre de l'autre jour, chez nos amis Berthier.

Notre conversation, bien trop courte à mon gré, m'a donné le désir de vous revoir, afin de m'entretenir plus longuement avec vous. Nous avons, je crois, bien des goûts en commun, bien des idées qui se rejoignent ou se complètent et je serais parfaitement heureux si vous consentiez à m'accorder l'entrevue que je sollicite.

Espérant de tout mon cœur une réponse favorable, je vous prie d'agréer, Mademoiselle, l'expression de mes sentiments bien respectueusement et bien sincèrement admiratifs.

GILLES TAVERNIER.

Réponse favorable à la lettre précédente

Lieu et date.

Monsieur,
(ou *Cher Monsieur*)
Votre petite lettre d'hier m'a surprise. Elle m'a aussi flattée un peu, je l'avoue. Je ne m'attendais pas à ce que notre « brève rencontre » de l'autre jour vous ait laissé un aussi durable souvenir. Mais peut-être, après tout, ne s'agit-il, de votre part, que de simple curiosité ?

Quoi qu'il en soit, et puisque vous paraissez désirer me revoir, vous en aurez l'occasion si vous vous rendez au bal des Cahillet, le 7 mai prochain, comme j'ai l'intention de le faire moi-même.

Croyez, Monsieur, à mes bons sentiments.

YVETTE ROBERT.

Autre réponse (défavorable)

Lieu et date.

Monsieur,
J'ai été très surprise de recevoir votre lettre et je regrette de ne pouvoir lui donner la réponse que vous paraissez souhaiter.

Je sors très peu, en effet, poursuivant des études qui exigent que je leur consacre tout mon temps.

En vous renouvelant l'expression de mes regrets, je vous prie d'agréer, Monsieur, mes sincères salutations.

YVETTE.

Lettre d'un jeune homme à une amie
dont il souhaiterait avoir plus souvent des nouvelles

Lieu et date.

Chère Edith,
Vos lettres se font bien rares ! Nous étions convenus, pourtant — vous en souvient-il ? — de nous écrire régulièrement.

Je vous écris chaque jour et j'ai bien du mal à me contenter, en retour, de ces brèves petites cartes comme celle que j'ai reçue hier.

Bien sûr, si courte soit-elle, c'est vous qui l'avez écrite, c'est votre chère main qui a tracé ces quelques lignes rapides, envolées au courant de la plume. Mais ne voudriez-vous pas m'écrire plus longuement, plus intimement, avec plus de confiance et d'abandon ?

Se pourrait-il donc que je vous sois totalement indifférent alors que vous comptez tant pour moi ?

Je vous en prie, je vous en supplie, ma chère Edith, n'oubliez pas celui qui est heureux de se dire votre ami et qui voudrait tant le devenir davantage encore !

BERNARD.

Réponse de la jeune fille

Lieu et date.

Mon cher Bernard,

Je ne vous oublie nullement, et votre lettre m'a touchée. Moi aussi, j'ai plaisir à recevoir de vos nouvelles et, loin de vous considérer comme un indifférent, j'éprouve pour vous une vive et sincère affection.

Ne nous emballons pas, cependant, et gardons-nous bien d'exagérer ce que nous pouvons penser ou ressentir. L'amitié est une belle chose, mais c'est aussi chose sérieuse. Quant à ce « davantage encore » dont vous me parlez, êtes-vous sûr de ce que vous me laissez entendre là ? Ne vous illusionnez-vous pas sur vous-même — ou sur moi ?

J'ai parlé de vous à la maison. J'ai prononcé votre nom, sans plus. Ma petite sœur dit que j'ai rougi en le faisant. Ce n'est pas vrai. Et d'ailleurs, pourquoi rougirais-je ? Je n'ai rien à me reprocher et rien à cacher.

Mes parents, qui vous connaissent un peu, accepteraient de vous recevoir si vous le désirez. A vous de décider. Direz-vous maintenant que je vous oublie ?

Croyez, mon cher Bernard, à tous mes sentiments d'amitié.

EDITH.

Lorsqu'un jeune homme se sent vivement et sincèrement attaché à une jeune fille, il ne lui reste plus qu'à la demander en mariage à ses parents. Avant de risquer cette démarche, cependant, il voudra naturellement savoir si la personne qu'il aime se sent attirée, de son côté, par l'union qu'il recherche. En général, il posera sa question de vive voix à l'intéressée. Toutefois il peut arriver, pour des raisons diverses (nervosité des timides, éloignement, etc.) qu'il ait à le faire par lettre. Il rédigera alors une lettre comme celle-ci :

Lettre d'un jeune homme à une jeune fille
pour s'assurer qu'il peut la demander en mariage à ses parents

Lieu et date

Ma chère Simone,

Je crois que nous nous connaissons bien, tous les deux, et depuis assez longtemps déjà. Vous savez aussi les sentiments profonds et sincères que vous m'inspirez, et je crois pouvoir espérer que je ne vous suis pas indifférent.

M'autorisez-vous, dans ces conditions, à vous demander en mariage à vos parents ?

J'aurais dû, je le sais bien, vous poser la question de vive voix et, cent fois, j'ai été sur le point de le faire. Mais la chose est si grave pour moi, j'attache tant de prix à votre décision que chaque fois, au dernier moment, je n'ai pas osé vous dire ce que je brûlais de vous demander...

C'est donc cette pauvre lettre que je charge de vous poser la question qui me tient si fort au cœur : acceptez-vous, chère, bien chère Simone, de devenir ma femme ?

Le cœur battant, celui qui vous aime à jamais attend votre réponse.

MAURICE.

Réponse de la jeune fille

Lieu et date.

Cher Maurice,

Je ne veux pas vous faire languir et je réponds poste pour poste. Pouviez-vous, d'ailleurs, douter un seul instant de ce que serait ma réponse ? La question que vous me posez aujourd'hui par lettre, vos yeux me l'avaient posée tant de fois déjà !

Je vous connais, mon cher Maurice, et je sais que vous m'aimez. Moi aussi, Maurice, je vous aime, et il y a beau temps que tout le monde s'en est aperçu, à la maison ! Venez donc et ne craignez pas d'essuyer un refus : on vous attend.

A vous, mon cher Maurice, de tout cœur.

SIMONE.

Demande en mariage faite à une veuve

Lieu et date.

Madame,

Maintes fois, nous nous sommes rencontrés dans le monde, au spectacle ou chez des amis communs. Je n'ai pu manquer d'être frappé par vos brillantes qualités, en même temps que par tout le charme de bon aloi qui se dégage de votre personne. Peut-être avez-vous deviné que l'admiration que vous m'avez inspirée, dès nos premières entrevues, a fait place, peu à peu, à un sentiment plus tendre et que l'amour, chez moi, a bien vite succédé à la sympathie ?

Je vous aime, Madame, sincèrement et profondément. A mon âge, on ne se paie plus de mots, et on réfléchit mûrement avant de prendre une décision qui engage toute l'existence. La mienne est prise : je n'ai d'autre désir, si vous voulez bien y consentir, que de remplacer auprès de vous le compagnon que vous avez perdu et de trouver en vous la compagne d'élite que je n'avais pas encore rencontrée.

Consentiriez-vous à devenir ma femme ? Je prends ici l'engagement solennel de contribuer de toutes mes forces, de toute ma volonté de chaque instant, à vous rendre entièrement heureuse.

J'attends avec une impatience anxieuse la réponse dont dépend tout le bonheur de mon existence et je vous prie d'agréer, Madame, l'assurance de mon absolu dévouement.

H. Lignier.

Il y a des gens qui se marient grâce aux annonces matrimoniales publiées dans la grande presse ou dans certains organes spécialisés. Il y a d'autres gens qui tournent ce procédé en ridicule et se gaussent de ceux qui ne craignent pas d'y recourir. Ce sont les seconds qui ont tort.

Lorsqu'on est sans famille, sans relations ni appuis — quand on est isolé, en un mot — on peut fort bien chercher à rencontrer un compagnon, une compagne par ce moyen sottement décrié. D'excellentes unions ont été conclues grâce à lui.

Voici deux exemples de lettres ayant trait à ce genre de relations épistolaires.

Lettre d'un jeune homme en réponse à une annonce matrimoniale

Lieu et date.

Mademoiselle,

Comme suite à l'annonce parue le... (*date*) dans... (*nom du journal ou de la revue*), je serais heureux d'entrer en relations avec vous en vue d'un mariage possible.

La vérité, je crois, doit passer avant tout pour les gens sérieux. Voici donc quelques détails qui me concernent et dont je vous garantis sur l'honneur la parfaite exactitude.

J'ai vingt-sept ans, je suis brun et de taille moyenne (1 m. 70). Je suis vigoureux et d'une bonne santé ; je ne bois pas et j'occupe le même emploi depuis cinq ans à la maison... où je suis chauffeur-livreur. Mes appointements sont de... francs par mois et je possède environ 4 000 francs d'économies, plus un petit bien, situé en Normandie, que j'ai hérité de mes parents (tous deux décédés).

D'un naturel plutôt réservé, j'ai peu de relations. Je ne sors guère d'ailleurs, préférant bricoler chez moi à mes moments de loisir. J'aime la musique, la lecture, les promenades, le jardinage. Seul depuis longtemps, j'aimerais rencontrer une compagne ayant, comme moi, des goûts simples, possédant une bonne santé, l'amour du travail et le sens de l'économie. Toutes ces qualités me paraissent nécessaires pour fonder un foyer heureux et s'assurer un bonheur durable. J'aime beaucoup les enfants, et je souhaiterais que ma femme les aime aussi.

Il me semble, d'après votre annonce, que j'aurais grand plaisir à vous rencontrer et je crois que nous pourrions finalement nous entendre, après que nous aurions appris à nous mieux connaître.

Je vous joins ma photographie. Comme vous le verrez, je ne suis pas très beau, mais je ne suis cependant accablé d'aucune disgrâce ou infirmité.

En attendant votre réponse, je vous prie de croire, Mademoiselle, à mes respectueux sentiments.

V. THOMASSIN.

Réponse de la jeune fille à la précédente

Lieu et date.

Monsieur,

J'ai reçu plusieurs lettres en réponse à l'annonce que j'avais insérée dans le..., mais la vôtre, de toutes, me paraît la plus digne de retenir mon attention.

Vos goûts, en effet, correspondent fort bien, dans l'ensemble, à la plupart des miens. Comme vous j'ai perdu mes parents. Nous sommes presque du même âge (j'ai vingt-quatre ans). Je travaille aux Établissements..., de Chaligny, en qualité d'aide-comptable. Mes appointements sont de... francs par mois, plus une prime annuelle variable (elle est, en général de... francs environ). Je possède 8 000 francs placés à la Caisse d'Épargne et je vis avec ma grand-mère, dont je suis la seule héritière, dans une petite propriété qui lui appartient.

Je ne vois pas pourquoi vous dites que vous n'êtes pas beau. Sur votre photographie, je vous trouve en tout cas l'air franc, ouvert et sympathique. Je vous adresse la mienne en retour, espérant que vous voudrez bien ne pas me juger trop disgrâciée non plus.

Voulez-vous que nous nous rencontrions ? Ce serait encore, naturellement, le meilleur moyen de faire connaissance pour de bon. Je compte aller dimanche prochain, avec ma grand-mère, à la fête de Trucy. Nous arriverons vers quatre heures par la porte de Tours. Si vous pouvez vous y rendre, je vous prie de me le faire savoir. Nous nous reconnaîtrons aisément, grâce à nos photographies réciproques.

Veuillez agréer, Monsieur, l'expression de mes sentiments distingués.

SUZANNE GUILLET.

LETTRES ÉCHANGÉES PAR LES FIANCÉS. — C'est le cœur, et le cœur seul qui doit dicter ces sortes de lettres. Aussi n'en donnerons-nous aucun exemple, le plus chétif amoureux, en pareille matière, dépassant de loin les maîtres de la plume.

Nous rappellerons seulement que les lettres échangées par les fiancés ne doivent jamais se départir d'une prudence de bon goût, d'une réserve de bon aloi. Tout peut arriver — même la rupture des fiançailles, hélas ! — et il faut faire en sorte que l'on ne soit jamais amené à regretter ce que l'on a écrit dans l'emballement de la passion.

Le jeune homme n'oubliera pas que sa future femme est en droit d'attendre les plus grands égards de son affectueuse courtoisie.

La jeune fille songera constamment que ses lettres, pour chaleureusement sincères qu'elles puissent être, ne doivent jamais permettre à son futur mari de douter un seul instant de sa modestie, de sa pudeur et de sa retenue.

L'ANNONCE DES FIANÇAILLES. — Elle se fait par lettres, par cartes spéciales, et aussi, si on le désire, au moyen d'insertions dans la rubrique mondaine des journaux.

Lettre d'une jeune fille annonçant ses fiançailles à une amie

Lieu et date.

Micheline chérie,

Quand te verrai-je, ma bonne, ma meilleure amie ? J'ai une nouvelle, une grande, grande, grrrande nouvelle à t'annoncer... Tu as deviné, n'est-ce pas ?

Oui, ma chère Micheline, Paul et moi sommes fiancés ! Mon fiancé est un amour : il m'a fait présent d'une magnifique bague de fiançailles et il envoie tant de fleurs à la maison que ma chatte renifle, éternue et proteste !

Je plaisante, mais je suis très émue, tu sais. Je suis aussi tellement heureuse que je ris et pleure tour à tour. J'ai la tête légère comme si j'avais bu trop de champagne. « Mademoiselle va faire une indigestion de bonheur », dit la vieille Louise, dont tu connais les expressions imagées !

Viens, vite, vite, ma chérie. J'ai mille et mille choses à te raconter. Je t'en préviens tout de suite : je te parlerai de mon Paul jusqu'à ce que tu demandes grâce !

Tous les baisers de ta

SYLVIE.

Lettre d'un jeune homme annonçant ses fiançailles à un ami intime

Lieu et date

Mon cher Louis,

Tu avais raison, mon vieux, quand tu te moquais de mes intentions bien arrêtées de demeurer célibataire. Juges-en plutôt : je me suis fiancé hier, et je serai marié au printemps prochain !

Je parie d'ailleurs que tu as une vague idée de la personne dont il s'agit... Oui, mon cher Louis, j'épouse Paulette Carlier, la plus jolie fille du monde, la meilleure, la plus intelligente, la plus... Mais je m'arrête, me réservant de te raconter le reste de vive voix.

A bientôt, mon vieux Louis ; je nage dans une telle félicité que je veux absolument te la faire partager.

A toi, très cordialement.

HERVÉ.

CARTES DE FIANÇAILLES. — L'annonce des fiançailles peut être communiquée par quelques lignes manuscrites, adressées aux intimes sur une carte de visite des parents des futurs époux. Presque toujours, l'annonce est double, c'est-à-dire que les parents du jeune homme et de la jeune fille la rédigent et l'adressent simultanément, chacun en leur nom propre.

La mention portée sur les cartes de visite peut aussi être reproduite en fac-similé typographique (moins élégant). Enfin l'on peut faire graver (de préférence) ou imprimer typographiquement des cartes spéciales, à volet double.

Le Colonel et Mme SOLLERS ont le plaisir de vous annoncer les fiançailles de leur fils JEAN, Ingénieur des Arts et Manufactures, avec Mademoiselle Anne LASALLE.	M. et Mme P. LASALLE sont heureux de vous faire part des fiançailles de^e leur fille ANNE, avec Monsieur Jean SOLLIERS, Ingénieur des Arts et Manufactures.
ROUBAIX	PARIS
	LE 8 JUILLET

AVIS DANS LES JOURNAUX. — Ils sont publiés dans les feuilles habituellement lues par les familles intéressées, ou celles qui représentent le mieux le milieu (social, professionnel, etc.) auquel appartiennent celles-ci.

Les avis de fiançailles peuvent emprunter l'une des formes suivantes :

Nous sommes heureux d'apprendre les fiançailles de Mlle Berthe Cuzin avec M. Yves Corbier.

M. Emmanuel LEGRAND et Madame, née SIMON-JACQUET, nous prient d'annoncer les fiançailles de leur fille, Mlle Janine LEGRAND, avec M. Jean-Paul DURIEUX, fils de M. Joseph DURIEUX, négociant, et de Madame, née VAILLANT.

On annonce les fiançailles de Mlle Marie-Marguerite LEDUC, Directrice d'École, avec Mᵉ Jacques BERNIER, Avocat à la Cour, fils de Mᵉ Pierre BERNER, décédé, et de Madame, née WEIMER.

FÉLICITATIONS AUX FIANCÉS ET A LEURS FAMILLES. — On félicitera les fiancés et leurs parents par une lettre ou par une carte (ce qui est réservé aux personnes n'appartenant pas à la famille).

Les félicitations sont adressées d'ordinaire à la personne ayant fait part à l'intéressé des fiançailles qui viennent d'être conclues. De toute manière, il est bon de ne pas oublier la part de félicitations qui revient, selon l'usage, aux parents des fiancés.

Les cartes de félicitations peuvent être conçues comme suit :

PAUL DRIVES

Vous présente ses félicitations
et ses meilleurs vœux de bonheur

JACQUES TERNIER

Affectueuses félicitations
et meilleur souvenir

M. et Mme A. DESSART

très heureux d'apprendre les fiançailles de Jacqueline, lui expriment, ainsi qu'à ses parents, leurs plus cordiales félicitations.

RUPTURE DE FIANÇAILLES. — Lorsque l'un ou l'autre des fiancés décide, pour une raison quelconque, de reprendre sa liberté, ce sont bien souvent les parents qui se chargent de notifier la rupture.

Lettre de rupture écrite par le père de la fiancée

Lieu et date.

Madame,

C'est un bien pénible devoir que je me vois forcé de remplir auprès de vous, mais les dissentiments qui ont éclaté récemment, à plusieurs reprises, entre nos deux enfants, m'obligent aujourd'hui à vous écrire cette lettre.

Votre fils et ma fille semblent avoir des caractères trop différents pour espérer atteindre un jour dans le mariage cette indispensable harmonie qui conduit au bonheur durable. Le mieux, dans ces conditions, c'est assurément de renoncer à une union qui ferait de nos enfants des malheureux pour la vie.

Nos relations n'en souffriront nullement, je l'espère, et je veux croire que nous ne concevrons aucune amertume réciproque d'une décision qui nous est imposée par la plus élémentaire prudence. Henriette souhaite que Jacques lui conserve son amitié à laquelle elle attache beaucoup de prix, en dépit de la disparité de leurs caractères respectifs.

Avec tous mes regrets, je vous prie d'agréer, Madame, l'expression de mes respectueux sentiments.

L. Ménard.

ANNONCE DE LA RUPTURE DANS LES JOURNAUX. — Tout en avertissant les parents et intimes, par lettre personnelle, de la rupture des fiançailles, on pourra juger utile de la mentionner dans les journaux, surtout si le mariage avait déjà été annoncé et que la date, même, en ait été fixée. L'avis habituellement inséré dans ce cas est alors le suivant :

Contrairement à ce qui avait été annoncé, le mariage de Mlle Thérèse BOUCHARD et de M. Pierre PELLERIN, prévu pour le... n'aura pas lieu.

On peut encore envoyer aux amis des familles en cause une simple carte :

> ### M. et Mme Y.-A. BOUCHARD
>
> ont le regret de vous faire savoir que
> les fiançailles de leur fille Thérèse
> avec M. Pierre Pellerin ont été rompues
> d'un commun accord.

LE MARIAGE. — Souvent exprimées de vive voix (pour les proches et les intimes), les invitations à la cérémonie du mariage peuvent être également faites par lettres d'invitation gravées, ou encore au moyen d'insertions publiées dans les journaux. Quelle que soit la forme d'invitation choisie, on aura soin de l'envoyer aux destinataires un certain temps à l'avance (quinze jours, huit jours au minimum).

Lettres d'invitation gravées

Établi en collaboration par les familles respectives des futurs conjoints, le texte de ces lettres est communiqué au graveur assez longtemps à l'avance. Chacune des familles fixe le nombre de lettres dont elle aura besoin et acquitte sa quote-part des frais, au prorata de la quantité de lettres exigée par elle.

La simplicité s'impose pour ces sortes de lettres, mais on veillera à la bonne qualité du papier employé (du bristol, la plupart du temps) et aussi à la finesse d'exécution de la gravure proprement dite. Par économie, on peut aussi employer la simple typographie.

Les lettres d'invitation de mariage se composent généralement d'une feuille repliée en son milieu de façon à former deux volets opposés ; sur l'un, c'est la famille du fiancé qui annonce le mariage et formule son invitation à la cérémonie, sur l'autre, celle de la fiancée.

Parfois, au lieu de la feuille repliée en deux parties, on choisit deux invitations distinctes, gravées sur des cartes identiques (papier, format, libellé général, présentation), mais séparées. Ce système permet, lors de l'expédition des invitations, de placer la première, sur le dessus, celle des deux invitations que l'on veut : celle du jeune homme ou celle de la jeune fille, suivant les personnes auxquelles le message est adressé.

Les invitations sont rédigées au nom des parents (ou des grands-parents, oncles, tantes, tuteurs, etc., si les futurs conjoints ont perdu leurs parents). Les veufs (ou veuves) peuvent faire part eux-mêmes de leur nouveau mariage. Dans certaines circonstances, enfin, ce sont les fiancés qui annoncent leur mariage.

Les titres et distinctions, décorations françaises, etc., figurent d'ordinaire sur les lettres d'invitation aux mariages, dont voici un exemple :

Monsieur Maurice Lusset, conservateur des Musées nationaux, officier de la Légion d'honneur, et Madame Maurice Lusset, ont l'honneur de vous faire part du mariage de Monsieur Jacques Lusset, professeur agrégé au lycée de Dijon, croix de guerre, avec Mademoiselle Jacqueline Sirac.

Et vous prient d'assister à la bénédiction nuptiale qui leur sera donnée le samedi 4 mai 19.., à midi très précis, en l'église Saint-Eustache.

18, RUE DU LOUVRE.

Monsieur Henry Sirac administrateur délégué de la Société des Établissements Stoops, et Madame Henry Sirac, ont l'honneur de vous faire part du mariage de Mademoiselle Jacqueline Sirac, leur fille, avec Monsieur Jacques Lusset, professeur agrégé au lycée de Dijon, croix de guerre.

Et vous prient d'assister à la bénédiction nuptiale qui leur sera donnée le samedi 4 mai 19.., à midi très précis, en l'église Saint-Eustache.

20, PLACE DAUPHINE.

Si les grands-parents des futurs époux vivent encore, il est d'usage de mentionner leur nom avant celui des parents. Au lieu de « leur fils », « leur fille », l'invitation porte alors « leur petit-fils et fils », « leur petite-fille et fille ».

Invitation publiée dans les journaux

C'est samedi prochain, 4 mai, à midi précis, que sera célébré, en l'église Saint-Eustache, le mariage de Mademoiselle Jacqueline SIRAC avec Monsieur Jacques LUSSET, professeur agrégé au lycée de Dijon, croix de guerre 39-40.

On ajoute fréquemment aux avis de ce genre une formule comme celle-ci :

Un certain nombre d'invitation ayant été égarées, le présent avis en tiendra lieu.

Faire-part de mariage dans les journaux

Samedi dernier, en l'église Saint-Eustache, au milieu d'une nombreuse assistance, a été célébré le mariage de M. Jacques LUSSET, professeur agrégé au lycée de Dijon, croix de guerre 39-40, avec Mademoiselle Jacqueline SIRAC.

Certaines circonstances particulières (notamment un deuil dans l'une des deux familles) peuvent amener à célébrer le mariage *dans l'intimité* Les cartes ou avis de faire-part le mentionnent alors :

On nous prie d'annoncer le mariage du docteur Georges LEPIERRE avec Mlle Lise BAILLET, célébré le 23 avril dans la plus stricte intimité.

Ordinairement payantes, les insertions concernant les mariages qui figurent dans les journaux peuvent être rédigées comme on le veut et comporter, par exemple, l'indication des personnes ayant servi de témoins aux jeunes époux, la mention des garçons et demoiselles d'honneur, le nom du prêtre célébrant l'office, l'énumération des principales personnalités assistant à la cérémonie, etc.

Même observation pour les *comptes rendus de mariage* publiés dans la presse, qui peuvent faire l'objet de longs développements flatteurs.

LETTRES DIVERSES CONCERNANT LES MARIAGES. — Les *invitations à faire partie du cortège*, adressées aux parents ou amis, s'expriment toujours par lettre personnelle, bien entendu, et l'on doit y répondre sans tarder, par une acceptation aimable ou un refus valablement motivé. Dans les deux cas, on a soin de remercier chaleureusement et de présenter aux futurs époux les vœux de bonheur qui s'imposent.

Dans la lettre écrite à une jeune fille pour lui demander d'être *quêteuse* à la messe de mariage, on indiquera toujours le nom du garçon d'honneur proposé.

Les jeunes gens et jeunes filles auxquels on demandera d'être *garçons ou demoiselles d'honneur* répondront sans attendre (si possible, par retour du courrier).

CADEAUX DE MARIAGE. — Le choix en est souvent difficile, car il s'agit, avant tout, d'offrir aux fiancés un présent qui ne risque pas de faire double emploi. Si l'on se trouve trop embarrassé pour prendre une décision à cet égard, il est toujours possible de se renseigner directement auprès de l'un des futurs époux.

L'objet remis — ou reçu — le fiancé (ou la fiancée, suivant la personne qui a fait le présent) s'empressera d'écrire pour exprimer ses remerciements. C'est une *lettre* qui s'impose alors ; on ne remerciera par *carte* que si l'on ne peut absolument pas faire autrement. Inutile de dire que, quel que soit le présent offert, on doit toujours avoir la politesse d'exprimer la plus vive gratitude et la plus grande satisfaction.

RÉCEPTIONS ET LUNCHES SUIVANT LE MARIAGE. — L'invitation au *lunch,* ou à la réception, suivant le mariage sera faite par des cartes spéciales jointes aux invitations de mariage destinées aux personnes dont la présence est souhaitée. L'invitation aux lunches ou réceptions est faite au nom des deux mères des époux (si toutes deux

---

Madame Paul DEMILLY

recevra après la cérémonie religieuse

11, rue Chardon-Lagache

---

participent aux frais), ou au nom de l'une d'elles seulement. On peut, si elles reçoivent en même temps, y faire figurer aussi le nom des grand-mères.

Madame Michel LECOINTRE
Madame Jean VALIGNEUX

recevront après la cérémonie

Hôtel Féret, place du Centre

FÉLICITATIONS. — Les personnes qui n'ont pu assister au mariage, et présenter du même coup leurs félicitations aux nouveaux époux, le feront par télégramme (si l'urgence l'exige), par carte ou, de préférence,

---

Madame Charles DURIEUX
Madame Victor MARION
Madame Jean DURIEUX
Madame Maurice MARION

recevront après la cérémonie religieuse,
Hôtel Mercier, à Nérac

On dansera
16 heures à 20 heures
R.S.V.P.

85

par lettre. De toute manière, elles s'arrangeront pour que les télégrammes, cartes ou lettres parviennent aux intéressés le jour même de la cérémonie.

Lettre pour féliciter un jeune marié

Lieu et date.

Mon cher Henri,

C'est avec un vif chagrin que je me vois obligé de renoncer au plaisir d'assister à ton mariage, mercredi prochain. La condition de médecin comporte bien des servitudes, tu le sais, et je dois, ce jour-là, assister l'un de mes confrères pour une intervention importante, qui ne peut être différée.

Quoi qu'il en soit, je tiens à te dire ici tous les vœux bien sincères que je forme pour ton bonheur et celui de la charmante Mariette, à laquelle je te prie de transmettre mes hommages et mes félicitations. Je suis avec vous de tout cœur.

Mon meilleur souvenir à tes excellents parents. Je suis, mon cher Henri,

Ton fidèle ami.

V. COURCY.

Autre lettre au père de la mariée

Lieu et date.

Cher Monsieur,

A l'occasion du mariage de votre fille, nous sommes très heureux de vous présenter, à vous et à Mme Tissier, nos bien sincères félicitations.

Nous regrettons très vivement que notre éloignement et la mauvaise santé de mon père nous empêchent d'assister à la cérémonie du mariage, et nous vous prions d'accepter tous les vœux de bonheur, de santé et de prospérité que nous formons du fond du cœur pour l'avenir des jeunes époux.

Veuillez agréer, cher Monsieur, l'expression de mes meilleurs sentiments.

GILBERT SIGNEUX.

CHAPITRE VI

LA MALADIE ET LE DEUIL

La maladie et le décès de nos parents, de nos amis et des personnes composant notre entourage ou faisant partie de nos relations nous obligent, de temps à autre, à une correspondance qui doit être, plus que jamais, sensible et mesurée. Voici quelques exemples de lettres échangées à l'occasion de ces circonstances graves, pénibles ou tragiques.

Lettre à un ami pour lui annoncer une maladie

Lieu et date.

Cher ami,

A notre grand regret, nous ne pourrons nous rendre, demain, à votre invitation. En effet, André est au lit, avec une très forte fièvre, si faible et si mal en point que c'est moi qui dois écrire à sa place pour vous exprimer nos excuses.

Le médecin, qui sort d'ici, hésite encore à se prononcer. Je crois avoir compris, néanmoins, qu'il craindrait une paratyphoïde. Heureusement, ce genre d'affections, je le sais bien, est loin d'être aussi grave qu'autrefois. Il existe maintenant, paraît-il, des remèdes-miracles qui parviennent à triompher rapidement du mal.

Inutile de vous dire à quel point je souhaite qu'il en soit ainsi dans le cas d'André, et quel zèle attentif je vais déployer pour le soigner.

Espérons qu'il sera de nouveau rapidement sur pied et que nous pourrons alors vous aller voir tous deux, pour reprendre ces longues causeries que nous aimons tant.

A bientôt, mon cher ami. Mon frère, du fond de son lit, et moi-même, vous adressons nos meilleures amitiés.

CH. DILLOY.

Réponse à la précédente

Lieu et date.

Mon cher ami,

J'ai été bien peiné d'apprendre la maladie qui vient de frapper André et que rien ne laissait supposer. Comme vous, je veux croire que l'alerte, pour chaude qu'elle soit, n'aura pas de fâcheuses conséquences et que le malade sera promptement rétabli.

Les récents progrès de la médecine permettent en effet de venir rapidement à bout des affections comme celle que vous redoutez pour lui.

Fort heureusement, d'ailleurs, votre frère est extrêmement robuste, et la vigueur de sa constitution lui permettra, j'en suis sûr, de sortir sans dommage de cette mauvaise passe.

Puis-je vous être utile en quelque façon ? Le malade peut-il recevoir des visites ? Ne vous manque-t-il rien que je sois en mesure de vous procurer pour son réconfort ou sa distraction ? Vous savez, mon bien cher Charles, que vous pouvez compter sur moi, en toutes circonstances et que vous m'obligeriez en faisant appel, aussi souvent que vous le voudrez, à ma vieille et fidèle amitié.

Dites-le de ma part à André, je vous prie ; transmettez-lui tous les vœux que je forme pour sa bonne guérison, et croyez-moi toujours

Votre très affectueusement dévoué,

ABEL MORIN.

Lettre à une sommité médicale pour l'appeler en consultation

Lieu et date.

Monsieur le Professeur,

L'état de ma mère, fort âgée (89 ans), nous inspire de vives inquiétudes. Le docteur Pouillet, de Cézy, qui lui prodigue ses soins, ne nous a pas caché qu'il serait heureux de recueillir sur le cas de la malade l'opinion d'un cardiologue éminent et il a bien voulu, sur ma requête, nous indiquer votre nom.

Le docteur Pouillet m'a également promis, Monsieur le Professeur, de vous téléphoner à ce sujet, mais je me permets de joindre mes instances aux siennes, sachant bien à quel point vous êtes occupé et combien l'éloignement peut rendre difficile, pour vous, un pareil déplacement. Votre diagnostic nous serait infiniment précieux ; consentiriez-vous à venir *d'urgence* examiner notre malade ?

Je vous prie de me pardonner mon extrême insistance, causée par l'inquiétude que je ressens, et vous prie d'agréer, Monsieur le Professeur, l'expression de mes sentiments les plus distingués.

A. ROLLEY.

*Lettre d'un malade à son employeur
pour l'aviser de son état*

Lieu et date.

Monsieur le Directeur,

J'ai le regret de vous faire savoir que j'ai dû m'aliter, hier, à la suite d'une forte poussée fébrile, accompagnée de troubles et malaises divers.

Le docteur Lesire, qui me soigne, pense qu'il s'agit d'une crise de paludisme et que je serai en mesure de reprendre mon travail dans peu de jours. Je joins à cette lettre le certificat qu'il m'a délivré.

Je tiens à vous signaler, Monsieur le Directeur, que toute la correspondance relative à l'affaire Chaillet (y compris le contrat signé avant-hier) se trouve dans le dossier vert placé dans le tiroir de gauche de mon bureau. Le jeune Jussier est d'ailleurs au courant ; si quelque renseignement lui manquait, il lui suffirait de passer me voir et je le lui fournirais aussitôt.

Avec mes regrets, et dans l'espoir de me retrouver bientôt au travail, je vous prie d'agréer, Monsieur le Directeur, l'expression de mes sentiments distingués et dévoués.

PAUL BUSSY.

Réponse à la précédente

Lieu et date.

Mon cher Bussy,

Je vous remercie de votre lettre et de la conscience professionnelle dont elle me fournit une nouvelle preuve.

Je regrette de vous savoir souffrant, mais le docteur Lesire, que j'ai rencontré ce matin, m'assure, en effet, que vous serez vite rétabli. J'en suis heureux et tiens à vous mettre l'esprit en repos : nos affaires n'ont nullement souffert de votre absence, tout ayant été laissé en ordre par vos soins.

Soignez-vous donc, reposez-vous, et revenez-nous bientôt en bonne forme.

Bien à vous,

P. DOUCET.

Lettre à une parente pour demander des nouvelles d'un malade

Lieu et date

Ma chère tante,

Micheline et moi sommes très inquiets de n'avoir rien reçu de vous depuis la semaine dernière.

La santé de notre oncle, qui nous inquiète si fort, s'est-elle améliorée, comme nous le souhaitons tous ici ?

Veuillez, je vous prie, ma chère tante, nous rassurer dès qu'il vous sera possible de le faire. Si notre présence était nécessaire auprès de vous, n'hésitez pas à nous le dire : nous viendrions aussitôt.

Je vous prie de transmettre à notre oncle nos meilleurs vœux de guérison. Nous vous embrassons, ma chère tante, bien tendrement.

O. TUILIER.

Réponse à la précédente (le malade est au plus mal)

Lieu et date.

Mon cher Octave,

En effet, je n'avais pas eu une minute pour t'écrire. Depuis une semaine, Marie et moi nous sommes relayées sans arrêt au chevet de ton pauvre oncle, qui va bien mal.

Un spécialiste, appelé en consultation par le docteur Girier, est venu de Paris hier après-midi. J'ai la tête perdue, je n'en puis plus d'inquiétude et de chagrin ; aussi n'ai-je pas compris tous les mots dont il s'est servi. Mais ce que j'ai bien saisi, hélas ! c'est qu'il me fallait me préparer à un accident fatal, qui peut survenir d'un moment à l'autre.

Que te dirais-je de plus, mon cher enfant ? Ton oncle t'a réclamé plusieurs fois, mais il est si faible que le médecin déconseille toute émotion nouvelle, toute surprise qui pourrait hâter l'horrible échéance que nous redoutons.

Viens tout de même, si tu le veux bien, avec ta femme, et nous aviserons ensemble, du mieux que nous le pourrons, quand vous serez là tous deux.

Je vous embrasse.

TANTE MARTHE.

Lettre pour annoncer un décès à un ami du défunt

Lieu et date.

Cher Monsieur,

J'ai la douleur de vous annoncer une bien triste nouvelle : malgré tous nos efforts pour l'arracher à la mort, Hervé s'est éteint hier soir dans nos bras, sans avoir repris connaissance. Vous excuserez ma fille, n'est-ce pas ? Elle aurait voulu vous écrire elle-même, mais elle est trop accablée pour en trouver la force.

Je sais quelle amitié vous unissait au disparu, dont vous étiez l'un des meilleurs et des plus chers camarades d'enfance. Je sais que vous partagerez notre douleur en voyant disparaître ainsi, en pleine jeunesse, l'être d'élite à l'âme sensible et au cœur délicat qu'était notre malheureux Hervé.

Ses obsèques auront lieu jeudi, à onze heures, à l'église Saint-Pierre. Votre présence serait pour ma fille, pour moi-même, pour nous tous qui pleurons le disparu, un grand réconfort dans notre immense douleur.

Je vous prie d'agréer, cher Monsieur, l'expression de mes sentiments désolés.

LOUISE CARSON.

Lettre pour annoncer le décès d'un proche parent

Lieu et date.

Mon cher fils,

C'est une bien triste nouvelle qu'il me faut t'annoncer. Ainsi que nous le craignions, ton pauvre grand-père n'a pu résister à la seconde opération. Il est mort la nuit dernière dans de cruelles souffrances, ayant conservé jusqu'au bout sa pleine lucidité.

Ta maman est dans l'état que tu devines et je t'avoue que je n'y vois pas bien clair moi-même pour tracer ces quelques lignes.

Ton grand-père, comme tu le sais, allait atteindre ses quatre-vingts ans. C'est un âge bien avancé, sans doute, surtout pour un homme qui a travaillé si dur toute sa vie. Pourtant, il était demeuré vigoureux jusqu'à ces derniers temps et nous avions l'espoir de le conserver parmi nous de longues années encore. Le coup qui nous frappe aujourd'hui sera d'ailleurs cruellement ressenti par tous ceux qui ont eu l'occasion d'approcher l'excellent homme qu'était le disparu.

Veux-tu prévenir les amis, autour de toi, et les aviser que les obsèques auront lieu mardi, à dix heures, à la petite église de Mailly-la-Ville ? Ton grand-père aimait ce pays, qui était le sien, et nous savons de longue date qu'il souhaitait y dormir son dernier sommeil.

Bien tristement, mon cher enfant, nous t'embrassons ici, ta mère et moi, en attendant de pouvoir bientôt te serrer pour de bon sur notre cœur déchiré.

A. LEROUX.

ANNONCES DE DÉCÈS, LETTRES DE FAIRE-PART. — En dehors de la lettre personnelle comme celles que nous venons de citer, le décès peut être notifié aux parents, amis et relations par une insertion publiée dans les journaux :

Nous apprenons la mort de Mme Berthe VANNIER, décédée le 11 août, munie des sacrements de l'Église, en sa propriété des Brotteaux, près Appoigny (Yonne). Les obsèques auront lieu lundi 13 août, à 11 heures, en l'église paroissiale d'Appoigny, où l'on se réunira. Prière de n'apporter que des fleurs naturelles. Le présent avis tient lieu d'invitation.

On annonce le décès du docteur Henri LECOQ-BEAULIEU, survenu le 13 septembre. L'incinération aura lieu demain 15 septembre, à 16 heures, au cimetière du Père-Lachaise, où l'on se réunira. Ni fleurs ni couronnes. Cet avis tient lieu d'invitation.

On nous prie d'annoncer la mort de Mlle Alphonsine LÉGER, décédée à l'âge de 76 ans. Conformément à la volonté de la défunte, les obsèques ont eu lieu à Poitiers, dans la plus stricte intimité. De la part de M. et Mme Louis Léger, de M. Jacques Plessis et de toute la famille.

La lettre d'invitation aux obsèques (que l'on appelle couramment, à tort, *lettre de faire-part*) est imprimée (parfois gravée), avec toute la rapidité nécessaire, par les entreprises spécialisées et on l'adresse à toutes les personnes (parents, amis et relations) que l'on juge susceptibles d'assister à l'enterrement.

Voici quelles sont les principales règles d'usage pour la rédaction des lettres de faire-part :

— Tous les parents au même degré doivent être mentionnés dans un même paragraphe ;

— Si la défunte est une veuve, on la désigne par le nom de son mari, accompagné de son nom de jeune fille : Mme Jules Lambert, née Antoinette Dupré ;

— Les personnes mariées sont nommées avant les célibataires, les petits garçons et les jeunes gens avant leurs sœurs, les religieuses avant les filles célibataires ;

— Quel que soit leur âge, les parents du défunt, au même degré, viennent avant les membres de la belle-famille ;

— On énumère tous les titres, distinctions et décorations du défunt, mais on passe sous silence ceux des parents ;

— A la suite de la famille proprement dite, on peut faire figurer, collectivement, le personnel du groupement, de la société, de l'administration à laquelle appartenait le disparu ;

— La mention *muni des sacrements de l'Église,* figure toujours, chez les catholiques ; parfois, les circonstances n'ont pas permis l'administration des sacrements, cette formule est remplacée par *rappelé à Dieu, décédé subitement,* ou encore *endormi dans la paix du Seigneur.* Le *De Profundis !* figurant sur les lettres de faire-part des catholiques est remplacé, pour les enfants, par l'exhortation *Laudate pueri Dominum ;* chez les protestants, on lui substitue un verset biblique. L'absence de toute mention indique l'absence de religion.

La *lettre d'invitation aux obsèques,* compte tenu de toutes les remarques qui précèdent, peut se présenter comme on le verra sur l'exemple ci-dessous :

M

Vous êtes prié d'assister aux Service, Convoi et Enterrement de

Monsieur Paul-Henri MASSON
Directeur d'école honoraire
officier de l'Instruction publique

décédé le 16 mars, muni des sacrements de l'Église, en son domicile, rue La Condamine, 53, dans sa 63ᵉ année.

Qui auront lieu le mardi 19, à midi précis, en l'église Saint-Maclou, sa paroisse.

De Profundis.

On se réunira au domicile mortuaire.

De la part de Madame Paul MASSON, son épouse ;
du Docteur Émile MASSON et de Madame Émile MASSON ;
de Monsieur et Madame Jacques OUDART, ses enfants ;
de Mademoiselle Monique MASSON ;
De M. Amédée OUDART, ses petits-enfants ;
De Mademoiselle Agnès LORET, sa belle-sœur.

L'inhumation sera faite au cimetière des Conches.

La *lettre de faire-part* proprement dite, destinée aux personnes qui n'ont pu assister aux obsèques, s'envoie ordinairement peu après l'enterrement. Elle est plus détaillée, en général, que la *lettre d'invitation.* On y mentionne tous les membres de la famille jusqu'aux cousins issus de germains, avec leurs titres et décorations :

$\mathcal{M}$

Madame Étienne DURVILLE ;
Le docteur Bernard DURVILLE, ex-interne des Hôpitaux de Paris, chef de Clinique ophtalmologique à la Fondation Léopold-Bernier ; Monsieur Olivier DURVILLE, élève de l'École centrale ; Mademoiselle Renée DURVILLE.
Monsieur Henri NAQUET, délégué cantonal, et Madame Henri NAQUET ;
Madame Charlotte SOUINARD ;
Monsieur Jacques SOUINARD, professeur agrégé au lycée de Caen, et Madame Jacques SOUINARD ;
Monsieur Yves LECOMTE ;
Monsieur Ludovic AUSSET, Inspecteur honoraire de l'Enseignement primaire, officier de la Légion d'honneur, et Madame Ludovic AUSSET ;
Madame Jean VIGNOT ; Mademoiselle Colette MOREL.

Ont l'honneur de vous faire part de la perte douloureuse qu'ils viennent d'éprouver en la personne de

Monsieur Étienne DURVILLE
Ingénieur
commandeur de la Légion d'honneur
officier du Mérite maritime

leur époux, père, gendre, frère, oncle, grand-oncle, cousin, décédé subitement le 11 octobre 1952, à Rennes, à l'âge de 69 ans.

Priez pour lui.

9, rue du Rocher, PARIS.

RÉPONSE AUX LETTRES DE FAIRE-PART. — La *lettre d'invitation,* reçue avant les obsèques, permet aux destinataires d'assister à la cérémonie funèbre et leur présence, naturellement, constitue par elle-même une réponse.

La *lettre de faire-part*, au contraire, reçue après l'enterrement, oblige ceux qui la reçoivent à envoyer à la famille du défunt une réponse écrite. On peut alors se contenter d'une simple carte portant une formule de sympathie. Pour les parents et les intimes, toutefois, on écrira une *lettre de condoléances*. On en trouvera ci-dessous quelques exemples.

LETTRES DE CONDOLÉANCES.

Lettre à un ami veuf

Lieu et date.

Bien cher ami,

L'affreuse nouvelle qui vient de me parvenir m'emplit d'une douloureuse stupeur. Je ne puis croire que ta douce compagne n'est plus, que la bonne et charmante Marthe nous a été ravie à tout jamais.

Comment trouver, dans ces terribles circonstances, les paroles de consolation que souhaiterait mon amitié désolée !

Je ne puis que te dire, mon cher Marcel, quelle part je prends au malheur qui te frappe et te souhaiter de tout cœur de trouver la force et le courage nécessaires pour surmonter la poignante détresse que je devine.

Songe que tu n'es pas seul, mon cher ami, et que tu appartiens à tes chers enfants, dont la pensée doit te soutenir.

Tu sais que tu peux toujours disposer de moi, et actuellement plus que jamais. Si je puis t'être utile en quoi que ce soit, fais-moi, je t'en conjure, la grande amitié de m'appeler.

Profondément bouleversé, je t'assure encore une fois, mon cher Marcel, de toute ma sincère compassion et te prie de me croire toujours

Très sincèrement à toi.

VICTOR.

Lettre à un employeur

Lieu et date

Monsieur le Directeur,

Qu'il me soit permis, au nom de mes camarades et au mien propre, de vous exprimer très respectueusement toutes nos sincères condoléances pour la peine qui vient de vous frapper.

Ceux qui, comme moi, travaillent depuis longtemps déjà à vos côtés savent bien quelle compagne d'élite était pour vous Madame Lesourd, et sa disparition soudaine leur a causé à tous un profond chagrin.

Mes collègues et moi, nous vous prions de vouloir bien trouver ici, Monsieur le Directeur, l'expression très sincère de tous nos sentiments respectueux et peinés.

CH. PHILIPPE.

(au nom du personnel des Ets. O. G. Lesourd).

Lettre à un employé

Lieu et date.

Mon cher Dupuis,

Le pneumatique par lequel vous me faites part du deuil qui vient de vous frapper m'a causé une peine véritable.

Je n'ai pas besoin de vous dire quelle part je prends à votre affliction. Si les mots me manquent pour le faire, croyez que c'est très sincèrement que je vous présente mes condoléances.

Bien tristement, mon cher Dupuis, je vous assure de toute ma sympathie.

O. G. LESOURD.

Lettre à un parent

Lieu et date.

Mon cher beau-frère,

La disparition de Madame votre tante cause une affliction profonde à tous ceux qui connaissaient sa grande bonté et qui avaient pu apprécier ses rares mérites.

Ayant eu l'occasion de la rencontrer plusieurs fois à votre foyer, je n'ignorais rien de ses belles qualités, ce qui me permet aujourd'hui de compatir très sincèrement à votre profonde affliction.

Permettez-moi donc d'unir ma douleur à la vôtre et de vous exprimer, mon cher beau-frère, tous mes sentiments de tristesse et d'affectueuse sympathie.

P. LIGIER.

REMERCIEMENTS. — Huit jours après les obsèques, il est d'usage d'envoyer une carte de remerciements aux personnes qui ont assisté à l'enterrement ou qui ont exprimé leur sympathie en écrivant à la famille du défunt.

M. et Mme ROBERT SUZET

avec leurs remerciements.

Le Capitaine ·et Mme BERNARD MASILLE

remercient leurs amis de la sympathie qu'ils leur ont témoignée à l'occasion de la perte cruelle qui vient de les frapper.

Les remerciements peuvent encore être exprimés au moyen d'une note insérée dans les journaux :

M. et Mme Jacques MILLET, dans l'impossibilité de répondre aux nombreux témoignages de sympathie qu'ils ont reçus à l'occasion du décès de M. Pierre BILLON, vous prient de trouver ici l'expression de leur reconnaissance émue.

Mme Marceline TALON, sa fille et toute la famille prient toutes les personnes qui leur ont témoigné de la sympathie à l'occasion de leur grand deuil de trouver ici, avec l'expression de leur profonde reconnaissance, leurs sincères remerciements.

CHAPITRE VII

CORRESPONDANCE AMICALE ET MONDAINE

INVITATIONS. — Quelle qu'en soit la nature (sauf si elles empruntent un caractère officiel ou protocolaire), les invitations peuvent être faites de vive voix.

On peut aussi les faire par une carte :

M. et Mme JEAN HUGUET

prient M.... de leur faire l'honneur de
venir dîner chez eux le 8 juin à 20 heures.

R.S.V.P.

Pour les manifestations officielles, la carte est souvent gravée :

M. et Mme RAYMOND QUILLOT

Thé dansant

le dimanche 23 septembre

16 heures   R.S.V.P.

Madame JEAN DESAULLE

à l'occasion des fiançailles de sa nièce Juliette
recevra le 6 mai
On dansera

17 heures   R.S.V.P.

Souvent aussi, les invitations seront faites par un court billet :

QUELQUES MODÈLES DE LETTRES D'INVITATION

La revue ESCALES prie M... de lui faire
l'honneur d'assister au cocktail d'inaugu-
ration donné dans ses salons, le mercredi
3 novembre, à 18 heures.

16, rue Catulle-Mendès

Réponse S.V.P.
au directeur de la revue

Les Élèves et Anciens Élèves de l'École
Supérieure de... prient M... de bien vouloir
honorer de sa présence le Bal qui sera donné
le dimanche 23 mai 19.., dans les salons de...,
Ouverture des salons à 22 heures

De la part de M...

Ouverture des salons à 22 heures

Cette carte est rigoureusement personnelle

Lieu et date.

    Ma chère cousine,
Puisque vous serez de passage à Écouen lundi prochain, nous comptons

bien que vous nous ferez le grand plaisir de venir déjeuner avec nous, dans l'intimité.

J'irai vous chercher à la gare, au train de 12 h. 16, et vous conduirai jusqu'à l'*Ermitage* dans ma somptueuse 4 C. V. ! Comment pourriez-vous vous dérober à un pareil programme ?

A lundi, ma chère cousine : Muriel et moi vous exprimons ici nos plus affectueux sentiments.

CHARLES.

Lieu et date.

Chers amis,

Voulez-vous nous faire le plaisir de venir déjeuner à la maison, samedi prochain ? Le déjeuner sera tout à fait intime ; le cousin Paul, dont nous vous avons parlé, et qui rentre de Bolivie, nous a promis de nous rejoindre au café pour nous raconter ses aventures de voyage.

Toutes nos amitiés à vous deux.

HENRIETTE.

Lieu et date.

Chère Madame,

Voulez-vous nous faire le très grand plaisir de venir dîner à la maison mercredi prochain, à 20 heures ? La Présidente de la Ligue Blanche sera des nôtres, et vous savez qu'elle brûle d'envie de vous connaître.

Après le dîner, Paulette Massis nous a promis d'interpréter *votre* sonate n° 3.

Croyez, chère Madame, à mes sentiments les meilleurs.

BLANCHE GILLARD.

Voir page 147 un exemple de *lettre d'invitation pour les vacances.*

POUR ACCEPTER UNE INVITATION. — Comme l'invitation elle-même, l'acceptation peut être faite par une carte :

Mme ANDRÉ CORNET

remercie Madame... de son aimable invitation, à laquelle elle se rendra aver plaisir.

101

JEAN-CHARLES SIGNEUX

présente ses respectueux hommages à Madame Paulet et la remercie de son aimable invitation à laquelle il se rendra avec le plus grand plaisir.

A une lettre, une autre lettre répondra :

Chère Henriette,

Merci de votre aimable invitation. Nous aurons grand plaisir, Maurice et moi, à nous rendre chez vous, samedi, pour le déjeuner.

A bientôt, donc, et toutes nos amitiés.

YVONNE.

P.-S. De grâce, pas trop de bonnes choses : j'ai décidé de maigrir !

Lieu et date.

Mon cher cousin,

J'avais décidé de déjeuner rapidement, au buffet de la gare, mais je ne puis résister au plaisir de vous voir tous les deux — sans parler de la séduction qu'exerce sur moi la fameuse 4 C.V. !

Donc, à lundi, et merci d'avoir songé à me procurer ce plaisir.

Un bon baiser à Muriel et pour vous, mon cher cousin, mes plus affectueuses pensées.

CHARLOTTE.

Lieu et date.

Chère Madame,

J'accepte avec plaisir votre aimable invitation pour le 11. Je serai très heureuse de passer avec vous une agréable soirée et de rencontrer la Présidente dont je connais l'inlassable et bienfaisante activité. Quant à Paulette Massis, ce sera pour moi une grande joie que d'entendre une artiste de cette qualité.

Je vous prie d'agréer, chère Madame, avec mes remerciements, l'expression de mes sentiments les meilleurs.

Odette Tarry.

POUR REFUSER UNE INVITATION. — On le fera par quelques mots sur une carte :

Désolé de ne pouvoir se rendre à son aimable invitation,

HENRY LECOMTE

retenu par un engagement antérieur, prie Madame Vaillant d'agréer, avec ses regrets, ses respectueux hommages.

ROBERT BISSON

présente ses respectueux hommages à Madame Moret, qu'il remercie vivement de son aimable invitation. Il ne pourra malheureusement s'y rendre, devant partir pour l'Angleterre ce jour-là.

Pour refuser, comme pour accepter, une courte lettre sera toujours préférable avec les gens que l'on connaît bien :

Lieu et date.

Chère Henriette,

Maurice et moi sommes désolés de ne pouvoir nous rendre, samedi prochain, à votre si aimable invitation. Vous savez, n'est-ce pas, tout le plaisir que nous aurions pris à vous rencontrer ? Malheureusement, nous devons aller à Toulouse, ce jour-là, pour une affaire qui ne souffre aucun retard.

Avec tous mes regrets, je vous présente, ma chère Henriette, mon plus affectueux souvenir.

YVONNE.

Lieu et date.

Mon cher cousin,

Votre aimable invitation m'a causé le plus grand plaisir, et j'en suis d'autant plus désolée de me voir dans l'obligation de la refuser. En effet, je serai bien « de passage » à Écouen, lundi prochain, mais *de passage* seulement puisque, arrivée à midi 16, je dois prendre la correspondance d'Argis à midi 29 !

Il m'est donc impossible, cette fois-ci, de m'arrêter dans votre ville, mais une autre occasion, je l'espère, me sera fournie bientôt. J'aurai alors le plaisir d'aller vous embrasser tous deux.

En attendant, je le fais par lettre, en vous exprimant tous mes remerciements et mes regrets.

CHARLOTTE.

Lieu et date.

Chère Madame,

Je regrette vivement de ne pouvoir accepter votre aimable invitation, mais j'ai promis, voici longtemps déjà, de me rendre, dans la soirée du 11, à la réception donnée par les Reboul pour le quatrième galon de Julien.

Avec tous mes regrets, recevez, chère Madame, l'assurance de mon meilleur souvenir.

LYDIA VOSSARD.

FÉLICITATIONS. — Maintes fois, dans le cours de l'existence, on se trouve dans le cas d'exprimer des félicitations à un ami, à un parent ou à une personne de connaissance, à l'occasion d'un événement heureux [1].

Ces félicitations peuvent être exprimées par l'envoi de simples cartes, suivant les formules habituelles ; mais, là encore, on ne craindra pas d'écrire une courte lettre, chaque fois qu'on le pourra.

Veillons attentivement à nous servir, dans nos cartes ou lettres de félicitations, de la terminologie qui convient. Rappelons-nous, par exemple, lorsqu'il s'agit d'une décoration, que l'on est *promu* au grade de chevalier, puis *élevé* à la dignité d'officier, commandeur, etc.

---

1. Pour les félicitations formulées à l'occasion des naissances, fiançailles et mariages, voir chapitres IV et V.

Félicitations à l'occasion d'un avancement

Lieu et date.

Cher Monsieur,

C'est avec un très vif plaisir que j'ai appris votre nomination au poste de Contrôleur Général.

Une situation de cette importance était bien due à un homme qui, comme vous, n'a cessé de manifester pendant toute sa belle et longue carrière les plus brillantes capacités.

Veuillez accepter, cher Monsieur, avec mes compliments bien sincères, l'expression de mes sentiments très distingués.

Y. Thénardier.

Félicitations à l'occasion d'une décoration

Lieu et date.

Monsieur,

Je viens de découvrir, en parcourant le *Journal Officiel,* une nouvelle qui m'a procuré le plus vif plaisir : celle de votre promotion au grade de chevalier de la Légion d'honneur, à titre militaire.

Nul plus que moi, Monsieur, ne se réjouit de cette distinction méritée. Permettez-moi donc de profiter de l'occasion qui m'est ainsi offerte de vous exprimer, avec mes plus sincères félicitations, tous mes sentiments de bien cordiale sympathie.

A. Breton.

Félicitations pour une promotion

Lieu et date.

Cher Monsieur,

C'est avec un très vif plaisir que j'ai appris votre élévation à la dignité d'officier de la Légion d'honneur. En cette agréable occasion, je veux vous exprimer sans tarder mes sincères félicitations pour la juste distinction qui récompense en vous, en même temps que l'homme de bien, le savant distingué, dont les travaux ont tant de fois contribué au progrès des connaissances humaines.

Veuillez, je vous prie, présenter mes respectueux hommags à Madame Tissier, et agréer, cher Monsieur, l'expression de tous mes sentiments d'estime et de parfaite déférence

O. Larret.

*Félicitations adressées à un ami
à l'occasion d'un succès quelconque*

Lieu et date.

Mon cher Jean,

Tu ne seras pas surpris d'apprendre quelle joie m'a causée ta... (*nomination, promotion, amélioration de situation, réussite financière, commerciale, industrielle, littéraire, artistique, etc.*)

Ma vieille amitié pour toi me dicte toutes les félicitations que j'ai plaisir à t'adresser à l'occasion de cette heureuse nouvelle. Tu as maintenant le pied à l'étrier : avec le courage et la volonté que je te connais, tu ne tarderas pas, j'en suis sûr, à réussir plus brillamment encore. Tous les espoirs te sont désormais permis et nous te verrons, avant peu (*Directeur Général, Colonel, professeur de Faculté, académicien, etc.*)

Je te renouvelle mes félicitations, mon cher Jean, et t'adresse tous mes vœux. Si tes nouvelles fonctions t'en laissent le temps, écris-moi quelques lignes, chaque fois que tu le pourras. Tu feras plaisir à

Ton vieil ami.

PIERRE CRILLET.

REMERCIEMENTS. — Comme les lettres de félicitations, les lettres destinées à traduire la gratitude du signataire, à exprimer ses *remerciements,* doivent être habilement nuancées. L'exagération, le dithyrambe de principe, en rendraient suspecte la sincérité ; une trop grande tiédeur dans l'expression, au contraire, ferait soupçonner d'ingratitude l'auteur de la lettre.

A un ami, pour un service rendu

Lieu et date.

Mon cher ami,

Ta lettre d'hier soir a mis fin à mes inquiétudes et je ne veux pas attendre plus longtemps pour te dire toute la gratitude que m'inspire ton geste si chaudement amical.

Grâce à toi et à ta gentillesse toujours si efficace, me voici maintenant en mesure de régler, à mon entière satisfaction, cette épineuse question qui me préoccupait si fort.

J'ai eu bien des ennuis, ces derniers temps, mais ils sont désormais terminés, grâce à toi. « A quelque chose, malheur est bon », dit le proverbe. C'est ma foi vrai, puisque mes difficultés récentes m'auront procuré le plaisir de constater à nouveau quel ami si parfaitement dévoué tu n'as cessé d'être pour moi.

Merci encore de tout ce que tu as fait, mon cher ami, et naturellement, à charge de revanche.

A toi, toujours, avec tous mes sentiments d'affectueuse reconnaissance.

N<small>OEL</small>.

A une personne de connaissance, pour la remercier d'une démarche

Lieu et date.

Monsieur,

Je suis confus du dérangement que je vous ai causé et je ne sais comment vous exprimer ma gratitude pour votre si aimable intervention. Votre visite à M. Leroux a eu pour moi des conséquences que je n'osais même pas espérer. Tout est arrangé, maintenant, grâce à vous, et l'affaire a été réglée d'une façon extrêmement satisfaisante pour moi et les miens.

Qu'il me soit permis, Monsieur, de vous traduire à nouveau la reconnaissance que j'éprouve à votre endroit. Je souhaite que l'occasion me soit donnée, un jour prochain, de vous la manifester autrement que par une simple lettre. En attendant, je vous prie d'agréer, Monsieur, l'expression de mes sentiments très respectueux.

P. V<small>ILLARD</small>.

Autre lettre pour remercier d'un service

Lieu et date.

Chère Madame,

Comment pourrais-je vous remercier du service que vous avez eu la grande bonté de me rendre ? Les mots me manquent, je m'en excuse auprès de vous, pour vous traduire comme je voudrais le faire la gratitude qui m'anime et la reconnaissance que je vous ai vouée.

Croyez bien pourtant, chère Madame, que j'apprécie à sa juste valeur l'immense service que je dois à votre sollicitude éclairée. Je garderai toujours le souvenir ému de votre bienveillance à mon égard et veillerai sans cesse à m'en montrer digne.

Veuillez agréer, chère Madame, l'expression de mes sentiments très respectueusement dévoués.

S<small>OLANGE</small> D<small>URET</small>.

LETTRES DE RECOMMANDATION. — Elles doivent être appropriées aux circonstances, ce qui leur donne une infinie variété. Nous nous bornerons à fournir ici deux exemples, que chacun pourra adapter et transformer suivant ses besoins particuliers.

Lettre pour solliciter une recommandation

Lieu et date.

Monsieur,

La bienveillance dont j'ai toujours été l'objet de votre part m'enhardit aujourd'hui à vous demander un mot de recommandation pour M... qui pourrait, s'il y consentait, me rendre un grand service. Je sais qu'il est de vos amis. Voudriez-vous appuyer ma démarche auprès de lui ?

Vous ajouteriez ainsi, Monsieur, à tous les sentiments de gratitude de Votre très respectueux,

L. MARTILLON.

Recommandation générale

Lieu et date.

Mon cher ami,

Le jeune Louis Martillon que je vous envoie, muni de la présente, est un garçon honnête et courageux. Il s'impose de lourds sacrifices pour soutenir sa famille et mérite que l'on s'intéresse à son sort.

Je le connais depuis de nombreuses années et puis vous assurer qu'il est en tous points digne de confiance et d'estime.

Je vous remercie par avance de ce que vous voudrez bien faire pour lui, et vous prie de me croire, mon cher ami,

Votre très amicalement dévoué,

F. DILLOY.

CHAPITRE VIII

VŒUX DE NOUVEL AN, FÊTES ET SOUHAITS

Les vœux traditionnels que l'on offre à l'occasion de l'année nouvelle peuvent être présentés, soit au moyen d'une carte de visite, soit par les cartes dites « de bonne année », désormais à la mode, soit par lettre.

CARTES DE NOUVEL AN. — La formule la plus simple est évidemment la suivante :

MARCEL GRANGER

Avec ses meilleurs vœux

16, rue de la Pompe, Paris-XVIᵉ

La plupart du temps, cependant, on aura à cœur de trouver quelque chose d'un peu moins banal :

Le Commandant et Mme Jean TIREL

adressent à Madame et Mademoiselle Jonquet, en même temps que tous leurs vœux à l'occasion de la nouvelle année, l'expression de leur affecteuse sympathie.

CLAUDE PETITOT
prie son Maître et ami, Monsieur
Lemercier-Chapuis, d'agréer ses vœux
les meilleurs pour l'année qui com-
mence, ainsi que l'expression de son
respectueux dévouement.

Puisse l'année qui commence, **vous**
apporter bonheur, santé, succès !
C'est ce que souhaite de tout son
cœur

PHILIPPE MERCIER

lui renouvelant ici l'expression de **son**
plus sympathique souvenir.

LETTRES DE BONNE ANNÉE. — Pour ces lettres, plus encore que pour les cartes, on s'efforcera d'éviter la platitude des banalités courantes. Les lettres de bonne année doivent être assez courtes, mais elles méritent d'être soigneusement méditées. Suivant leurs destinataires, elles seront déférentes, tendrement respectueuses, ou simplement très amicales — mais on s'efforcera toujours de leur donner un tour original et personnel, sans toutefois chercher à « faire de l'effet ». Les lettres de bonne année doivent être sincères, cordiales et *simples*.

Lettre d'une petite fille à ses parents

Lieu et date.

Chers Papa et Maman,

Comme j'aurais voulu être auprès de vous, afin de pouvoir vous dire combien je vous aime et vous souhaiter, en vous embrassant mille fois, une bonne année et une bonne santé !

Puisque je suis loin, je veux essayer de vous dire tout cela dans ma lettre. Je vous promets, mes chers parents, d'être bien sage et de travailler de mon mieux, afin que vous soyez contents de votre petite fille. Le maître dit que j'ai fait des progrès en dessin : je vous en mets un dans ma lettre, que j'ai fait exprès pour vous à l'occasion de la Nouvelle Année.

En attendant de vous voir bientôt, chers Papa et Maman, je vous répète tous mes bons vœux et je vous embrasse sur ce papier, beaucoup, beaucoup.

Votre petite fille qui vous aime tendrement.

JACQUELINE.

Lettre d'un fils marié à ses parents

Lieu et date.

Mes chers parents,

Les obligations que vous savez me retiennent loin de vous, cette année encore. Puisqu'il ne m'est pas possible de vous voir avant quelques semaines, je veux vous dire au moins combien je pense à vous, et vous exprimer tous les vœux et souhaits les plus fervents que je forme pour vous deux à l'occasion de l'année qui va commencer.

Puisse 19... vous apporter bonheur et santé, mes chers parents. Me souvenant de tous les premiers janvier du temps passé, quand je venais, le matin, vous surprendre dans votre chambre pour vous lire mon « compliment », je regrette bien, aujourd'hui, de devoir confier cette lettre au facteur. Rien n'est changé, pourtant, et le grand gaillard que je suis devenu vous chérit tout autant, croyez-le, que le bambin d'autrefois.

Ici, tout va bien. Marcelle, qui lit par-dessus mon épaule, me prie de vous embrasser pour elle et de vous transmettre les vœux affectueux et sincères qu'elle forme pour vous.

N'oubliez pas, mes chers parents, lorsque vous m'écrirez, de me donner des nouvelles de tout le monde, aux Brotteaux. Transmettez aussi, je vous prie, mes bons vœux à Huguette. Elle occupe également la meilleure place dans mon souvenir et je voudrais pouvoir l'embrasser encore, à gros baisers sonores, comme je faisais lorsque j'étais petit.

Bonne année, cher Papa, bonne année, chère Maman ! Votre fils vous serre tous les deux sur son cœur qui n'a pas vieilli.

GEORGES.

Lettre à un ami intime

Lieu et date.

Bien cher ami,

J'avais espéré qu'il me serait possible de me rendre à Montargis pour le Nouvel An et que j'aurais ainsi le grand plaisir de te présenter de vive voix tous les vœux que je forme à cette occasion, pour toi et ta famille.

Puisque des obligations multiples, auxquelles il m'est impossible de me soustraire, me retiennent à Paris pendant ces fêtes, que ces quelques lignes te portent au moins l'expression de ma très vive et très sincère amitié. A toi, à ton aimable femme, à tes charmants enfants et à tous les tiens, j'adresse, mon cher Hervé, mes meilleurs souhaits de Nouvel An. Santé, bonheur, prospérité — tout ce qui vous arrivera de bon contribuera toujours à faire la joie de

Ton ami très affectueusement dévoué.

JEAN-CHRISTOPHE.

Vœux d'un employé à son patron

Lieu et date.

Monsieur le Directeur,

La mission dont vous avez bien voulu me charger, en me retenant à Milan, m'empêche de me joindre à mes collègues de travail pour vous présenter mes vœux à l'occasion de l'année qui va commencer.

Qu'il me soit permis de le faire par lettre et de vous exprimer ici, Monsieur le Directeur, tous mes souhaits très respectueux et très sincères pour 19...

Joignant à ces vœux l'expression de ma gratitude pour toutes vos bontés à mon égard, je vous prie d'agréer, Monsieur le Directeur, l'expression de mes sentiments respectueux et dévoués.

G. TREILLARD.

Réponse de l'employeur à la précédente

Lieu et date.

Mon cher Treillard,
Merci de vos bons vœux. Je vois que vous ne m'en voulez pas de vous avoir expédié outre-monts, puisque vous avez la gentillesse de penser encore à votre vieux patron.

Très sensible à votre délicate attention, je vous adresse, de mon côté, mes meilleurs vœux pour l'an nouveau.

A bientôt, mon cher Treillard. Je vous serre bien cordialement la main.

O. RAFFET.

Vœux d'un ménage à un autre

Lieu et date.

Chers amis,
Désolés de ne pouvoir nous rendre auprès de vous, ainsi que chaque année, pour vous porter tous nos bons vœux du Jour de l'An, nous demandons à cette petite lettre de le faire en nos lieu et place.

Puisse l'année nouvelle être excellente et pleine de joie pour vous deux et vos chers petits.

De tout cœur, nous vous adressons, en même temps que ces vœux sincères, notre plus affectueux souvenir.

ANDRÉ et COLETTE CARMONT.

Fêtes de nom et anniversaires

Les vœux exprimés à l'occasion de la fête d'un parent ou d'une personne de connaissance (ami, employeur, professeur, instituteur, etc.) doivent arriver *la veille* de la fête.

L'anniversaire, très fêté dans certains pays étrangers (l'Angleterre et l'Amérique surtout), l'est un peu moins chez nous. S'il n'est pas toujours marqué, en France, par le fameux gâteau à bougies, on le commémore assez volontiers, cependant, par l'envoi de vœux, fleurs et présents divers.

On s'inspirera, pour la rédaction des cartes de fête ou d'anniversaire, des remarques déjà faites ci-dessus pour les vœux de Nouvel An.

Vœux d'une fillette pour la fête de sa mère

Lieu et date.

Chère petite Maman,
Tu devines que si je t'écris aujourd'hui, c'est pour te souhaiter ta

113

fête, ce que j'aurais bien voulu pouvoir faire autrement que par lettre.

Bonne fête, ma chère Maman ! Ta petite fille est loin de toi, pour quelques semaines encore, mais son cœur aimant est toujours auprès du tien par la pensée.

Je te souhaite, ma chère petite Maman, une bonne, très bonne fête. Je travaille très bien, ici, et je pense que tu seras contente de moi.

Ta fille qui t'embrasse très fort.

ANNIE.

Lettre à un ami pour sa fête

Lieu et date.

Mon cher ami,

Malgré ton éloignement provisoire, nous ne t'oublions pas, je t'assure, et en ce jour, veille de ta fête, nous tenons à t'envoyer nos souhaits les meilleurs et les plus affectueux.

Mon père, ma femme, mes enfants : tous me prient de t'exprimer les vœux bien sincères et bien chaleureux qu'ils forment pour toi. Reçois les miens, mon cher ami, et reviens-nous bientôt, afin que je puisse te les répéter de vive voix.

A toi, mon cher Roger, très cordialement.

LOUIS MONNIER.

Lettre à un oncle pour son anniversaire

Lieu et date.

Mon cher oncle,

Vous savez certainement tout le plaisir que j'éprouve à vous présenter mes vœux de joyeux anniversaire. Que cette nouvelle année de votre vie, qui va commencer, soit pour vous pleine de santé, de gaieté et qu'elle vous apporte toutes les joies, toutes les satisfactions que vous pouvez désirer et que vous méritez si parfaitement.

Je ferai même un vœu pour moi, voyez-vous, mon cher oncle, un vœu très égoïste : je désire de tout cœur avoir l'occasion, pendant de longues, longues années encore, de vous souhaiter de nombreux anniversaires, en vous envoyant chaque fois, comme je le fais aujourd'hui, les meilleurs sentiments d'affection véritable de

Votre neveu bien respectueusement dévoué.

ALBERT.

Lettre pour l'anniversaire d'un supérieur

Lieu et date.

Monsieur et cher Président,

Le retour de votre anniversaire me fournit une nouvelle occasion de vous exprimer, en même temps que mes vœux les plus sincères, l'expression de toute ma respectueuse gratitude.

J'espère qu'il me sera donné, pendant de très longues années encore, de fêter une date qui m'est particulièrement chère en vous présentant toujours, à pareille époque, Monsieur et cher Président, les très respectueux compliments de

Votre bien sincèrement dévoué.

J. LANGLET.

115

TROISIÈME PARTIE

CORRESPONDANCE
D'INTÉRÊTS PRIVÉS

CHAPITRE IX

LE PERSONNEL DOMESTIQUE
LA MAISON, LES FOURNISSEURS

Demande d'emploi d'une bonne à tout faire

Lieu et date.

Madame,

Comme suite à votre annonce, parue dans *Le Phare* de ce jour, j'ai l'honneur de vous proposer mes services en qualité de bonne à tout faire.

Je suis libre depuis le 15 du mois dernier, date à laquelle mes patrons, M. et Mme Rebours, de Bligny, sont partis pour le Maroc, où ils vont se fixer auprès de leur fils aîné. J'avais été employée chez eux pendant trois ans ; auparavant, j'ai été au service de M. Tracy, à Bussières, et de Mme Signeux, à Donzy-l'Église. J'ai l'honneur de vous adresser ci-inclus des copies conformes des certificats qui m'ont été délivrés par mes patrons successifs. Âgée de vingt-six ans, célibataire, je suis robuste et d'une bonne santé. J'aime les enfants et je suis habituée à m'occuper d'eux.

Dans l'espoir de vous donner satisfaction, je vous prie d'agréer, Madame, l'expression de mes sentiments très respectueusement dévoués.

VICTOIRE HUGER.

Lettre à une bonne qui cherche une place

Lieu et date.

Mademoiselle,

Votre nom m'a été communiqué par M. Verteil, le pharmacien, qui croit savoir que vous cherchez une place de bonne en maison bourgeoise.

S'il en est ainsi, venez me trouver dès que possible, le matin, de 10 à 12. Je vous signale que votre service chez moi consisterait à vous occuper d'une famille de cinq personnes, dont deux enfants de 6 à 9 ans. Il est indispensable d'avoir quelques notions de cuisine.

Recevez, Mademoiselle, mes sincères salutations.

J. Bonnet.

Demande de renseignements sur une domestique

Lieu et date.

Madame,

Je prends la liberté de vous écrire pour vous demander s'il vous serait possible de me communiquer quelques renseignements confidentiels sur Mlle Andrée Lemierre, qui s'est présentée aujourd'hui chez moi pour y occuper un emploi de domestique.

Cette personne est-elle d'un caractère sérieux et peut-on lui faire confiance ? A-t-elle un heureux caractère ? Est-elle propre et soigneuse dans son travail ? Peut-on lui confier en toute sécurité de jeunes enfants ?

Voilà bien des questions, Madame, et je m'excuse de la peine que je vous donne là. Mais vous n'ignorez certes pas combien il est délicat d'introduire à son foyer une personne que l'on ne connaît en aucune façon. Mlle Lemierre m'a fait une excellente impression, mais je ne me sentirai pleinement rassurée que si vous voulez bien avoir l'extrême obligeance de me renseigner plus complètement.

Avec mes remerciements, je vous prie de trouver ici, Madame, l'expression de mes sentiments distingués.

Lucile Chaillet.

Réponse à la précédente (favorable)

Lieu et date.

Madame,

J'ai plaisir à vous fournir les renseignements que vous me demandez au sujet d'Andrée Lemierre.

Elle a été longtemps au service d'une de mes amies, aujourd'hui décédée, chez qui j'ai eu fréquemment l'occasion de la rencontrer, et je l'ai moi-même employée pendant trois mois, lors de la maladie de ma vieille domestique. Andrée est une bonne personne, honnête, courageuse et propre. De caractère doux et agréable, robuste et dévouée, je suis persuadée qu'elle vous donnerait toute satisfaction.

Veuillez agréer, Madame, l'expression de mes sentiments très distingués.

Rolande Vaudet.

Autre réponse (défavorable)

Lieu et date.

Madame,

En réponse à votre lettre du 29, j'ai le regret de vous faire savoir que je ne puis vous donner, sur Mlle Lemierre, que des renseignements assez peu favorables.

En effet, si son travail m'a toujours donné satisfaction, je ne puis en dire autant de son caractère. Extrêmement susceptible, elle s'emportait au moindre reproche, devenant grossière à l'occasion. C'est pour cette raison que je n'ai pu la conserver plus de quelques semaines à mon service.

Si vous décidiez, néanmoins, de juger par vous-même, je ne saurais trop vous conseiller de prendre cette jeune personne à l'essai, afin de conserver votre liberté d'action en cas de besoin.

Recevez, Madame, l'expression de mes sentiments distingués.

ROLANDE VAUDET.

*Lettre d'un locataire à son propriétaire
pour demander des réparations*

Lieu et date.

Monsieur,

Ainsi que je vous l'ai signalé plusieurs fois déjà, les murs de ma remise sont à ce point fissurés et lézardés qu'il m'a fallu les étayer au moyen de bois de mine achetés par moi et posés à mes frais par le maçon d'Angicourt.

Je vous rappelle, en outre, que la toiture du bâtiment principal, complètement délabrée, devrait être d'urgence remaniée ou refaite. Les récoltes que j'ai dû rentrer dans le bâtiment en question sont partiellement exposées aux intempéries, ce qui me cause un préjudice dont vous comprendrez aisément la gravité.

J'insiste donc auprès de vous, Monsieur, pour que vous consentiez à ordonner sans tarder les divers travaux de réparation qui s'imposent.

Veuillez agréer, Monsieur, l'assurance de mes sentiments distingués.

A. THÉNARD.

Autre lettre sur le même sujet

Lieu et date.

Monsieur,

Je vous rappelle que l'appartement que j'occupe au troisième étage

121

de votre immeuble (Bâtiment D), 19, quai des Longres, exige différentes réparations indispensables, auxquelles je vous prie de vouloir bien faire procéder au plus vite.

Le gérant de l'immeuble, lors de sa visite du 8 mai, a pu constater lui-même l'urgence des réparations nécessaires. La cheminée de la cuisine, surtout, et le plafond de la chambre à coucher doivent être remis en état sans tarder.

Je compte que vous voudrez bien donner sans plus attendre les instructions utiles à votre architecte et je vous prie d'agréer, Monsieur, l'expression de mes sentiments distingués.

C. NARRET.

Lettre à un entrepreneur pour lui confier un travail

Lieu et date.

Monsieur,

Je vous prie de vouloir bien passer à mon domicile dès que possible, afin que nous puissions examiner ensemble la réfection du parquet de mon salon.

Ainsi que je vous l'ai dit lors de notre conversation téléphonique, il s'agit d'un parquet à assemblage ; je vous signale que je tiens à un travail exécuté de façon très soignée.

Veuillez agréer, Monsieur, mes salutations distinguées.

C. FEUILLET.

Réclamation à un entrepreneur pour dégâts commis par ses ouvriers

Lieu et date.

Monsieur,

Je tiens à vous signaler que les ouvriers envoyés par votre maison à mon domicile pour les travaux de peinture de mes grilles ont sérieusement endommagé mon installation électrique par leur coupable négligence.

Avant de régler le montant de votre mémoire, j'insiste donc pour que vous veniez dès que possible constater chez moi l'importance des dégâts qui ont été commis à mon préjudice.

Veuillez agréer, Monsieur, mes salutations distinguées.

J. MILLON.

Lettre à un artisan
au sujet du montant trop élevé d'un mémoire

Lieu et date.

Monsieur,

J'ai été fort surpris de constater que le montant du mémoire que vous m'avez adressé pour les travaux de serrurerie exécutés chez moi par vos soins s'élevait à 570 francs, au lieu des 500 francs prévus.

J'ai fait contrôler votre mémoire par M. Masurier, métreur-vérificateur à Lisieux. Une lettre reçue de lui ce matin m'assure que la somme dont je vous suis redevable ne devrait pas excéder 510 francs environ, compte tenu des menus travaux supplémentaires dont nous avons décidé l'exécution au dernier moment.

Je suis donc persuadé que certaines erreurs ont dû se glisser dans votre mémoire et je vous prie de bien vouloir faire le nécessaire pour les rectifier.

Veuillez agréer, Monsieur, mes salutations distinguées.

P. CHARLUS.

Lettre à un entrepreneur pour lui régler le montant d'un mémoire

Lieu et date.

Monsieur,

J'ai l'honneur de vous accuser réception du mémoire que vous m'avez adressé, le 11 courant, pour les travaux effectués chez moi par vos soins, au début de l'année.

Je m'empresse de verser à votre C.C.P. la somme de 315 francs, représentant le montant dudit mémoire.

Veuillez agréer, Monsieur, mes salutations distinguées.

F. GIRAUD.

Lettre de commande à un fournisseur

Lieu et date.

Monsieur,

Comme suite à notre conversation du 8, je vous confirme la commande d'un clapier quatre cases en aggloméré « Fortec » (n° 31 de votre catalogue), au prix de 250 francs. Je paierai, comme convenu, à la livraison ; je vous rappelle que cette livraison doit m'être effectuée avant le 15 mai.

Veuillez agréer, Monsieur, mes salutations distinguées.

C. MORLAS.

Lettre de réclamation à un fournisseur

Lieu et date.

Monsieur,

Je vous avais commandé, par lettre en date du 11 septembre, un pistolet à peindre marque « Vaga », d'une capacité de trois litres.

Je reçois aujourd'hui un pistolet « Robur », d'une capacité de deux litres seulement.

En conséquence, je vous prie de faire reprendre d'urgence à mon domicile le pistolet en question, pour le remplacer par un article conforme à ma commande. S'il vous est impossible de me fournir l'objet commandé, veuillez me le faire savoir, afin que je puisse prendre toutes dispositions utiles.

Comptant que vous voudrez bien faire diligence, je vous prie d'agréer, Monsieur, mes salutations distinguées.

R. SORBIN.

Déclaration d'un sinistre à une Compagnie d'assurances

Lieu et date.

Monsieur le Directeur,

Je vous informe que les bâtiments agricoles assurés par votre compagnie (police n° CX 813-53-1080) ont été complètement détruits par un incendie qui a éclaté dans la nuit du 9, vers 3 heures. L'enquête poursuivie par la gendarmerie n'a pas encore permis d'établir les causes du sinistre.

Je compte que vous voudrez bien envoyer sur les lieux un employé de votre compagnie chargé de procéder aux constatations utiles pour le règlement de ce sinistre, et vous prie d'agréer, Monsieur le Directeur, l'expression de mes sentiments distingués.

V. OSMAND.

Lettre de résiliation d'une police d'assurance

Lieu et date.

Recommandée.

Monsieur le Directeur,

Ayant vendu ma motocyclette, je vous prie de bien vouloir, à compter du 15 octobre, résilier l'assurance que j'avais contractée auprès de votre compagnie (police n° 111918) pour ce véhicule.

Je compte que vous voudrez bien m'accuser réception de cette lettre et vous prie d'agréer, Monsieur le Directeur, mes salutations distinguées.

A. CORBIN.

Lettre à un voisin pour achat du droit de mitoyenneté

Lieu et date.

Cher Monsieur,

J'aurais l'intention d'acquérir la mitoyenneté du mur qui sépare nos deux propriétés de Chaunes, route de Gurgy.

J'ai choisi pour expert M. Lenoble, l'entrepreneur de maçonnerie, et je vous prie d'en désigner un de votre côté. Tous deux pourront alors déterminer le montant de l'indemnité que je dois vous verser. Si vous préférez, pour éviter des frais, une entente directe entre nous, veuillez me le faire savoir.

Je vous prie d'agréer, cher Monsieur, l'expression de mes sentiments les meilleurs.

V. KLÉBER.

Lettre à un voisin à propos du bornage de deux propriétés limitrophes

Lieu et date.

Monsieur,

Pour éviter toutes contestations, et afin que rien ne vienne altérer nos bons rapports, je vous informe que j'ai l'intention de faire procéder au bornage des jardins contigus que nous possédons tous deux à Saint-Valérien, lieu-dit « Champoulins ».

Je pense, si vous le voulez bien, que M. Vaillant, l'arpenteur-géomètre de Bassou, pourrait être chargé de l'opération. Veuillez, je vous prie, me donner votre accord sur ce point, me fixant par la même occasion les jour et heure qui vous conviendront le mieux.

Je vous prie d'agréer, Monsieur, l'assurance de mes sentiments les meilleurs.

W. SUBLET.

Réclamation à un voisin pour plantation illégale d'arbres

Lieu et date.

Monsieur,

Vous me connaissez, et vous savez que je ne cherche jamais d'ennuis ou de difficultés à quiconque. Je me vois cependant obligé de protester auprès de vous contre la plantation d'arbres que vous venez de faire, à un mètre environ de la limite commune de nos propriétés.

Quand ces arbres auront grandi, ils me causeront un sérieux préjudice, tant par l'ombre qu'ils projetteront sur mes cultures, que par les racines qu'ils pousseront dans mon sous-sol. Je m'excuse de vous rappeler que la loi exige l'existence d'un intervalle d'au moins 2 mètres entre le pied des arbres et la propriété limitrophe, et je compte que vous aurez l'obligeance de modifier votre plantation en conséquence.

Je vous en remercie à l'avance et vous prie d'agréer, Monsieur, l'assurance de mes sentiments distingués.

P. MERLIN.

CHAPITRE X

VACANCES, VOYAGES ET VILLÉGIATURES

Demande de renseignements à un Syndicat d'initiative

Lieu et date.

Monsieur le Secrétaire,
J'aurais l'intention de passer mes vacances (mois d'août), avec ma famille, dans votre localité. En conséquence, je vous serais obligé de vouloir bien m'adresser tous renseignements utiles sur la ville et ses environs, ainsi que toutes les précisions qu'il vous serait possible de me fournir sur les tarifs des hôtels et pensions et le prix des villas à louer.

Avec mes remerciements, je vous prie d'agréer, Monsieur le Secrétaire, mes salutations distinguées.

W. NOLLY.

Lettre à un propriétaire de villa

Lieu et date.

Monsieur,
Parmi les villas à louer dont la liste m'a été fournie par le Syndicat d'initiative de Biarritz, j'ai particulièrement retenu la vôtre. Avant de me décider, toutefois, je désirerais obtenir quelques précisions sur la villa *Marie-Louise*.

Les renseignement qui m'ont été communiqués, assez peu détaillés, ne mentionnent pas l'existence d'un garage. La villa n'en comporterait-elle pas ? Dans ce cas, le jardin permet-il qu'on y rentre une voiture pour la nuit ?

A quelle distance de la mer se trouve la villa, à quelle distance, aussi, du centre de la ville et des principaux commerçants ? Quelle est l'exposition des chambres à coucher ?

Une dernière question : au cas où j'envisagerais de faire un séjour de plus longue durée (15 juillet-15 septembre, par exemple), quelle diminution seriez-vous prêt à me consentir sur le prix de location mensuel ?

Dans l'attente d'une réponse que je souhaite aussi prompte que possible, je vous prie d'agréer, Monsieur, mes sincères salutations.

A. SILLON.

Lettre pour confirmer la location d'une villa

Lieu et date.

Monsieur,

Les renseignements contenus dans votre lettre du 26 me permettent de vous donner aujourd'hui mon accord définitif pour la location de la villa *Angkor,* du 15 juillet au 15 septembre, aux termes et conditions arrêtées dans ma dernière lettre.

Ainsi qu'il a été convenu entre nous, je vous adresse ci-inclus un chèque barré de 400 francs sur la Banque d'Anjou. Il est entendu que cette somme vous est versée à valoir sur le montant total de la location et que le reliquat vous en sera réglé lors de mon arrivée, le 15 juillet.

Recevez, Monsieur, mes sincères salutations.

G. ABRAL.

Demande de renseignements à un hôtelier

Lieu et date.

Monsieur,

Mon excellent ami et collègue, M. Vrain, qui a passé un mois dans votre établissement, l'an dernier, m'a conseillé de m'y installer pour les vacances. Avant de fixer ma décision, toutefois, je désirerais connaître exactement vos conditions.

J'aurais l'intention de passer un mois dans votre ville (15 juillet-15 août), en compagnie de ma femme et de ma fille, âgée de quatorze ans. Comme vous le voyez, il nous faudrait donc deux chambres.

Le prix de la pension devrait comprendre, outre les trois repas, que je désire soignés, le garage de ma voiture, ainsi que le service, les taxes, etc. Je tiens à savoir très exactement la somme qu'il me faudrait débourser pour mon séjour chez vous.

J'attends votre lettre, et vous prie d'agréer, Monsieur, mes sincères salutations.

F. BERTHAULT.

Demande de réduction de prix

Lieu et date.

Monsieur,

En possession de votre lettre du 3, j'ai le regret de vous informer que les prix que vous m'y indiquez sont sensiblement trop élevés pour moi.

Je tiens aussi à vous faire savoir que plusieurs établissements de votre ville, en tous points comparables au vôtre, me proposent des conditions beaucoup plus avantageuses.

Votre prix serait-il susceptible de modification ? Dans l'affirmative, je vous prie de me le faire savoir dès que possible, et au plus tard le 20 courant.

Veuillez agréer, Monsieur, mes sincères salutations.

A. PELISSON.

Invitation d'un ami pour les vacances

Lieu et date.

Mon cher Yves,

Madeleine, qui m'a téléphoné hier, me dit que tu n'as pas encore choisi l'endroit où tu passeras tes vacances, cette année. Elle m'a fait part de ton indécision, et de la répugnance que t'inspirent les grands hôtels pour touristes, où il est impossible de goûter un repos véritable.

Tout cela, mon cher ami, m'incite à formuler une proposition que je méditais depuis quelque temps déjà : voudrais-tu nous faire le plaisir de venir passer ton mois de vacances avec nous, à Sauzon ? Tu sais que nous avons là-bas une petite maison assez plaisante — et beaucoup trop grande pour nous deux. Tu sais aussi que Belle-Ile est un endroit ravissant, plein de calme et de poésie, où l'on peut se détendre vraiment, en toute quiétude. Tu n'ignores pas, enfin, que tu nous ferais un très grand plaisir à tous deux et que la vieille Yvonne, que tu connais, serait ravie de te mijoter ces bons petits plats qui guériraient ton pauvre estomac citadin, affaibli par toute une année de repas au restaurant !

C'est oui, n'est-ce pas ? Suzette et moi attendons avec impatience ton acceptation.

A toi, très cordialement.

PAUL.

Lettre au directeur d'une Agence de voyages

Lieu et date.

Monsieur,

Ma femme et moi désirerions faire un voyage en Espagne, pendant nos vacances, du 30 juillet au 30 août. Voudriez-vous nous renseigner sur les différentes formules possibles (voyages individuels, en groupe etc.), leurs avantages respectifs et leur prix ?

Nous n'avons encore arrêté aucun itinéraire et nous n'avons même pas choisi le moyen de transport à utiliser, nous réservant d'opter pour le train, le bateau ou l'avion, suivant les précisions que vous voudrez bien nous fournir.

Veuillez agréer, Monsieur, mes salutations distinguées.

G. LAFFOND.

Lettre pour retenir une cabine sur un paquebot

Monsieur,

Je vous prie de me réserver une cabine de première classe (si possible à babord) sur le paquebot *Marseillaise,* qui doit quitter Marseille le 14 juin prochain, à destination de Colombo.

Dès que vous m'aurez indiqué le prix du passage, je vous l'enverrai par chèque.

Veuillez m'indiquer aussi les formalités à remplir pour l'assurance des bagages (cale et cabine).

Je vous prie d'agréer, Monsieur, mes sincères salutations.

F. RICARD.

Lettre à une compagnie de transports aériens

Lieu et date.

Monsieur,

Devant me rendre prochainement à Karachi (Pakistan), je vous prie de m'adresser d'urgence toute la documentation nécessaire.

Outre les tarifs, horaires, etc., je vous serais obligé de me faire tenir une documentation aussi détaillée que possible sur les hôtels de Karachi.

Veuillez agréer, Monsieur, mes salutations distinguées.

A. ROBILLARD.

Demande de passeport : Voir p. 146.

QUATRIÈME PARTIE

PÉTITIONS ET REQUÊTES, LETTRES OFFICIELLES, CORRESPONDANCE ADMINISTRATIVE ET JURIDIQUE

CHAPITRE XI

REQUÊTES AU PRÉSIDENT DE LA RÉPUBLIQUE

Pour écrire au Chef de l'État, on emploie du papier de grand format (33 sur 22), dit *Tellière,* ou « papier ministre ». Il faut naturellement se servir d'une feuille *double,* et avoir soin de ménager une marge très large, ainsi qu'un espace suffisant, au bas de la lettre, pour les annotations, observations ou apostilles.

La lettre *dactylographiée* est préférable pour ce genre de correspondance. Si l'on ne dispose pas d'une machine à écrire, on s'efforcera au moins de soigner particulièrement son écriture. Il est *indispensable* de n'employer que de l'*encre noire.*

Les requêtes au Président de la République doivent être rédigées à la troisième personne ; le lieu et la date, ainsi que l'adresse de l'intéressé sont mentionnés *au bas de la lettre,* après la signature.

Demande d'audience

A Monsieur le Président de la République Française,

Monsieur le Président de la République,
Les soussignés ont l'honneur de solliciter de votre haute bienveillance une audience, qu'ils vous seraient profondément reconnaissants de bien vouloir leur accorder.

Le sujet dont ils seraient heureux de pouvoir vous entretenir quelques instants... *(indiquez très brièvement la question dont il s'agit).*

Vous adressant à l'avance l'expression de leur très profonde gratitude, les soussignés vous prient d'agréer, Monsieur le Président de la République, l'hommage de leur plus respectueux dévouement.

VICTOR LECOUX,   JULES PERCIER,
9, quai des Grands÷Augustins,
PARIS (6ᵉ)

Requête d'un fonctionnaire destitué
pour solliciter la réintégration dans son emploi

A Monsieur le Président de la République Française,

Monsieur le Président de la République,
En date du..., le soussigné a été destitué de son emploi de..., à..., une enquête administrative ayant conclu à des erreurs importantes commises dans le service placé sous sa responsabilité.

Il a la certitude, Monsieur le Président de la République, de ne mériter nullement une pareille sanction, et il ne peut comprendre quelles sont les raisons ayant motivé la pénible décision qu'a prise à son égard Monsieur le Ministre de...

Fort de son bon droit et absolument convaincu de n'être coupable en aucune façon des faits qui lui sont reprochés, le soussigné a l'honneur, Monsieur le Président de la République, de faire appel à votre sens de la justice et de solliciter de votre haute bienveillance un complément d'enquête dont les résultats, il en est persuadé, lui permettront d'espérer avec confiance sa réintégration prochaine dans son emploi.

Le soussigné vous prie d'agréer, Monsieur le Président de la République, l'expression de son plus respectueux dévouement.

André TROUSSET.

Paris, le...
André TROUSSET,
72, rue Beaunier, PARIS (14ᵉ).

Requête d'un condamné sollicitant la remise d'une amende

A Monsieur le Président de la République Française,

Monsieur le Président de la République,
Le... 19.., le soussigné a été condamné par le tribunal correctionnel de..., à un mois de prison et 250 francs d'amende pour... (*motif de la condamnation*).

Le soussigné reconnaît sa culpabilité ; il a mérité la peine qui l'a frappé et il l'accomplit en ce moment.

Mais il ose faire appel à votre grande bonté, Monsieur le Président de la République, en faveur de sa femme et de ses quatre enfants, malheureux innocents qui n'ont pris aucune part au délit dont il s'est rendu coupable. Pour acquitter le montant de l'amende infligée au chef de famille, ils subiraient de lourdes privations, et c'est en leur nom que le soussigné vous supplie, Monsieur le Président de la République, de lui accorder la remise de ces 250 francs d'amende.

Il vous prie de vouloir bien agréer, Monsieur le Président de la République, avec l'expression de toute sa gratitude, l'hommage de son profond respect.

Charles THOMAS.

Abbeville, le...
Charles THOMAS,
11, rue de la République,
ABBEVILLE (Somme).

Requête pour contracter mariage entre parents

A Monsieur le Président de la République Française,

Monsieur le Président de la République,
Le soussigné a l'honneur de faire appel à votre haute bienveillance pour dispense nécessaire pour contracter mariage avec sa... (*indiquer le degré de parenté*), Juliette BUSSET, née le..., à...

L'Union désirée par le soussigné est rendue (*nécessaire, indispensable, souhaitable, etc.*), Monsieur le Président de la République, en raison de circonstances particulières qu'il vous prie de bien vouloir lui permettre de vous exposer (bref exposé du cas particulier).

Espérant que vous voudrez bien accueillir favorablement sa requête, le soussigné vous prie, d'agréer, Monsieur le Président de la République, l'hommage de son profond respect.

Georges BERNIER.

Migé, le...
Georges BERNIER,
à MIGÉ (Yonne)

Demande d'indemnité

A Monsieur le Président de la République Française,

Monsieur le Président de la République,
Le soussigné a l'honneur de solliciter de votre haute bienveillance la l'indemnité dont il sollicite le versement, en raison... (*exposé précis, mais succinct, de l'objet de la réclamation*).

Au cas où vous daigneriez ordonner, Monsieur le Président de la République, qu'un rapport vous soit soumis sur l'objet de cette réclamation, vous constateriez certainement la réalité des droits du soussigné
En vous exprimant à l'avance sa très vive gratitude, il vous prie de

133

bien vouloir agréer, Monsieur le Président de la République, l'hommage de son profond respect.

Fernand SURET.

Thury-Harcourt, le...
Fernand SURET,
16, rue Victor-Hugo,
THURY-HARCOURT (Calvados).

Demande de secours

A Monsieur le Président de la République Française,

Monsieur le Président de la République,

C'est à votre inépuisable bonté qu'ose aujourd'hui recourir la soussignée. Veuve de guerre, mère de trois enfants en bas âge... (*exposé détaillé de la situation particulière*).

L'examen des pièces offertes ici à l'appui de sa requête vous permettra peut-être, Monsieur le Président de la République, d'accorder à la soussignée le secours qu'elle sollicite très respectueusement de votre paternelle bienveillance.

Avec l'expression de sa vive gratitude, elle vous prie d'agréer, Monsieur le Président de la République, l'hommage de son profond respect.

Alexandrine SICARD.

Nérac, le...
Alexandrine SICARD,
La Boissière,
à NÉRAC (Lot-et-Garonne).

Noter que le droit de formuler des requêtes au Président de la République appartient à tous les citoyens, sans restriction ni réserve.

Il est inutile de faire légaliser la signature de ces requêtes.

Dans certains cas (notamment lorsqu'on sollicite un emploi dans l'une des résidences présidentielles), *la demande peut être adressée à M. le Secrétaire général de la Présidence de la République, palais de l'Élysée.*

CHAPITRE XII

DEMANDES ADRESSÉES AUX MINISTRES

Sauf cas particuliers (requêtes au Parlement, demandes de secours ou d'assistance judiciaire, réclamations concernant les impôts), toute lettre-pétition, ou demande écrite adressée aux ministres, aux autorités constituées, aux administrations et établissements publics, doit être rédigée *sur papier timbré*.

Si le papier timbré n'est pas indispensable, on emploiera le papier de format Tellière, ou « ministre » (feuille double).

L'encre utilisée pour cette correspondance sera *toujours noire*, la ou les signatures devront être légalisées par la Mairie ou le Commissariat de Police.

Ne pas oublier qu'un ministre, s'il a été président, ou vice-président, du Conseil, de l'Assemblée Nationale, etc., conservera toute sa vie *le titre de Président* (même si la présidence de l'intéressé n'a duré qu'une journée). (*On reste de même Monsieur le Ministre, quand on a été une fois ministre.*)

Demande d'audience particulière

A Son Excellence Monsieur le Ministre de...

Monsieur le Ministre,

Désirant soumettre à votre bienveillant examen un projet qui concerne... (*exposé rapide*), je vous prie de bien vouloir m'accorder une audience particulière, aux jour et heure qu'il vous plairait de me fixer.

Je vous prie d'agréer, Monsieur le Ministre, l'expression de ma très haute considération.

Lucien VIROT.

Bordeaux, le...
Lucien VIROT,
116, rue Sainte-Catherine,
BORDEAUX (Gironde).

Demande de dispense d'âge pour un examen

A Monsieur le Ministre de l'Instruction publique,

Monsieur le Ministre,
J'ai l'honneur de solliciter de votre haute bienveillance une dispense d'âge de quatre mois pour ma fille, Yvette Obret, qui désire se présenter à l'examen du baccalauréat de l'Enseignement secondaire, devant la faculté des Lettres de Clermont-Ferrand.

Élève du lycée de Montluçon, ma fille donne toute satisfaction à ses professeurs, qui l'engagent à se présenter cette année devant les examinateurs.

Espérant que vous voudrez bien accueillir favorablement ma requête, je vous prie d'agréer, Monsieur le Ministre, l'expression de mes respectueux sentiments.

J. OBRET.

Montluçon, le...
Jacques OBRET,
51, boulevard de Courtais,
MONTLUÇON (Allier).

Demande de bourse scolaire nationale

A Monsieur le Ministre de l'Instruction publique,

Monsieur le Ministre,
J'ai l'honneur de solliciter de votre haute bienveillance, pour mon fils Yves Nardois, une bourse nationale d'interne pour... (*le lycée, l'école supérieure, etc...*) d'Angers.

Ainsi que l'atteste la déclaration ci-jointe, mes charges sont très lourdes, et mes ressources insuffisantes pour me permettre d'assumer moi-même les frais de l'éducation de mon fils. Comme c'est un brillant sujet, très travailleur et fort bien doué, je veux espérer, Monsieur le Ministre, qu'il pourra bénéficier de la faveur que je demande pour lui.

Je vous prie d'agréer, Monsieur le Ministre, l'expression de mes sentiments respectueux.

C. NARDOIS.

Angers, le...
C. NARDOIS,
42, rue de la République,
ANGERS (Maine-et-Loire).

Pour une demande de bourse départementale, *le libellé est sensiblement le même, mais la demande doit être adressée* au préfet du département.

Demande d'un bureau de tabac

A Monsieur le Ministre des Finances,

Monsieur le Ministre,

Veuve d'un sous-officier mort à l'ennemi, ayant à ma charge une mère impotente et quatre enfants en bas âge, je me permets de solliciter de votre haute bienveillance la gérance d'un bureau de tabac.

Je n'ignore pas, Monsieur le Ministre, que vous recevez de très nombreuses demandes comme la mienne. J'espère cependant qu'il vous sera possible de donner une suite favorable à la requête formulée par la veuve d'un homme mort pour son pays, soucieuse d'élever dignement les enfants qu'il lui a laissés.

Je joins à cette lettre les certificats et attestations dont je dispose, me réservant d'y ajouter, en cas de besoin, tous renseignements complémentaires que vous pourriez juger nécessaires.

Je vous prie d'agréer, Monsieur le Ministre, mes très respectueuses salutations.

Camille BERGEOT.

Paris, le...
Madame Camille BERGEOT,
8, rue des Écoles
PARIS (5ᵉ).

Demande de décoration (Mérite agricole)

A Monsieur le Ministre de l'Agriculture,

Monsieur le Ministre,

J'ai l'honneur de solliciter de votre haute bienveillance la décoration du Mérite agricole, si, comme j'ose l'espérer, vous me jugez digne de cette distinction, après examen de mes titres.

Propriétaire d'une importante exploitation agricole sise à Villet, près Chaumont (Haute-Marne), j'ai été, dans ma région, le promoteur des grandes techniques nouvelles pour la rationalisation de la culture et de l'élevage. Président du Syndicat Agricole de ma localité, secrétaire général de la Caisse de Crédit Agricole de la Haute-Marne, j'ai été le premier, dans mon département, à introduire les vaches laitières de race schwitz et à en préconiser l'élevage. Plusieurs fois médaillé dans les expositions, concours et comices, j'ai fondé chez moi, dès 19..., une école pratique et gratuite d'enseignement agricole, dont les jeunes cultivateurs de mon arrondissement suivent avec profit les démonstrations. Je joins d'ailleurs à ma lettre plusieurs certificats et attestations qui m'ont été délivrés par

M. le Préfet de la Haute-Marne et différentes personnalités du département.

Espérant que vous voudrez bien examiner favorablement ma demande, je vous prie d'agréer, Monsieur le Ministre, l'assurance de ma respectueuse considération.

Amédée BOLLAND.

Villet, le...
Amédée BOLLAND,
Domaine de...
à VILLET, par CHAUMONT (Haute-Marne).

Demande de la permission de communiquer avec un détenu

A Monsieur le Ministre de la Justice,

Monsieur le Ministre,

En vertu d'un mandat d'arrêt décerné contre lui le..., par M. le Procureur de la République d'..., mon fils Jean-Pierre X..., prévenu de..., a été écroué à la prison de...

Je vous prie donc, Monsieur le Ministre, de vouloir bien me faire délivrer un permis de communiquer, afin que je puisse rendre visite à mon fils, aux jour et heure stipulés par le règlement de la prison.

Veuillez agréer, Monsieur le Ministre, l'hommage de mon profond respect.

X...

Date :
Nom et adresse : X... domicilié à...

Demande de naturalisation

A Monsieur le Ministre de la Justice,

Monsieur le Ministre,

J'ai l'honneur de solliciter de votre haute bienveillance la faveur d'être naturalisé Français.

Né à Marseille, le 8 juillet 19..., de parents italiens, j'ai toujours habité la France, que je considère comme ma patrie véritable. Engagé volontaire pendant la guerre 1939-40, j'ai servi au... Régiment de..., ainsi que l'atteste le certificat ci-joint. Marié le..., à..., avec une Française, je suis père de deux enfants, nés tous deux à..., le... et le...

Dans l'espoir que vous voudrez bien accueillir favorablement ma demande, je vous prie, Monsieur le Ministre, d'agréer, à l'avance, l'expression de ma vive gratitude et l'hommage de mon profond respect.

Georges RIZZI.

Marseille, le...
Georges RIZZI,
8, rue Pavillon,
MARSEILLE (Bouches-du-Rhône).

Demande d'admission dans une maison de retraite

A Monsieur le Ministre de l'Intérieur,

Monsieur le Ministre,
J'ai l'honneur de solliciter de votre haute bienveillance mon admission à l'asile national de...

Né à Paris (XVe), le 21 février 18..., j'ai été grièvement blessé dans un accident de la circulation le 6 avril 19... et amputé de la jambe gauche. Sans famille et plus que septuagénaire, je ne puis continuer à subsister avec la modeste pension que je perçois.

Je joins à ma demande un bulletin de naissance, ainsi que mon titre de pension et un certificat délivré par le maire de ma commune.

Je vous prie d'agréer, Monsieur le Ministre, l'hommage de mon profond respect.

A. DANGIN.

Garches, le...
Aristide DANGIN,
16, route de Vaucresson,
à GARCHES (Seine-et-Oise).

Demande de liquidation d'une pension de guerre

A Monsieur le Ministre de la Guerre,

Monsieur le Ministre,
J'ai l'honneur de solliciter de votre haute bienveillance la liquidation de la pension de veuve de guerre qui m'a été accordée le... à la suite du décès de mon mari, adjudant de l'Infanterie coloniale, tué le..., à...

Ma situation actuelle est infiniment précaire et j'espère que vous voudrez bien, Monsieur le Ministre, faire donner dès que possible à ma requête la suite qu'elle demande.

Je vous prie d'agréer, Monsieur le Ministre, l'expression de mes sentiments très respectueux.

Marie SOUCHET, veuve GUILLOIS.

Paris, le...
Veuve Jean GUILLOIS,
11, rue Gît-le-Cœur,
PARIS (6e).

Demande de révision d'une pension de retraite

M. Ferrand, Joseph-Charles, brigadier des Douanes en retraite à Toucy (Yonne),
A Monsieur le Ministre des Pensions,

Monsieur le Ministre,
En application de la loi du..., j'ai l'honneur de demander la révision de ma pension de retraite, en vue d'une majoration pour... (*indiquer le motif invoqué*).
Je joins à ma demande (*énumérer les pièces jointes en précisant leur nature*).
Veuillez agréer, Monsieur le Ministre, l'assurance de mes sentiments respectueux.

J.-C. Ferrand.

Paris, le...
J.-C. Ferrand,
109, rue Saint-Louis-en-L'Ile,
Paris (4ᵉ).

Demande d'un extrait de l'état des services militaires

A Monsieur le Ministre de la Guerre,

Monsieur le Ministre,
J'ai l'honneur de solliciter la délivrance d'un état authentique de mes services militaires.
Je joins à ma demande une note sur mes dix-neuf années de service, avec l'indication de mes campagnes et blessures.
Je vous prie d'agréer, Monsieur le Ministre, l'hommage de mon profond respect.

V. Surillot.

Paris, le...
Victor Surillot,
31, rue Duret.
Paris (16ᵉ).

Demande de la permission de se marier

Objet : Demande d'autorisation de mariage.

Le soldat Bonnelier, Maurice, Jean, Nº Mle 4032, de la... Cie du... Régiment de... à...

A Monsieur le Ministre de la Guerre,

Sous couvert du colonel..., commandant le... Régiment de...

J'ai l'honneur de solliciter la permission de contracter mariage avec Mademoiselle PICHON, Marceline, demeurant à..., rue..., n°...

BONNELIER.

Obligatoirement transmise par la voie hiérarchique, la correspondance officielle militaire ne comporte aucune formule de politesse.

L'objet de la demande doit être indiqué en haut et à gauche *de la lettre.*

CHAPITRE XIII

LETTRES AUX PRÉFETS, SOUS-PRÉFETS ET MAIRES

Demande d'un permis de port d'armes

A Monsieur le Préfet du département de..., à...

Monsieur le Préfet,

Propriétaire à..., arrondissement de..., et imposé à la somme de..., ainsi que l'attestent le certificat du maire et les quittances du percepteur de la commune, je vous prie de vouloir bien m'accorder une permission de port d'armes, à charge pour moi de me conformer aux prescriptions légales.

Veuillez agréer, Monsieur le Préfet, l'expression de mon respectueux dévouement.

Signature :

Date et adresse :

Demande d'un permis de chasse

A Monsieur le Préfet du département de l'Yonne, à AUXERRE,

Monsieur le Préfet,

Le soussigné, Yves-Marcel Leprêtre, propriétaire, demeurant à Mouffy, vous prie de vouloir bien lui faire délivrer un permis de chasse.

Il vous prie d'agréer, Monsieur le Préfet, l'expression de sa respectueuse considération.

Y. LEPRÊTRE.

Mouffy, le...
Yves LEPRÊTRE,
à MOUFFY (Yonne).

Demande de permission pour l'ouverture d'un débit de boissons

A Monsieur le Préfet du département de la Gironde, à BORDEAUX,

Monsieur le Préfet,

Marcel-André Lefebvre, inscrit maritime, retraité de la Compagnie des Transports Maritimes Deruel, a l'honneur de solliciter de votre bienveillance l'autorisation d'ouvrir dans la commune de Silly, arrondissement de Mérignac, où il demeure depuis cinq ans, un débit de boissons avec billard. Aucun débit de ce genre n'existe dans la localité.

Ci-joint un certificat délivré par le maire de la commune de Silly, constatant l'honorabilité du soussigné.

Celui-ci vous prie d'agréer, Monsieur le Préfet, l'assurance de ses sentiments très respectueux.

M. LEFEBVRE.

Silly, le...
Marcel LEFEBVRE,
1, Grande-Rue,
SILLY (Gironde).

Demande d'autorisation de pratiquer des travaux
dans un immeuble frappé d'alignement

A Monsieur le Préfet de la Seine-Maritime, à ROUEN,

Monsieur le Préfet,

Propriétaire d'une maison sise à Rouen, rue Jeanne-d'Arc, n° 216, je me vois obligé de faire percer une fenêtre dans la façade de l'immeuble, à hauteur du premier étage, pour assurer l'éclairage de la cage d'escalier.

L'immeuble dont il s'agit n'étant pas à l'alignement de la rue où il se trouve, je vous prie, ainsi que la loi l'exige, de bien vouloir m'accorder l'autorisation nécessaire.

Je joins à ma demande un plan dressé par mon architecte et portant mention de l'ouverture qu'on souhaiterait pratiquer.

Veuillez agréer, Monsieur le Préfet, l'expression de mes respectueux sentiments.

A. TIXIER.

Rouen, le...
Albert TIXIER,
216, rue Jeanne-d'Arc,
ROUEN (Seine-Maritime).

Demande de dégrèvement partiel de patente

A Monsieur le Préfet de la Seine,

Monsieur le Préfet,

J'ai l'honneur de solliciter de votre bienveillance un dégrèvement partiel de ma patente, calculée sur une valeur locative de...

Je suis propriétaire de l'immeuble où j'exerce mon commerce de librairie, 220, rue Barbet-de-Jouy.

J'ai hérité cet immeuble de mon oncle paternel, Pierre-Antoine Bessy, décédé le 9 mai dernier. Il a été estimé... francs, lors du partage de la succession, ce qui représenterait une valeur locative de... francs pour les locaux occupés par mon commerce, alors que la partie utilisée par moi à usage d'habitation personnelle comprend...

C'est pourquoi, Monsieur le Préfet, je vous serais obligé de bien vouloir faire établir ma patente en la calculant sur une valeur locative de... francs.

Je vous remercie à l'avance et vous prie d'agréer, Monsieur le Préfet, mes respectueuses salutations.

A. BESSY.

Paris, le...
Alexandre BESSY, Libraire,
220, rue Barbet-de-Jouy,
PARIS (7ᵉ).

Demande d'un permis d'exhumer

A Monsieur le Préfet du département du Calvados, à CAEN,

Monsieur le Préfet,

Ayant acquis une concession... (*perpétuelle, temporaire...*) dans le cimetière de la route de Falaise où mon père Jules-Antoine Marie a été enterré le 11 avril 1923, je vous prie de vouloir bien m'accorder l'autorisation de faire exhumer ses restes, pour procéder aussitôt à leur réinhumation dans une nouvelle sépulture dudit cimetière.

Veuillez agréer, Monsieur le Préfet, l'expression de mes sentiments très respectueux.

P. MARIE.

Caen, le...
Pierre MARIE,
81, rue de Geôle,
CAEN (Calvados).

Demande de permis de conduire

Lieu et date.

Monsieur le Préfet,
J'ai l'honneur de solliciter de votre bienveillance la délivrance d'un brevet de capacité pour la conduite des... (*voitures automobiles,* ou *véhicules pesant en charge plus de* 3 000 *kilos,* ou *motocycles à deux roues,* ou *voitures affectées aux transports en commun*).
Veuillez agréer, Monsieur le Préfet, l'expression de mes sentiments distingués.

Signature.

Nom et prénoms.
Lieu et date de naissance.
Adresse.
Classe, bureau de recrutement, numéro matricule.
A cette demande (*faite sur papier timbré*), on joint :
— une quittance de versement des droits d'examen ;
— trois photographies d'identité (4×4 cm.).

Demande de passeport

Pour obtenir la *délivrance* ou la *prorogation* d'un passeport français, il faut remplir la formule spéciale mise à la disposition du public dans tous les Commissariats de police, au Bureau d'accueil de la Préfecture, ou à Paris au Bureau des passeports (Ile de la Cité, porte Nord).

Le demandeur doit déposer *personnellement* sa demande au *Commissariat de police* de son domicile. Seules les demandes dont l'urgence est justifiée sont reçues à la Préfecture.

Le Commissariat indique les pièces à joindre, qui diffèrent suivant les situations : hommes ou femmes, célibataires, femmes mariées avant 1939, entre 1939 et 1950, ou depuis 1950, veuves, mineurs, etc. Il est impossible d'en donner ici la nomenclature : photographies, justification de domicile (par quittance de loyer, de gaz, d'assurances, etc.), extrait d'acte de naissance ou d'acte de mariage, livret de famille établi postérieurement à 1950, justification de la nationalité française, etc.

Les formalités sont simplifiées pour les personnes qui présentent la Carte Nationale d'Identité.

Demande de dégrèvement de l'impôt foncier

A Monsieur le Préfet du département de..., à...

Monsieur le Préfet,

J'ai le regret de vous faire connaître que les inondations de cette année...
(...ou *la grêle, le gel, les insectes, etc.*) ont anéanti la plus grande partie
de mes récoltes, ainsi que l'atteste le certificat délivré par le maire de
ma commune, que je joins à ma lettre.

Étant donné l'importance des pertes que je viens de subir ainsi, consentiriez-vous, Monsieur le Préfet, à ordonner que remise me soit faite de
ma contribution mobilière pour l'année ? Je me permets de l'espérer,
sachant bien quelle est, en toutes circonstances, la bienveillante sollicitude
dont vous témoignez à l'égard de vos administrés.

Vous remerciant à l'avance, je vous prie d'agréer, Monsieur le Préfet,
l'assurance de mes très respectueux sentiments.

Signature.

Date.
Nom et adresse.

Demande d'autorisation pour le défrichement d'un bois

A Monsieur le Préfet du département de..., à...

Monsieur le Préfet,

Je vous prie de bien vouloir me donner l'autorisation nécessaire pour
procéder au défrichement de mon bois de..., commune de..., canton d'...,
arrondissement de...

D'une superficie de... hectares, ...ares, ...centiares, ce bois est d'un
rapport nul ; le défrichement, suivi de l'utilisation d'engrais et amen-
dements divers, permettrait au contraire de mettre le sol en état de
rapporter.

Veuillez agréer, Monsieur le Préfet, l'expression de mes sentiments
respectueux.

Signature.

Date.
Nom et adresse.

Demande de délivrance d'un extrait de naissance

(Voir page 157)

Monsieur le Maire de la commune de... (*département*),

Monsieur le Maire,

Je vous prie de vouloir bien me faire adresser un extrait de mon acte
de naissance.

Je suis né le..., à...

Je joins à ma lettre un mandat-poste de... francs pour le montant de cette expédition.

Veuillez agréer, Monsieur le Maire, avec mes remerciements, l'expression de ma parfaite considération.

Signature.

Date.
Nom et adresse.

Avoir soin de préciser si l'on désire un extrait d'acte de naissance sur papier timbré *ou un simple* bulletin de naissance *(sur papier libre).*

La formule est la même pour obtenir une expédition des divers actes de l'état-civil (naissance, mariage, décès).

On se renseignera sur la somme qu'il est nécessaire d'acquitter et on ajoutera les frais d'affranchissement au montant du mandat à établir.

Demande de renseignements au maire sur l'un de ses administrés

Monsieur le Maire de la commune de... (*département*),

Monsieur le Maire,
Je vous serais très obligé de vouloir bien me fournir quelques renseignements sur le sieur..., qui réside à...

Cette personne m'a proposé ses services pour un emploi de... Avant de l'engager, j'aimerais savoir notamment :

1° Quel souvenir a laissé, chez vous, le sieur... en ce qui concerne la sobriété, les mœurs, etc. ;

2° S'il est exact qu'il ait été employé en qualité de..., par M..., de..., aujourd'hui décédé (il n'a pu me fournir le certificat signé par cet employeur).

Vous remerciant à l'avance pour votre extrême obligeance et m'engageant, naturellement, à ce que ces renseignements demeurent absolument confidentiels, je vous prie d'agréer, Monsieur le Maire, avec l'expression renouvelée de ma gratitude, mes salutations très distinguées.

Signature.

Date.
Nom et adresse.

Plainte au maire pour divagation d'animaux

Monsieur le Maire de la commune de... (*département*),

Monsieur le Maire,
Mon proche voisin, le sieur..., cultivateur à..., canton de..., arrondis-

sement de..., continue, au mépris des règlements et malgré mes observations répétées, à laisser divaguer ses (*chevaux, vaches, porcs, volailles etc.*) sur... (*...mon terrain de..., ma cour, mon jardin, etc.*), ce qui me cause un préjudice considérable, étant donné les déprédations commises par ces animaux... (*explications*) et les accidents que leur présence risque de provoquer à tout instant.

Je vous prie donc, Monsieur le Maire, de bien vouloir user de votre autorité pour enjoindre au sieur... d'avoir dorénavant à observer les lois et règlements concernant la divagation des animaux.

Veuillez agréer, Monsieur le Maire, l'assurance de ma parfaite considération.

Signature.

Date.
Nom et adresse.

La même formule servira pour rédiger une plainte contre un propriétaire laissant en liberté des bêtes reconnues dangereuses (chiens méchants, etc.).

Plainte au sujet d'un voisinage insalubre

Monsieur le Maire de la commune de... (*département*),

Monsieur le Maire,

Je tiens à vous signaler que mon voisin, le sieur..., a installé dans... (*sa cour, son jardin, sa remise, etc.*) une... (*désignation de l'installation : teinturerie, porcherie, entreprise de..., etc.*) qui exhale des odeurs insalubres (*ou fumées délétères, ou émanations dangereuses pour les habitants, le cheptel, les récoltes, etc.*).

Ses autres voisins et moi-même nous sommes vainement plaints à lui à ce sujet ; il continue à nous incommoder, sans faire le moindre cas de nos légitimes représentations.

Je vous prie donc, Monsieur le Maire, de bien vouloir intervenir dans cette affaire, qui concerne la salubrité publique placée sous votre surveillance, et de mettre fin à une situation infiniment préjudiciable aux intérêts de vos administrés.

Veuillez agréer, Monsieur le Maire, mes respectueuses salutations.

Signature.

Date.
Nom et adresse.

Demande d'un emploi de garde-champêtre

Monsieur le Maire de la commune de... (*département*),

    Monsieur le Maire,

    Ayant appris que l'emploi de garde-champêtre allait se trouver vacant dans votre commune, j'ai l'honneur de vous proposer mes services.

    Ancien sous-officier de carrière, retraité en... avec le grade de..., titulaire de... (*indiquer les décorations, citations, actions d'éclat, etc.*), je crois être capable d'assumer la responsabilité qui s'attache à l'emploi que je sollicite.

    Je joins à cette demande... (*détail des pièces, certificats, attestations, etc., qui accompagnent la lettre*).

    Dans l'espoir d'une décision favorable, je vous prie d'agréer, Monsieur le Maire, l'expression de mes sentiments très respectueusement dévoués.

Signature.

Date.
Nom et adresse.

Demande au maire d'une attestation favorable

Monsieur le Maire de la commune de... (*département*),

    Monsieur le Maire,

    J'ai l'honneur de solliciter de votre bienveillance une marque d'estime et de confiance qui me rendrait le plus grand service.

    Fixé à... depuis... ans, je viens de soumettre ma candidature à un emploi de... qui va se trouver vacant chez M..., à...

    J'ai habité votre commune pendant onze ans, Monsieur le Maire, et je sais que vous me connaissez, ainsi que ma famille. Consentiriez-vous, dans ces conditions, à m'envoyer une attestation que je pourrais joindre au dossier que je vais soumettre à M... ?

    Vous exprimant à l'avance ma sincère gratitude, je vous prie d'agréer, Monsieur le Maire, l'assurance de tous mes sentiments de déférence parfaite.

Signature.

Date.
Nom et adresse.

CHAPITRE XIV

CORRESPONDANCE
ADRESSÉE AUX MAGISTRATS

Comme toutes les lettres officielles, les lettres adressées à des magistrats seront écrites sur papier blanc (feuille double), à l'encre noire. Le format Tellière, ou « ministre », n'est pas strictement indispensable, mais il est toujours préférable de l'adopter.

Toute lettre écrite à un magistrat doit comporter, au début comme à la fin, le titre de son destinataire : *Monsieur le Président de la Cour d'Appel, Monsieur le Président du Tribunal Correctionnel, Monsieur le Procureur de la République, Monsieur le Substitut, Monsieur le Juge, Monsieur le Président du Tribunal d'Instance.*

Soignées dans le fond et la forme, les lettres destinées à des magistrats doivent être rédigées en termes respectueux.

Demande d'un extrait de casier judiciaire

Monsieur le Procureur de la République,

J'ai l'honneur de vous prier de vouloir bien me faire délivrer un extrait de mon casier judicaire.

Mon état-civil est le suivant : MASSON Léon-Jean), né le 21 juillet 1923, à Lille (Nord), fils de Masson (Albert-Joseph), et de Pélion (Marguerite), tous deux décédés.

Je joins à ma demande un mandat de... francs pour couvrir les frais d'établissement et d'envoi de cet acte.

Veuillez agréer, Monsieur le Procureur de la République, l'expression de mes respectueux sentiments.

L. MASSON.

Nevers, le...
Léon MASSON,
43, rue Notre-Dame,
NEVERS (Nièvre).

Faite *sur papier libre,* la demande doit être adressée au Procureur de la République près le tribunal de l'arrondissement où l'on est né.

Noter deux exceptions :

— *les personnes nées dans le département de la Seine* adressent leur demande au Greffe du Casier Judiciaire, Palais de Justice, à Paris ;

— *les personnes nées à l'étranger ou aux colonies* l'adressent au Ministre de la Justice (Bureau du Casier Central), 23, allée d'Orléans, Nantes (Loire-Atlantique).

Demande d'assistance judiciaire

A Monsieur le Procureur de la République près le tribunal de grande instance de...

Monsieur le Procureur de la République,

Le sieur Pierre Lemonnier, journalier, soussigné, a l'honneur de vous exposer qu'il est victime, depuis de nombreux mois, des coupables manœuvres du sieur Verdier Michel, de Chichery (Yonne), lequel, par des imputations fausses et calomnieuses, cherche à porter atteinte à sa réputation.

Désireux de poursuivre devant la justice l'auteur de ces intrigues malveillantes, le soussigné sollicite le bénéfice de l'assistance judicaire. Il se trouve en effet dans un état d'indigence complète, ainsi que l'attestent les pièces ci-jointes.

Espérant que sa demande sera favorablement accueillie, il prie Monsieur le Procureur de la République d'agréer l'expression de ses sentiments très respectueux.

P. Lemonnier.

Joigny, le...
P. Lemonnier,
56, boulevard de la Gare,
Joigny (Yonne).

Rédigée *sur papier libre,* cette demande doit être accompagnée des pièces suivantes :

— extrait du rôle des contributions, ou certificat du percepteur, attestant que l'impétrant n'est pas imposé ;

— déclaration d'indigence rédigée par l'impétrant et visée par le maire de sa commune ou de son arrondissement.

L'assistance judiciaire dispense son bénéficiaire des frais d'enregistrement et de greffe, ainsi que de la consignation de l'amende et des honoraires d'avocat, d'avoué et d'huissier.

Elle peut être accordée devant tous les tribunaux.

Demande de désignation d'un avocat d'office

A Monsieur le Procureur de la République près le tribunal de...

Monsieur le Procureur de la République,
Poursuivi pour... (*indiquer la nature du délit*) et cité à comparaître le... devant le tribunal... de..., j'ai l'honneur de vous prier de vouloir bien me faire désigner un avocat d'office qui présentera ma défense, mes moyens ne me permettant pas de m'adresser moi-même à un avocat.
Dans l'espoir que vous consentirez à accueillir favorablement ma demande, je vous prie d'agréer, Monsieur le Procureur de la République, l'expression de mes respectueux sentiments.

Signature.

Date.
Nom et adresse.

Opposition à un jugement

Recommandée
A Monsieur le Procureur de la République de...

Je viens de recevoir notification d'un jugement rendu contre moi par défaut le..., qui m'a condamné à une peine de quinze jours d'emprisonnement pour... (*motif de la condamnation*).
Cette notification m'a été faite le...
Par la présente lettre, j'ai l'honneur de vous informer que je forme opposition à cette décision et demande, en conséquence, à être de nouveau convoqué afin de pouvoir faire valoir mes moyens de défense.
Pour être sûr que ma lettre vous parvienne et lui donner, d'autre part, date certaine, je me permets, en m'en excusant, de vous l'adresser sous pli recommandé.
Avec mes remerciements, je vous prie d'agréer, Monsieur le Procureur de la République, l'expression de mes sentiments de respectueuse déférence.

Signature.

Date.
Nom et adresse.

Avec une légère variante, la même formule servira pour *interjeter appel* d'un jugement.
Dans les deux cas, il sera bon d'envoyer la lettre *recommandée*, le cachet de la poste servant à prouver que l'intéressé a bien formulé son opposition, ou son appel, *dans les délais* (variables suivant les juridictions) qui sont fixés par la loi.

Plainte pour vol

A Monsieur le Procureur de la République près le tribunal de grande instance de...

Monsieur le Procureur de la République,

J'ai l'honneur de porter à votre connaissance les faits suivants : la nuit dernière à une heure que je ne puis fixer, des malfaiteurs se sont introduits par effraction dans le magasin de... que j'exploite à... Ils ont fracturé... et emporté... (*détail des déprédations commises et des valeurs, marchandises ou objets soustraits*).

Je porte plainte pour les faits ci-dessus indiqués, me réservant de me porter partie civile dans la suite, et vous prie, Monsieur le Procureur de la République, de vouloir bien prescrire immédiatement toutes enquêtes et mesures nécessaires.

Veuillez agréer, Monsieur le Procureur de la République, l'expression de mes sentiments respectueux.

Signature.

Date.
Nom et adresse.

Plainte pour vol par salarié

A Monsieur le Procureur de la République près le tribunal de grande instance de...

Monsieur le Procureur de la République,

J'ai l'honneur de porter à votre connaissance les faits suivants :

Le..., j'ai pris à mon service en qualité de..., le nommé..., demeurant à...

Peu de temps après, je constatai la disparition de diverses marchandises. J'établis alors une surveillance qui me permit, le..., de surprendre le nommé... en flagrant délit de vol.

Les marchandises détournées par lui à mon préjudice étaient, je crois, revendues à un sieur..., de...

Je porte plainte contre ces deux individus en vous priant d'ordonner les poursuites prévues par la loi.

Veuillez agréer, Monsieur le Procureur de la République, l'expression de mes respectueux sentiments.

Signature.

Plainte portée pour faillite frauduleuse

Nom et adresse.

Lieu et date.

A Monsieur le Procureur de la République près le tribunal de...

Monsieur le Procureur de la République,

Le sieur Tournaire, Joseph-Charles, garagiste, demeurant à... rue Victor-Hugo, n° 11, a déposé son bilan et a été déclaré en faillite par le jugement du tribunal de commerce de..., en date du...

Il résulte des renseignements que j'ai recueillis auprès de plusieurs personnes parfaitement honorables que le sieur Tournaire a détourné de son atelier et de son magasin diverses pièces d'outillage de grand prix, ainsi qu'un stock important d'accessoires et de pièces détachées, et un lot de pneumatiques neufs.

Le sieur Tournaire, par ces agissements, se propose de réaliser des profits clandestins, tout en frustrant ses créanciers de ce qui doit leur revenir.

Je puis indiquer le lieu où il a entreposé les marchandises ainsi soustraites et produire les témoins qui attesteront la réalité de cette soustraction.

Créancier du sieur Tournaire, je crois devoir porter ces faits à votre connaissance, vous priant en même temps de vouloir bien recevoir ma plainte contre le susnommé et lui donner la suite qu'elle comporte.

Veuillez agréer, Monsieur le Procureur de la République, l'expression de mes respectueux sentiments.

Signature.

La plainte contre un failli peut également être portée auprès du juge d'instruction, dans les mêmes termes.

Requête pour apposition de scellés au domicile d'un débiteur mort

Lieu et date.

A Monsieur le Président du tribunal de...

Monsieur le Président,

Le soussigné a l'honneur de vous exposer qu'il est créancier, pour la somme de Frs ..., du sieur..., décédé le 9 juillet dernier, à son domicile de..., rue de..., n°...

Pour sauvegarder ses intérêts, le soussigné vous prie donc de vouloir bien faire apposer les scellés sur les biens meubles et immeubles du sieur... lors de l'inventaire qui va en être fait.

Il vous prie d'agréer, Monsieur le Président, l'assurance de ses respectueux sentiments.

Signature.

Nom et prénoms.
Adresse complète.

Requête au président du tribunal
pour être envoyé en possession d'un legs

Lieu et date.

A Monsieur le Président du tribunal civil de...

Monsieur le Président,

Le soussigné a l'honneur de vous exposer :

Que Monsieur Lesnier, Michel-Auguste, en son vivant architecte, demeurant à..., rue... n°..., est décédé en son domicle le..., ne laissant ni ascendant ni descendant, ainsi qu'il résulte de l'acte de notoriété dressé devant M^e..., notaire à..., rue..., n°..., enregistré ;

Que par son testament olographe du..., enregistré et déposé pour minute chez M^e..., notaire à..., il l'a institué, lui, soussigné, pour son légataire universel ;

Que l'exposant a le plus grand intérêt à se faire envoyer en possession du legs universel à lui fait.

Sous toutes réserves, et ce sera justice.

C'est pourquoi il requiert qu'il vous plaise, Monsieur le Président, l'envoyer en possession du legs universel dont s'agit, pour jouir des biens et valeurs composant ledit legs, comme des choses lui appartenant au jour du décès du défunt.

Signature.

Nom et prénoms.
Adresse complète.

Désistement de plainte

Date.

A Monsieur le Procureur de la République de...

M. X..., industriel, demeurant à..., déclare se désister purement et simplement de la plainte par lui formée entre les mains du Procureur de la République de... contre le sieur..., son employé.

Et demande que sa plainte soit considérée comme nulle et de nul effet, qu'il n'y soit donné aucune suite et que le sieur... soit remis en liberté.

Demandes d'extraits d'État-Civil

Toutes les demandes de pièces d'état-civil doivent être adressées à la Mairie dans laquelle l'acte a été dressé, quand il s'agit de communes de la France métropolitaine : on demande donc les extraits de naissance à la mairie de la naissance, les extraits de mariage à la mairie du mariage, etc.

Pour les actes dressés en France d'Outre-Mer, la demande sera adressée *à la Direction des Archives de France, 27, rue Oudinot à Paris* (7ᵉ), si le territoire est encore français.

C'est à cette même adresse que doivent être demandées les extraits des actes dressés avant 1960 dans les anciennes possessions françaises, devenues indépendantes.

Enfin, pour les actes dressés depuis 1960 dans ces mêmes possessions, il faut s'adresser au *Ministère des Affaires étrangères, Service de l'État-Civil, 7 allée Brancas, Nantes (Loire-Atlantique)*.

157

CHAPITRE XV

LETTRES AUX AVOCATS ET OFFICIERS MINISTÉRIELS

Il est parfaitement correct d'appeler un avocat « Monsieur ». L'usage veut, cependant, que les avocats (tout comme les avoués, notaires et huissiers) fassent l'objet d'une formule d'adresse particulière. Chacun d'eux, lorsqu'on lui écrit, est appelé *Maître,* ou *Cher Maître,* voire, si l'on connaît bien l'intéressé, *Mon cher Maître.*

Sur les enveloppes, on fera précéder le nom des avocats, avoués, notaires et huissiers, du mot *Maître,* en évitant l'abréviation *Me.* Pour un notaire, on mentionnera *Avocat à la Cour d'Appel* au-dessous de son nom. S'il a été bâtonnier à un moment quelconque de sa carrière, on devra l'appeler, *toute sa vie,* « Monsieur le Bâtonnier ».

A un avocat, pour le charger d'une affaire

Adresse. *Lieu et date.*

> Maître (ou Cher Maître),
>
> Notre ami commun Paul Soudier me communique votre nom, m'assurant que je ne saurais mieux faire que de vous prier de me représenter dans un procès que je vais être amené à soutenir contre un concurrent déloyal.
>
> Avant de prendre toute décision quant à la procédure à entamer, j'aimerais avoir avec vous une consultation à ce sujet. Voudriez-vous avoir l'obligeance de me fixer un rendez-vous ? Je puis me rendre libre aux jour et heure qui vous conviendront le mieux.
>
> Je vous prie d'agréer, Maître, l'assurance de ma parfaite considération.
>
> *Signature.*

Autre lettre sur le même sujet

Adresse.   *Lieu et date.*

Maître,

Accusé de... (*nature du délit*), je dois comparaître le... devant le tribunal correctionnel de... Je me sentirais pleinement rassuré si vous consentiez à vous charger de ma défense.

Voici précisément de quoi il s'agit : ... (*exposé précis et détaillé des faits*). Ainsi que vous le voyez, je suis innocent du délit qui m'est reproché, et les témoignages de... et de... l'établiront aisément.

Si vous consentez à me prêter en l'occurrence votre précieux concours, je vous enverrai aussitôt le dossier que j'ai réuni sur cette affaire.

Une prompte réponse m'obligerait fort. J'aimerais être fixé, en même temps, sur le montant approximatif des honoraires qui vous seraient dus.

Veuillez agréer, Maître, l'assurance de mes sentiments distingués.

Signature.

A un avocat, pour le remercier

Adresse.   *Date.*

Mon cher Maître,

Comment vous dire toute ma reconnaissance ? Le jugement prononcé hier par le tribunal de... me remplit de satisfaction et je n'ignore pas que je le dois, avant tout, à votre beau talent, ainsi qu'au zèle éclairé que vous n'avez cessé de déployer à mon bénéfice.

Encore une fois, tous mes remerciements, mon cher Maître. J'espère que j'aurai bientôt l'occasion de vous les présenter de vive voix, lors de mon prochain passage à...

Veuillez trouver ci-inclus un chèque de... francs, représentant un complément d'honoraires, et agréer, mon cher Maître, l'expression de mes sentiments les meilleurs.

Signature.

A un avoué, pour le charger d'une affaire

Adresse.   *Date.*

Monsieur (ou *Maître*),

Mon avocat et ami, M°..., m'ayant indiqué votre nom, je m'empresse de vous écrire pour vous demander si vous voulez bien défendre mes intérêts dans une affaire qui est pour moi d'une importance extrême.

(*Exposé clair et bref de l'affaire.*)

Ma bonne foi, je pense, ne peut faire aucun doute pour les magistrats, mais mon adversaire est un homme très retors, et je ne me sentirai pleinement rassuré que si vous voulez bien m'accorder le concours de votre compétence éprouvée.

Veuillez me dire, je vous prie, quelles pièces vous adresser et quel est le montant de la provision à vous verser.

Je vous prie d'agréer, Monsieur (*ou Maître*), l'expression de ma parfaite considération.

Signature.

A un notaire

Adresse.   *Lieu et date.*

Maître,

J'ai été sollicité par une personne de mes relations, qui me demande de la commanditer pour une opération commerciale qu'elle se propose d'entreprendre.

Plutôt ignorant en matière d'affaires, j'aimerais discuter avec vous des modalités possibles de cette commandite, ainsi que du contrat dont elle ferait éventuellement l'objet.

Voudriez-vous me fixer un rendez-vous, un jour de la semaine prochaine (jeudi excepté) ?

Je vous en remercie à l'avance et vous prie de bien vouloir agréer, Maître, l'expression de ma considération distinguée.

Signature.

Lettre d'un héritier à un notaire pour formalités d'héritage

Adresse.   *Lieu et date.*

Maître,

J'ai le regret de vous informer que je viens de perdre mon... (*indication du degré de parenté*), M... (*nom, prénoms et domicile*), décédé à..., le...

A ma connaissance, le défunt n'a laissé aucun testament et je crois être son seul héritier. Sa fortune se composait de... (*énonciation aussi détaillée que possible de l'actif et du passif*).

Je vous adresse sous ce pli une expédition de l'acte de décès de M..., ainsi que tous les papiers trouvés en son domicile, vous priant de m'indiquer les formalités à remplir.

A votre disposition pour vous envoyer toutes autres pièces qui pourraient être nécessaires, j'aimerais aussi savoir quel sera le montant des droits d'enregistrement et quelle somme je dois vous adresser à titre de provision pour vos frais.

Je vous prie d'agréer, Maître, avec mes remerciements, l'assurance de ma considération distinguée.

Signature.

A un notaire,
pour accepter une succession sous bénéfice d'inventaire

Adresse.   *Lieu et date.*

Maître,

Comme suite à votre lettre du..., par laquelle vous m'avez informé que ma tante, Mlle..., qui vient de mourir, m'avait institué son légataire universel, je crois utile de vous faire savoir mon intention de n'accepter cette succession que sous bénéfice d'inventaire.

Veuillez agréer, Maître, l'expression de mes sentiments distingués.

Signature.

Les notaires ont pour mission de recevoir tous les actes et contrats auxquels les parties doivent ou veulent faire donner le caractère parfaitement authentique qui est attaché aux actes de l'autorité publique.

Ils interviennent dans la plupart des actes civils et sont seuls compétents pour le règlements des successions.

A un huissier, pour le charger de poursuites

Adresse.   *Date.*

Maître,

Je vous prie de trouver ci-inclus le billet protesté signé par le sieur..., ainsi qu'un pouvoir de poursuite.

Je compte que vous voudrez bien vous occuper activement de cette affaire et procéder, par toutes les voies de droit, au recouvrement de la somme qui m'est due.

Au cas, pourtant, où vous constateriez que mon débiteur est absolument insolvable, je vous demanderais de ne pas engager de poursuites qui n'auraient d'autre effet que d'entraîner pour moi des frais inutiles.

Veuillez agréer, Maître, l'expression de mes sentiments distingués.

Signature.

A un greffier, pour demande de pièces

Adresse.   *Date.*

Monsieur [1],

Je désirerais une copie du jugement rendu en ma faveur, le..., par le tribunal de..., contre le sieur N...

---

1. Eventuellement, dans le cas d'un parquet important, *Monsieur le Greffier en chef.*

162

J'aurais également besoin des pièces suivantes : ... (*détail des pièces demandées*).

Voulez-vous avoir l'obligeance de me faire savoir quelle somme je dois vous adresser pour payer les frais d'établissement et d'envoi de ces pièces ?

Je vous en remercie à l'avance, et vous prie d'agréer, Monsieur, l'expression de mes sentiments distingués.

Signature.

CINQUIÈME PARTIE

CORRESPONDANCE COMMERCIALE

CHAPITRE XVI

CONSEILS
ET PRINCIPES GÉNÉRAUX

Les *Généralités concernant la correspondance,* exposées dans les premières pages de ce livre, sont évidemment applicables, dans leur ensemble, à la correspondance commerciale. Mais cette dernière, qui ne tolère aucune fantaisie, comporte en outre ses lois et principes particuliers, dont on trouvera ci-dessous l'essentiel.

LE STYLE COMMERCIAL. — Toute « littérature » doit être bannie des lettres commerciales. Il ne s'agit pas, en effet, de provoquer l'admiration du lecteur, mais tout simplement de le persuader, de le convaincre et de l'amener à faire l'acquisition de l'article qu'on lui propose.

Est-ce à dire que la correspondance commerciale, étroitement prisonnière de règles immuables, doit toujours présenter un caractère figé, stéréotypé, de la plus rebutante sécheresse ? Assurément, non. Elle doit au contraire affecter une très grande souplesse, une infinie variété de ton et d'expression, afin de convenir parfaitement, dans chaque circonstance particulière, au destinataire dont elle veut emporter la conviction.

Mais la lettre commerciale, ennemie de tout « délayage », est forcément bornée dans son étendue. Elle doit être brève, mais compréhensible, ramassée, mais complète ; sa concision ne doit pas nuire à sa clarté, ni son formalisme obligé à l'efficacité qu'on lui souhaite.

L'ENTRÉE EN MATIÈRE. — Il est un ensemble de formules creuses, traditionnellement consacrées par l'usage, qu'un correspondancier moderne et soucieux de la dignité de sa maison aura soin de proscrire une fois pour toutes :

— *Nous avons l'honneur de vous informer...*
— *En réponse à votre honorée du...*
— *En mains votre estimée du...*

— *MM. Durand et Fils vous présentent leurs civilités et ont l'avantage de vous faire connaître...*

De pareilles entrées en matière, si elles fleurent bon la « belle époque » 1900, ne font guère honneur aux firmes qui les emploient. En affaires surtout, il faut vivre avec son temps ; sans verser dans un modernisme exacerbé, on se gardera donc de respecter aveuglément la routine de nos grand-pères. La lettre commerciale moderne est simple, mais directe ; elle entre immédiatement dans le vif du sujet, sans brutalité comme sans périphrase inutile :

> *Monsieur,*
> *Après l'inventaire de notre stock, effectué en septembre dernier, nous avons décidé de proposer à notre clientèle un lot d'articles qui...*

Ou bien :

> *Cher Monsieur,*
> *C'est avec plaisir que nous avons pris note des besoins que vous nous exprimez dans votre lettre du... Vous recevrez sous huitaine...*

Ou encore :

> *Monsieur,*
> *Nous fabriquons toujours les mandrins pneumatiques modèle Bx28 dont nous entretient votre lettre du... Si vous voulez bien consulter notre catalogue général, que nous vous adressons, sous pli séparé, par ce même courrier, et vous reporter à la liste de pièces, page 71, ...*

LE CORPS DE LA LETTRE. — Le correspondant une fois « accroché » (c'est le terme de métier) par l'entrée en matière, il ne reste plus qu'à profiter de l'intérêt qu'on vient d'éveiller chez lui pour présenter l'argumentation qui constitue l'essentiel de la lettre.

On développera brièvement l'exposé nécessaire, en veillant à ne pas lasser le correspondant par un verbiage inutile. Des faits, des précisions aisément contrôlables, quelques arguments sélectionnés particulièrement à l'intention du correspondant auquel on s'adresse : voilà ce que contiendra toute lettre commerciale judicieusement conçue.

La démonstration achevée, il ne reste plus qu'à conclure.

LA CONCLUSION. — La conclusion d'une lettre commerciale doit être courtoisement péremptoire, puisqu'il s'agit, en fin de compte, d'emporter l'adhésion du destinataire :

Vous n'avez pu manquer de constater, Monsieur, quel intérêt présenterait pour votre firme l'adoption du procédé dont nous vous avons prouvé ci-dessus les multiples avantages. Nous sommes donc persuadés que vous nous confirmerez votre bon accord par un prochain courrier, ce dont nous vous remercions à l'avance.

FORMULES DE POLITESSE. — Il en est un peu des formules de politesse comme de l'entrée en matière : la plupart d'entre elles, consacrées par l'usage, sont à ce point ressassées qu'on ne les lit même plus.

Les *civilités empressées*, les *salutations les plus empressées* et les *toujours dévoués à vos ordres* doivent être définitivement relégués au magasin des accessoires trop vieux pour servir.

La tendance moderne, pour les formules de politesse des lettres commerciales et d'affaires, consiste à serrer, à abréger. *Votre bien dévoué, vos bien dévoués* sont aujourd'hui des formules couramment employées. On peut aussi, comme le font de longue date les Anglo-Saxons, utiliser pour terminer la lettre commerciale le pronom possessif précédé d'un adverbe : *respectueusement vôtre, sincèrement vôtre, etc.*

Enfin, on peut employer la plupart des formules indiquées au début de cet ouvrage : *salutations distinguées, sincères salutations, sentiments distingués, etc.*

La salutation finale ne doit pas être une formule *omnibus* ; en toute circonstance, il faut avoir soin d'employer celle qui convient le mieux au destinataire de la lettre. Bornons-nous seulement à proscrire les tournures creuses, sans signification véritable, et celles dont le genre suranné donnerait à notre correspondance un ton vieillot, fort nuisible à ce dynamisme qu'il est indispensable de manifester, à notre époque, dans les relations commerciales.

PRÉSENTATION MATÉRIELLE DES LETTRES COMMERCIALES. — « La façon de donner, dit-on, vaut mieux que ce que l'on donne ». — Sans aller jusqu'à dire que la façon d'écrire vaut mieux que ce qu'on écrit, nous rappellerons du moins que la plus belle lettre qui soit demeure à peu près sans effet si sa présentation générale est désastreuse. Cette remarque doit être particulièrement méditée lorsqu'on écrit une lettre commerciale.

La plupart des firmes françaises ont un papier à lettres qui ne correspond nullement à l'importance et à la dignité de leur entreprise. Le papier, chez nous, est volontiers considéré comme un élément négligeable, en matière de correspondance. C'est une grave erreur, dont les conséquences peuvent être extrêmement fâcheuses. Réfléchissez un peu : quelle confiance accorderiez-vous à un garagiste dont la voiture serait toujours en panne, ou à une couturière « fagotée comme quatre sous » ? Ne dites pas que « les cordonniers sont toujours les plus mal chaussés » ; c'est une affirmation tout au plus valable pour les *savetiers*. La meilleure publicité, peut-être, c'est la publicité que l'on fait soi-même. Soignons donc la nôtre, et commençons par notre papier à lettres, qui représente notre personne et notre firme auprès d'autrui.

169

Le papier blanc de format « commercial » (21×27) est évidemment celui qui convient aux lettres dont nous parlons ici. Choisissez-le de belle qualité, demandez à votre fournisseur un papier qui ait « de la main », et adoptez pour l'en-tête un procédé de reproduction soigné (timbrage ou lithographie). Souvenez-vous qu'une impression en deux couleurs (noir et rouge, par exemple) sera toujours d'un heureux effet, et veillez bien à ce que toutes les mentions utiles figurent sur votre papier à lettres commercial : numéro d'inscription au registre du commerce, numéro de téléphone, numéro de votre compte courant postal, adresse détaillée et complète, indication précise de l'activité exercée, nature de la société, capital social, code télégraphique employé, etc.

La lettre commerciale, sauf impossibilité, *est toujours dactylographiée.* Il faut encore qu'elle le soit *lisiblement* (ruban de machine en bon état, caractères fréquemment nettoyés à l'alcool), *correctement* (pas de fautes !) et *proprement* (ni traces de doigts, ni « arbres », ou macules de papier carbone).

Pour l'orthographe et la ponctuation, reportez-vous à ce que nous en avons dit au début de cet ouvrage. Souvenez-vous que *l'orthographe des noms propres,* dans la correspondance commerciale, est particulièrement importante. On peut très bien manquer une affaire pour avoir estropié le nom de son correspondant. Notez encore que le *nom complet* du destinataire d'une lettre commerciale comporte, outre le nom de famille, le *prénom* de l'intéressé. Si vous n'écrivez pas le prénom en entier, indiquez-en au moins l'initiale. Pour certains patronymes très répandus, deux prénoms (ou deux initiales) peuvent être indispensables. S'ils habitent une grande ville, *M. Guérin, M. Garnier* seront pratiquement introuvables, en cas d'inexactitude dans l'adresse. *M. Jean Guérin* ou *M. Pierre Garnier* n'offriront pas beaucoup plus de ressource. Par contre, on arrivera toujours à découvrir *M. Jean-Hervé Guérin,* ou *M. Pierre-Stanislas Garnier.* L'état-civil n'est pas un mythe et ses dispositions légales ont évidemment leur utilité : à nous de savoir les mettre à profit.

Apposons sur nos lettres l'étiquette *pièces jointes ;* toutes les fois que cette précaution s'impose, numérotons soigneusement les feuillets d'une même lettre et gardons nos *doubles* ou *copies* soigneusement classées dans des chemises, dossiers, cartons, etc.

Relisons toutes nos lettres avant leur expédition et corrigeons-les s'il y a lieu. N'espérons pas que nos correspondants mettront sur le compte de notre secrétaire les fautes, erreurs ou omissions : une bonne secrétaire ne commet pas de bévues, *parce qu'un bon patron les élimine lors de son contrôle.*

Répondons aussi rapidement que possible à toutes les lettres commerciales et d'affaires. Ayons un *répertoire,* ou *livre d'adresses,* soigneusement tenu à jour et n'oublions jamais que l'enveloppe de nos lettres doit comporter *l'adresse exacte, précise et détaillée* de nos correspondants, si nous ne voulons pas risquer de graves mécomptes.

Toutes, ou presque, les opérations commerciales de quelque importance font l'objet d'un échange de correspondance. La réussite de nos affaires dépend du soin que nous apporterons à rédiger la correspondance qui les concerne.

CHAPITRE XVII

EMPLOYEURS ET EMPLOYÉS,
CONTRATS DE TRAVAIL,
JURIDICTION PRUD'HOMALE

Demande d'emploi d'un comptable

Adresse.   *Lieu et date*

Messieurs,

J'ai l'honneur de vous présenter ma candidature à. l'emploi de comptable actuellement vacant dans vos bureaux.

Agé de 31 ans (je suis né à..., le...), j'ai fait mes études à l'école de..., puis au Cours complémentaire de... Titulaire du B.E.P.C., j'ai été garçon de bureau, puis débitant-facturier aux Établissements..., à...

En..., après mon service militaire effectué au... régiment de..., à... j'ai été engagé en qualité d'aide-comptable par la Maison..., à... J'ai obtenu en... mon diplôme de chef-comptable et serais soucieux d'améliorer ma situation actuelle.

Je suis marié et père de trois enfants.

Je joins à cette lettre des copies certifiées de mes diplômes, titres et références.

Dans l'espoir que ma demande retiendra votre bienveillante attention, je vous prie d'agréer, Messieurs, l'expression de mes sentiments respectueusement dévoués.

L. FROSSARD.

Demande d'emploi d'un commis

Adresse.   *Lieu et date*

Monsieur le Directeur,

Je relève, aujourd'hui seulement, votre annonce parue dans *Le Phare*

173

du... et je prends la liberté de vous offrir mes services, au cas où l'emploi de commis dont il y est fait mention serait encore vacant.

Agé de 26 ans, titulaire du B.E.P.C., je possède quelques notions d'anglais et de comptabilité. Depuis mon retour du service militaire, en..., j'ai été employé en qualité de correspondancier par les Établissements..., à..., qui pourront vous fournir à mon sujet tous les renseignements nécessaires.

Le désir de me rapprocher de ma mère veuve, qui réside à..., m'incite à chercher un emploi dans votre ville. Au cas où vous consentiriez à m'honorer de votre confiance, j'affirme que je m'efforcerais de m'en montrer digne en toutes circonstances.

Dans l'espoir d'une réponse favorable, je vous prie d'agréer, Monsieur le Directeur, l'expression de mes sentiments bien respectueusement dévoués.

A. Mercadet.

Demande d'emploi d'une secrétaire

Adresse.   *Lieu et date.*

Monsieur,

Comme suite à l'annonce parue dans *l'Indépendant* de ce jour, je me permets de poser ma candidature au poste de secrétaire que vous proposez.

Agée de 24 ans, célibataire, je suis titulaire du B.E.P.C. et je possède le diplôme de secrétaire-sténo-dactylographe délivré par l'École... Je parle couramment et j'écris sans faute l'allemand et l'espagnol. Employée comme sténographe de presse à l'Agence... du... au..., je suis actuellement secrétaire de direction aux Établissements... à... Mes émoluments *salaire* sont de... francs par mois seulement, et je serais désireuse de trouver une situation qui fût à la fois plus largement rétribuée et plus en rapport avec mes capacités.

Si ma proposition pouvait retenir votre attention, je vous serais très reconnaissante de vouloir bien me convoquer à vos bureaux, afin que je puisse vous soumettre mes certificats, diplômes et références.

J'accepterais volontiers, en cas de besoin, d'effectuer un essai probatoire.

Je vous prie d'agréer, Monsieur, l'expression de mes sentiments distingués.

Annie Le Goff.

Demande d'un emploi de garde-magasin

Adresse.   *Lieu et date.*

Monsieur le Directeur,

J'apprends par mon voisin M..., négociant à... qu'un emploi de garde-magasin va se trouver vacant, à la fin de ce mois, dans votre usine de..., et j'ai l'honneur de solliciter cette place.

Sous-officier retraité, âgé de 48 ans, j'ai été garde-magasin aux Établissements..., à... A cette date, le transfert des Établissements... à... m'a contraint d'abandonner mon emploi, la santé de ma femme exigeant que je continue à séjourner à...

Je joins à ma demande toutes les pièces et certificats que je crois utiles, me réservant, Monsieur le Directeur, de vous fournir de vive voix toutes précisions complémentaires si vous voulez bien, ainsi que je l'espère, me faire l'honneur de me convoquer à vos bureaux.

Veuillez agréer, Monsieur le Directeur, l'expression de ma considération respectueuse.

V. SAULNIER.

Demande d'un emploi de chaudronnier

Adresse.   *Lieu et date.*

Monsieur,

Mon beau-frère, M..., qui a eu l'occasion de vous rencontrer le..., à..., me signale que vous recherchez un chaudronnier qualifié pour surveiller la fabrication de... à vos ateliers de...

Je me permets de vous proposer ma candidature à l'emploi dont il s'agit, croyant posséder pour cela la compétence et les qualifications requises.

Agé de..., fils d'un chaudronnier et ferronnier d'art de... j'ai d'abord travaillé avec mon père jusqu'à son décès, survenu en... J'ai été ensuite employé par les Établissements..., de..., où j'étais particulièrement chargé de l'exécution des travaux en fer forgé et martelé. En..., je suis devenu contremaître aux ateliers... à..., où je surveillais la fabrication des ustensiles ménagers dont cette firme a la spécialité. De... à ce jour, j'ai été employé aux ateliers de fabrication des chaudières tubulaires des Établissements...

Ainsi que vous pouvez le constater, Monsieur, par les certificats ci-joints, j'ai vingt-sept ans de métier et je crois avoir acquis les connaissances nécessaires dans les différentes branches de ma profession.

Dans l'espoir que vous voudrez bien me juger susceptible de vous être utile, je vous prie d'agréer, Monsieur, l'expression de mes sentiments très distingués.

A. NAVEAUX.

Réponse défavorable à une demande d'emploi

Paris, le...

Monsieur,
Nous avons le regret de vous faire savoir qu'il nous est impossible de donner suite à votre candidature, l'emploi auquel vous faites allusion dans votre lettre du... ayant cessé d'être vacant dès le...
Agréez, Monsieur, nos salutations distinguées.

SERVOIS ET FILS.

Réponse favorable

Marseille, le...

Mademoiselle,
Votre lettre du..., par laquelle vous m'offrez vos services en qualité de secrétaire, a retenu mon attention. Je vous prie donc de vous présenter à mon bureau mercredi prochain, 9 avril, à 10 heures, munie de vos certificats originaux.
Si nous nous mettons d'accord, vos nouvelles fonctions chez moi pourraient commencer le 15.
Recevez, Mademoiselle, mes salutations distinguées.

Le Président-Directeur général,
A. TIXIER.

Réponse défavorable

Paris, le...

Monsieur,
Nous avons pris bonne note de la demande exprimée dans votre lettre du... Nous avons le regret de vous faire savoir qu'il nous est impossible d'y donner suite pour le moment, le personnel de nos services étant au complet.
Recevez, Monsieur, nos salutations distinguées.

Le Directeur,
S. THÉNARD.

Demande de renseignements sur un employé

Dijon, le...

Messieurs,
M. Gustave Gauthier, qui aurait été employé dans vos Établissements du... au..., vient de poser sa candidature à un poste de chef de groupe, vacant dans ma maison.

L'emploi qu'il sollicite est assez important pour que je sois soucieux de ne le confier qu'à une personne présentant toutes les garanties morales et toutes les capacités professionnelles nécessaires. Je vous serais donc très reconnaissant, Messieurs, de vouloir bien me fournir sur M. Gauthier les renseignements que vous pourrez me donner à titre confidentiel.

Je vous remercie à l'avance de votre complaisance et vous prie d'agréer, Messieurs, l'expression de mes sentiments distingués.

CH. BARON.

Réponse favorable à la précédente

Paris, le...

Monsieur,

Nous sommes heureux de vous faire savoir que M. Gustave Gauthier est un homme d'une irréprochable probité. Il nous a donné toute satisfaction pendant les quatre années qu'il a passées dans nos services et il ne nous a quittés que pour se rapprocher d'une parente âgée.

Nous sommes persuadés que vous ne sauriez trouver un meilleur collaborateur.

Veuillez agréer, Monsieur, l'expression de nos sentiments distingués.

CHAIGNOT ET LECOUTRE.

Engagement d'un employé à l'essai

Etablissements...
à M...

Lieu et date.

Monsieur,

Comme suite à nos différents entretiens et à votre visite de ce jour, nous avons le plaisir de vous faire connaître que nous sommes disposés à mettre à l'essai vos capacités professionnelles et les services que vous pouvez rendre à notre organisation, si vous voulez bien vous présenter le... à nos bureaux.

La durée de cet essai ne pourra être supérieure à un mois et pourra être écourtée, sans préavis, sur décision de notre part.

Si nous ne vous avons pas confirmé par écrit, avant le... (*date d'expiration du mois d'essai*), notre décision de vous engager, vous voudrez bien considérer que votre candidature n'a pas été retenue.

Pour la bonne règle, nous vous prions de nous confirmer votre accord sur les termes de la présente lettre en utilisant pour cela le modèle ci-joint.

Pendant la durée de l'essai, votre salaire sera de F..., ce salaire minimum pouvant être augmenté lors de votre engagement définitif.

Veuillez agréer, Monsieur, nos sentiments distingués.

Signature du fondé de pouvoirs, gérant, etc.

Accord d'un employé sur les modalités d'un engagement à l'essai

Adresse.   *Lieu et date.*

Messieurs,

J'ai l'honneur de vous accuser réception de votre lettre du..., dont je vous remercie et sur les termes de laquelle je vous donne ici mon accord.

En espérant que mon travail vous donnera toute satisfaction, je vous prie, Messieurs, d'agréer l'expression de ma respectueuse considération.

Signature.

Engagement à l'essai d'un apprenti [1]

Lieu et date.

Monsieur,

Après examen des différentes pièces concernant votre fils Édouard, que vous avez bien voulu me communiquer, j'ai le plaisir de vous faire savoir que j'accepte d'apprendre à ce jeune homme le métier de...

Nous signerons ultérieurement le contrat légal d'apprentissage, mais je tiens à vous rappeler sans attendre que ce contrat prévoit une période d'essai de *deux mois,* pendant laquelle le maître et l'apprenti conservent la liberté de se séparer sans préavis.

Je me permets en outre d'insister auprès de vous, Monsieur, pour que vous veilliez attentivement à ce que votre fils assiste bien régulièrement aux *cours professionnels,* lesquels sont d'ailleurs *obligatoires.* L'instruction générale et technique qu'il y recevra lui permettra plus tard d'obtenir son certificat d'aptitude professionnelle et de devenir ainsi un excellent ouvrier qualifié.

Vous assurant que j'emploierai tous mes efforts à la formation professionnelle de votre fils, je vous prie, Monsieur, d'agréer l'expression de mes sentiments les meilleurs.

Signature.

Lettre-contrat précisant des conditions d'emploi

Lieu et date.

Monsieur,

Comme suite à nos divers entretiens, nous croyons utile de vous

1. Le *contrat d'apprentissage légal* doit être enregistré au Conseil des Prud'hommes et l'on peut se renseigner à cet égadr auprès du greffier de ce Conseil ou encore dans les Chambres Syndicales. La lettre qui précède exprime une simple convention amiable.

préciser ci-après les conditions dans lesquelles nous pourrions faire appel à votre collaboration.

Le poste dont nous avons parlé est un emploi *d'inspecteur des ventes.*

L'inspecteur des ventes a pour attributions principales :

1° de surveiller et de contrôler l'expédition des commandes ;

2° de vérifier périodiquement (et au moins une fois par trimestre) le bon fonctionnement de nos succursales de Lille, Strasbourg, Marseille, Bordeaux, Dijon et Rouen ;

3° de visiter éventuellement notre clientèle dans ces diverses localités, pour s'assurer du passage régulier des représentants, recouvrer les créances, présenter et faire connaître les articles nouveaux, etc. ;

4° de dresser des statistiques trimestrielles de vente et de rendement pour les dépositaires et les représentants ;

5° de transmettre à la Direction, sous forme de rapports hebdomadaires (en triple exemplaire), un détail de ses activités, avec toutes remarques, réclamations ou suggestions utiles.

Outre son salaire mensuel fixe de F..., l'inspecteur des ventes bénéficie des avantages suivants :

— voiture automobile placée à sa disposition par nos soins ;

— indemnité forfaitaire de F... par jour d'absence, pour frais d'hôtel et repas ;

— règlement sur justification de tous frais accessoires (essence, garage, pourboires, gratifications, frais de représentation divers).

Si ces conditions vous conviennent, nous vous demandons de nous confirmer votre accord par écrit, en reprenant tous les termes de la présente.

Veuillez agréer, Monsieur, nos salutations distinguées.

J. SCRIVERT et Cie.

Offres de service d'un représentant

Adresse.   *Lieu et date.*

Messieurs,

Représentant spécialisé dans... (*indiquer la nature de la spécialisation*), je visite depuis plus de vingt ans les commerçants de... (*mentionner la région prospectée*) pour les Établissements...

Il me serait agréable de représenter également votre firme pour... (*énumération des articles*). Connu de tous les commerçants de ma région, et favorablement accueilli partout, je suis persuadé qu'il me serait possible d'augmenter considérablement le chiffre des affaires réalisées par votre firme dans cette partie de la France.

Je viens à Paris tous les trois mois. Mon prochain passage aura lieu du 4 au 10 mai. Si ma proposition vous intéresse, je vous serais reconnaissant de vouloir bien me fixer un rendez-vous au cours de cette période, en m'écrivant à mon adresse permanente, indiquée ci-dessus.

Veuillez agréer, Messieurs, l'expression de mes sentiments distingués et dévoués.

H. GRESSET.

Lettre-contrat adressée à un représentant

Lieu et date.

Monsieur,

Comme suite à votre lettre du... et à nos entretiens des... et..., nous vous informons que nous sommes disposés à vous confier, en exclusivité, la représentation et la diffusion de nos articles pour la région..., c'est-à-dire pour les départements de... (*énumération*).

Cette exclusivité vous est accordée par nous aux conditions suivantes, conformes au statut des V. R. P. :

1° Vous vous engagez à visiter régulièrement, et au moins... fois par an, les... (*désignation des commerçants*) sis dans les départements ci-dessus énumérés, et ce, sans exception.

2° Vous vous engagez à nous adresser les commandes recueillies par vous chaque semaine au moins, par voie postale, et à nous aviser de vos passages à Paris, ainsi que de vos itinéraires et des modifications que vous pouvez juger utile d'y apporter.

3° Vous vous engagez à donner tous vos soins au placement et à la diffusion de nos articles, et vous vous interdisez de représenter auprès des clients visés ci-dessus, paragraphe 1, des articles de même nature que ceux fabriqués par nous ; vous vous interdisez également de représenter, même pour d'autres articles, une maison fabriquant par ailleurs des articles de même nature que les nôtres, ainsi que de placer de tels produits pour votre propre compte, même s'ils étaient fabriqués par vous ou par une personne de votre famille.

4° *En ce qui concerne les frais de déplacement,* nous vous assurerons une indemnité forfaitaire de F... par jour de travail effectif, suivant l'itinéraire arrêté par vos soins et visé par nous, les dimanches et jours fériés n'étant pas considérés comme jours de travail.

Il est entendu entre les parties que l'indemnité ainsi fixée ne peut être payée si le déplacement prévu n'a pas lieu. Elle se trouve annulée de fait et de droit, si le déplacement est supprimé pour quelque raison que ce soit, y compris pour une raison indépendante de votre volonté.

Cette indemnité vous sera réglée tous les..., lors de la remise par vous de l'itinéraire prévu et dressé par vos soins, lequel devra porter mention des lieux visités et de la durée des séjours effectués.

5° *En ce qui concerne les commissions,* vous percevrez :

a) une commision de...%, calculée sur le prix net, sur toutes les commandes directes, sans exception aucune ;

b) une commission de...% sur les commandes indirectes, c'est-à-dire les commandes passées directement à nos bureaux par des clients établis dans la région visitée par vous.

Ces commissions ne vous seront acquises et réglées qu'une fois les opérations de vente terminées, c'est-à-dire après règlement par les clients du montant des articles dont ils vous auront passé commande.

Nous vous engageons, en ce qui nous concerne :

— à n'habiliter aucun représentant, voyageur ou courtier dans votre secteur ;

— à servir promptement et au mieux les commandes recueillies par vos soins, sous réserve d'appréciation faite par nous de la solvabilité des clients nouveaux ;

— à vous fournir tous renseignements, échantillons, documentation, matériel publicitaire, etc. destinés à faciliter votre prospection.

En cas de litige, le Conseil des Prud'hommes de... sera seul compétent pour en connaître.

L'enregistrement du présent document incombe à la partie qui y donnerait ouverture.

Espérant que notre collaboration s'avérera fructueuse pour nos intérêts communs, nous vous prions d'agréer, Monsieur, l'expression de nos sentiments les meilleurs.

Signature.

Représentation avec ducroire

Le représentant (commissionnaire, mandataire, agent général, etc.) qui se porte *ducroire* pour un client ou pour l'ensemble de sa clientèle, accepte de se porter garant de leur solvabilité. Dans ce cas, la commission qu'il perçoit sur les affaires traitées par son intermédiaire est généralement *doublée* : c'est ce qu'on appelle la *prime de risque*.

Le *ducroire* doit faire, dans la lettre-contrat du représentant, l'objet d'une clause particulière dont voici un exemple :

3° En ce qui concerne les règlements effectués par les clients et la commission qui vous est personnellement réservée, nous précisons que :

— vous acceptez de vous porter ducroire dans les tractations que vous pourriez être amené à conclure avec des clients ne figurant pas dans nos livres à la date du...

— nous vous consentons sur toutes les affaires transmises par votre intermédiaire une commission de...

— toutefois, pour ce qui est des commandes provenant de clients nouveaux dont vous seriez ducroire, cette commission sera de...

Bulletins de salaire

L'employeur doit remettre au salarié, en même temps que chaque versement de salaire, une fiche de paye ou « bulletin de salaire », comportant un certain nombre de mentions obligatoires : cachet de l'entreprise, nom du salarié avec son numéro d'immatriculation à la Sécurité Sociale, qualification professionnelle, salaire horaire ou mensuel, période envisagée, retenues légales ; *les primes d'ancienneté et de transport doivent figurer à part.*

On trouve dans le commerce des carnets de formulaires, qu'il suffit de remplir, et qui permettent de conserver le « double ».

Avertissement à un représentant négligent

Lieu et date.

Monsieur,

Nous avions été fort étonnés de constater que les commandes provenant de nos clients de la région de... avaient baissé dans une très sensible proportion, et ce, malgré les nouveaux articles extrêmement intéressants à tous égards que nous avons lancés au cours des trois derniers mois.

L'un de nous, ayant eu l'occasion de se rendre à..., et..., a eu la surprise d'apprendre que les commerçants de ces trois villes importantes n'avaient pas reçu votre visite depuis le mois de...

Nous vous rappelons les clauses du contrat qui vous lie à notre firme (en particulier le paragraphe...) et nous comptons que vous voudrez bien réparer au plus tôt une omission qui fait le plus grand tort à vos intérêts comme aux nôtres.

Dans cet espoir, nous vous prions d'agréer, Monsieur, nos salutations distinguées.

TESSIER, PRIVAT et Cie.

Avertissement à un employé pour faute légère

Lieu et date.

Monsieur,

Nous avons le regret de vous faire savoir que M..., votre chef de service, nous a signalé... (*exposé des griefs à l'encontre de l'employé : négligences, retards, absences non justifiées, etc.*).

Le retour de pareils incidents pourrait avoir, sur votre avenir dans notre maison, les plus fâcheuses répercussions. C'est pourquoi nous vous adressons la présente mise en garde, espérant que vous voudrez bien veiller dorénavant à mériter en toutes circonstances l'estime et l'intérêt que nous continuons à vous porter...

Veuillez agréer, Monsieur, nos salutations distinguées.

Pour la Société MIRES,
Le Chef du Personnel,
Signature.

Licenciement pour suppression d'emploi

(*par lettre recommandée*)   *Lieu et date.*

Monsieur,

Pour la bonne règle, nous vous confirmons la conversation que vous avez eue avec M..., notre Directeur général, au cours de laquelle il vous a fait savoir que nous étions au regret de devoir renoncer à vos services, les nécessités économiques actuelles nous ayant amenés à décider la suppression du poste de... que vous occupez actuellement dans notre maison.

Il est entendu que votre collaboration prendra fin le...

En vous renouvelant nos regrets, et en vous exprimant nos remerciements pour la collaboration que vous nous avez apportée, nous vous prions d'agréer, Monsieur, l'expression de nos sentiments distingués.

Le Directeur,
Signature.

Préavis de licenciement pour insuffisance dans le travail

(*par lettre recommandée*)   *Lieu et date.*

Monsieur,

Nous avons le regret de vous faire savoir que nous ne pouvons continuer à vous laisser l'emploi qui vous avait été confié, sur votre demande, dans notre entreprise.

Malgré nos observations réitérées, en effet, et vos promesses renouvelées de nous donner satisfaction, le travail fourni par vous continue à présenter les erreurs et les insuffisances qui vous ont été maintes fois signalées.

Dans ces conditions, nous sommes obligés de vous dire que nous ne pouvons plus vous employer et nous vous avisons par la présente que votre contrat de travail prendra fin le...

Vous disposerez naturellement, pendant la durée de ce mois de préavis, des libertés prévues par la législation pour vous permettre de chercher un nouvel emploi.

En vous renouvelant nos regrets, nous vous prions de croire, Monsieur, à nos sentiments distingués.

MERMIER-BARBOIS.

Préavis de licenciement pour compression générale du personnel

(*par lettre recommandée*)   *Lieu et date.*

Monsieur,

Les difficultés que supporte actuellement notre entreprise, et que vous connaissez, nous amènent aujourd'hui à décider des mesures de compression du personnel dont nous avons retardé l'application autant qu'il nous a été possible de le faire. A notre grand regret, nous vous faisons donc savoir par la présente qu'il ne nous sera plus possible de vous employer à la date du...

Nous tenons à vous signaler que nous avons toujours été très satisfaits du concours que vous nous avez apporté et que nous regrettons vivement d'être obligés d'y renoncer.

Nous vous dispensons par la présente d'effectuer le délai de préavis auquel elle donne lieu et vous libérons dès ce jour de tout engagement à notre égard, afin de vous faciliter la recherche d'un emploi.

Vous percevrez immédiatement à notre caisse :

— le montant des salaires afférents à votre délai de préavis (déduction faite de l'indemnité de transport) ;

— l'indemnité de licenciement qui vous est due ;

— le montant de vos journées de vacances ;

— le certificat de travail prévu par la loi.

Vous pouvez naturellement citer notre nom si besoin était ; nous aurons toujours plaisir à vous fournir toutes références que pourrait exiger un nouvel employeur.

Nous vous renouvelons nos regrets et vous prions, Monsieur, d'agréer l'assurance de nos sentiments distingués.

Le Directeur,
Signature.

Lettre de renvoi pour faute professionnelle grave

(*par lettre recommandée*)   *Lieu et date.*

Monsieur,

Après lecture du rapport qui m'a été transmis par M..., chef du service des..., je me vois dans l'obligation de constater que vous avez rompu le contrat de travail qui vous liait à notre société. La faute que vous avez commise est infiniment grave et peut avoir pour nous les plus fâcheuses conséquences ; votre attitude à l'égard de notre client M..., notamment, a eu pour effet de causer à notre société un préjudice certain.

Nous vous interdisons donc par la présente de reprendre votre travail.

Nous avons donné à notre caisse les instructions nécessaires pour qu'il vous soit versé le montant de vos salaires à ce jour, à l'exclusion de toute indemnité ou majoration d'aucune sorte, pour quelque raison et à quelque titre que ce soit.

Aux termes de la loi, le certificat de travail qui vous sera remis ne fera aucune allusion au motif de votre renvoi, mais nous vous signalons que nous avons avisé M. l'Inspecteur du Travail des raisons qui avaient entraîné votre congédiement sans préavis et que nous faisons, en outre, toutes réserves de droit en ce qui concerne une action quelconque pour obtenir réparation du préjudice qui nous a été causé par vous.

Société des Établissements X...

Demande d'autorisation de licenciement
présentée par l'employeur à l'Inspection du Travail

A Monsieur l'Inspecteur du Travail à...

Monsieur l'Inspecteur,

J'ai l'honneur de solliciter l'autorisation de congédier M... (*nom de l'employé, accompagné de la désignation de son emploi ou de ses fonctions*) demeurant rue... n°..., à...

Je désire licencier cet employé pour cause de (*exposé des motifs : compression de personnel, insuffisance dans le travail, faute professionnelle grave, etc.*).

Sans réponse de votre part dans le délai de 7 jours, je considérerai votre accord comme acquis, suivant les termes du décret du 23 août 1945, article 5.

Je vous prie d'agréer, Monsieur l'Inspecteur, l'expression de ma considération distinguée.

Signature.

En cas de licenciement pour faute grave, le délai de 7 jours mentionné dans la formule ci-dessus est ramené à 3 jours. Si l'Inspecteur du Travail répond à la demande de l'employeur par un refus, ce dernier peut en appeler de sa décision devant la Commission Divisionnaire du Travail.

Notons aussi qu'un employé ou un ouvrier congédié pour faute lourde n'a droit à aucun salaire pour la période comprise entre son renvoi proprement dit et l'acceptation de ce renvoi par l'Inspecteur du Travail.

Certificat de travail

Rédigé *sur papier libre*, le certficat de travail n'est pas assujetti à la formalité de l'enregistrement. Il doit être conçu dans les termes suivants :

« Je, soussigné, certifie avoir employé M... en qualité de..., du... au..., et qu'il a cessé son travail à cette dernière date, libre de tout engagement. »

Date et signature.

La signature de l'employeur devra être *légalisée* par le maire de la commune.

L'employeur *n'a pas le droit d'exprimer son mécontentement sur le certificat de travail*. S'il veut, en revanche, exprimer sa satisfaction, il est libre de le faire *par lettre séparée*, sous forme d'un *témoignage de satisfaction* adressé à l'intéressé.

Témoignage de satisfaction à un ancien employé

Adresse. *Lieu et date.*

Monsieur,

En réponse à votre lettre du..., je précise bien volontiers que votre licenciement nous a été imposé par l'application, devenue indispensable, d'une mesure de compression du personnel.

Nous avons regretté de nous trouver dans l'obligation de renoncer à vos services, puisque votre travail, pendant toute la durée de votre présence dans nos établissements, n'avait cessé de nous donner entière satisfaction.

Si le certificat de travail qui vous a été délivré par mes soins ne comportait aucun témoignage de satisfaction, c'est que j'ai tenu à respecter la loi qui le veut ainsi, mais j'ai plaisir à vous fournir ce témoignage par la présente lettre.

Veuillez croire, Monsieur, à mes meilleurs sentiments.

Le Directeur,
Signature.

Reçu pour solde de tout compte

Reçu la somme de F... pour liquidation définitive et sans recours des obligations précédemment contractées entre les Établissements... et le signataire.

Le signataire est averti qu'il dispose d'un délai de forclusion de deux mois pour dénoncer le présent reçu.

Fait en double à...

le...

reçu pour solde de tout compte

Signature.

Le reçu pour solde de tout compte n'est valable que s'il contient la mention du délai de forclusion de deux mois et s'il porte la mention « pour solde de tout compte » entièrement écrite de la main du signataire et suivie de sa signature.

Il doit être établi en double exemplaire et comporter la mention qu'il a été établi en double.

Lettre de dénonciation d'un reçu pour solde de tout compte

Lieu et date.

Monsieur,

J'ai l'honneur de vous faire savoir, en application de la loi du 31 décembre 1953 (Code du Travail, livre I, article 24 A), que je dénonce par la présente le reçu pour solde de tout compte que j'avais accepté de signer, sur votre demande, le...

La somme que j'ai touchée, en effet, ne représente nullement la totalité de ce qui m'est dû. J'entends me prévaloir notamment des droits ci-après :

(énumération des sommes impayées : indemnité de vacances, prime de transports, etc.).

Veuillez agréer, Monsieur, mes salutations distinguées.

Signature.

Cette dénonciation par l'intéressé d'un reçu pour solde de tout compte n'est valable que si elle est faite dans un délai de deux mois, à compter de la date de signature du reçu, par lettre recommandée, et si elle indique les éléments sur lesquels porte le désaccord.

NOTE ANNEXE SUR LA JURIDICTION PRUD'HOMALE. — Les Conseils de Prud'hommes, composés, en nombre égal, d'ouvriers et de patrons élus pour une période déterminée, sont des tribunaux habilités à connaître les *conflits du travail.*

L'employé (ou l'ouvrier) licencié qui n'est pas d'accord, pour une raison quelconque, avec son employeur, se rend au Secrétariat du Conseil de Prud'hommes et remplit une formule imprimée qui lui permet d'introduire son instance et d'exposer ses griefs ou revendications. Il devient ainsi *demandeur,* ce qui lui permet de faire convoquer son employeur (*défendeur*) par le Secrétaire du Conseil devant le Bureau de Conciliation.

L'audience de conciliation (qui n'est pas publique) a pour but, comme son nom l'indique, d'amener une entente, un règlement amiable, entre les deux parties. Employeur et employé y exposent librement leurs points de vue respectifs devant deux conseillers prud'hommes (un patron et un ouvrier). Si un accord peut intervenir, le différend se trouve réglé du coup, sans frais d'aucune sorte, les conseillers prud'hommes intervenant dans le débat à titre gracieux.

Si tout compromis s'avère impossible, le *demandeur* (employé, ouvrier) obtient du Secrétaire du Conseil un *permis de citer*. S'il le désire, il fera citer le *défendeur* (employeur, patron) par un *exploit d'huissier,* mais cette onéreuse formalité n'est pas indispensable, le Conseil se chargeant, en tout état de cause, d'aviser le *défendeur* qu'une date a été fixée pour sa comparution devant le Conseil de Prud'hommes siégeant *en audience publique.*

Lors de l'audience publique, les deux adversaires se retrouvent devant le Président du Conseil des Prud'hommes (soit le président patron, soit le président ouvrier), qui est assisté de conseillers patrons ou ouvriers.

La cause entendue, le Président prononce son jugement, ou bien décide une remise de l'affaire pour *enquête.* Dans ce cas, l'enquête, ou rapport sur l'affaire, est faite par un conseiller prud'homal, qui convoquera les parties à son bureau s'il le juge nécessaire.

Les parties peuvent toujours se faire assister d'un avocat devant le Conseil de Prud'hommes.

Le jugement du Conseil de Prud'hommes est susceptible d'appel quand le litige dépasse le taux de la compétence en dernier ressort ; l'appel est porté devant la Cour d'Appel.

Certaines décisions du Conseil de Prud'hommes, rendues en dernier ressort, peuvent faire l'objet de pourvois en cassation.

Le jugement prononcé par le Président du Conseil des Prud'hommes, les parties pourront *se pourvoir en cassation* dans le délai maximum de quinze jours.

Dans certaines circonstances, même, ils auront la possibilité *d'en appeler* devant le Tribunal Civil du jugement rendu par les Prud'hommes [1].

---

1. On peut en appeler d'un jugement prud'hommal quand le montant de la somme faisait l'objet du débat est supérieur au taux fixé pour limiter la compétence en dernier ressort des juges de paix statuant sur les différends qui peuvent surgir à propos des contrats de louage de services. On se procurera tous éclaircissements à cet égard au Secrétariat des Conseils de Prud'hommes.

CHAPITRE XVIII

LE COMMERCE
CRÉATION ET CESSION DE FIRMES
L'OFFRE ET LA DEMANDE, PUBLICITÉ
CIRCULAIRES ET CATALOGUES
CONDITIONS DE VENTE, « RELANCES »

Avis de création d'une affaire commerciale

Adresse.   ***Lieu et date.***

      Monsieur,

J'ai l'honneur de vous faire savoir que je viens de créer à... une maison de... (*désignation du genre de commerce, de la spécialité, etc.*), comblant une lacune dont l'existence, dans notre région, avait été maintes fois déplorée.

Ancien directeur des Établissements... (*références professionnelles du fondateur*), j'ai réuni une équipe de spécialistes qualifiés pour... (*exposé de l'activité commerciale de la nouvelle firme*).

Dans mes ateliers et magasins, vous trouverez un outillage des plus modernes, comprenant notamment des... (*détails essentiels concernant l'outillage, les machines, etc.*).

Vous pouvez être assuré que j'apporterai tous mes soins à l'exécution des commandes que vous voudriez bien me confier. La documentation détaillée que je vous adresse par ailleurs vous permettra d'étudier les possibilités variées qui sont mises à votre disposition par l'organisation nouvelle que je viens de créer. Vous constaterez aussi, en consultant le tarif ci-joint, que je puis assurer, à des conditions particulièrement intéressantes pour vous, la fourniture (*ou la fabrication, ou la pose, etc.*) de tous... (*énumération des marchandises, des articles ou des installations proposées*).

Veuillez agréer, Monsieur, l'expression de mes sentiments dévoués

Signature.

Monsieur et cher client,

J'ai l'honneur de vous informer que j'ai constitué, sous la raison sociale..., une société... (*en commandite simple à responsabilité limitée, etc.*), qui poursuivra l'exploitation de ma... (*désignation de la firme*) dont l'activité s'accroît constamment.

J'assumerai personnellement la direction de la société, dont M..., que vous connaissez, sera le gérant.

Persuadé que vous voudrez bien continuer à accorder à la société... la confiance dont vous avez toujours honoré la firme quand elle s'appelait Maison..., je vous prie d'agréer, Monsieur et cher client, avec mes remerciements anticipés, l'assurance de mes sentiments les meilleurs et les plus sincèrement dévoués.

Signature.

Avis de cession de commerce

Lieu et date.

Monsieur,

J'ai l'honneur de vous informer par la présente que j'ai cédé mon... (*désignation du commerce*), en date du..., à M...

M..., qui était mon collaborateur (*mon assistant, mon associé, mon principal employé, etc.*), n'est certainement pas un inconnu pour vous, et vous pouvez être assuré qu'il apportera tous ses efforts à vous donner entière et complète satisfaction.

En vous remerciant de la confiance dont vous m'avez toujours honoré et que je vous demande de vouloir bien reporter sur mon successeur, qui la mérite à tous égards, je vous prie d'agréer, Monsieur, l'expression de mes sentiments très distingués.

Signature.

Lettre du successeur à la clientèle

Lieu et date.

Monsieur,

Ainsi qu'il vous en a lui-même avisé, M... m'a cédé le fonds de... (*nature du commerce, de l'entreprise, etc.*) qu'il exploitait depuis... ans, à ...

J'ose espérer que vous voudrez bien me continuer la confiance que vous accordiez à mon prédécesseur et je tiens à vous assurer ici que je m'efforcerai toujours de la mériter.

Veuillez agréer, Monsieur, l'expression de mes sentiments très dévoués.

Signature.

Les lettres de ce genre peuvent évidemmnt faire l'objet de *circulaires*. Rappelons cependant que les lettres-circulaires demandent à être employées avec beaucoup de discernement.

La circulaire, du moins pendant quelque temps encore, ne pourra guère remplacer, aux yeux de la clientèle, la lettre proprement dite.

Indispensable dans certains cas (*documentation sur certains articles ou produits nouveaux, notice concernant un mode d'emploi, etc.*) et pour certaines firmes (*affaires très importantes, à clientèle innombrable*), la circulaire ne peut convenir, sauf exception, aux petites et moyennes entreprises. Son *caractère impersonnel,* en effet, ne la rend admissible que dans les cas plus haut cités ; de plus, son genre même lui vaut assez souvent de n'être parcourue que distraitement, voire jetée d'emblée dans la corbeille à papiers !

Le moyen et le petit commerce trouveront bien de s'en tenir à la lettre personnelle dactylographiée. Encore faudra-t-il envoyer au destinataire *l'original* de la lettre, et non un *double* à formules modifiables, lequel n'est pas autre chose, en fait, qu'une circulaire de la plus mauvaise espèce. Les lettres ronéotypées, ou reproduites à de multiples exemplaires par un procédé quelconque, ne valent pas mieux.

Quand l'adoption d'une circulaire est jugée indispensable, on peut utiliser pour sa composition imprimée des caractères imitant ceux de la machine à écrire et faire tirer à l'encre bleue le fantôme de lettre ainsi obtenu. Personne, ou presque, ne sera dupe de l'expédient, mais il aura au moins pour effet d'atténuer dans une certaine mesure la fâcheuse impression que produit toujours la circulaire.

Avis d'un changement d'adresse

Lieu et date.

Monsieur et cher client,

Nous avons l'honneur de vous faire savoir que l'extension considérable de nos affaires nous amène à transférer notre... (*siège social, atelier, magasin, bureau, etc.*).

A dater du..., notre maison sera donc installée... (*nouvelle adresse*). Nous vous prions de vouloir bien noter cette nouvelle adresse, ainsi que notre nouveau numéro d'appel téléphonique : (six lignes groupées).

Nous profitons de cette occasion pour vous signaler que notre nouvelle installation va nous permettre d'améliorer encore la qualité de nos services. (*Exposé des améliorations : production plus considérable, plus rapide ou de meilleure qualité, livraisons plus promptes, stock plus important, assortiment plus varié d'articles, etc.*).

Tout cela, nous en sommes persuadés, nous vaudra de votre part des commandes plus nombreuses et plus importantes encore que toutes celles dont vous avez bien voulu nous honorer jusqu'à présent.

Veuillez nous croire toujours, Monsieur et cher client,

Vos très sincèrement dévoués.

Signature.

191

Avis de création d'une succursale

Lieu et date.

Monsieur,

Nous avons l'avantage de vous faire savoir que nous venons de créer à... une succursale de nos établissements parisiens.

Le nouvel établissement, sis rue..., n°..., est équipé de toute l'installation nécessaire pour... (*détail de l'activité possible*) et il pourra répondre dans le plus bref délai à tous les besoins de notre clientèle du... (*Nord, Sud-Ouest, etc.*). Ainsi, dans votre région même, notre maison sera toujours à votre disposition pour vous fournir sur place, sans frais supplémentaires et sans délais d'expédition et de routage, tous les... que vous pouvez désirer.

Dans l'espoir que notre succursale de... vous donnera pleine satisfaction et vous permettra de nouer avec notre organisation des rapports plus étroits et plus fréquents, nous vous prions d'agréer, Monsieur, l'expression de nos sentiments les meilleurs et les plus dévoués.

Signature.

Avis de réouverture d'un établissement fermé

Lieu et date.

Monsieur,

Nous avons le grand plaisir de vous informer que nos... (*bureaux, ateliers, magasins, usines, etc.*), complètement transformés et modernisés, viennent de reprendre leur activité.

L'importance de notre firme, fondée en 1896, et spécialisée dans... (*exposé*), vous est assurément connue, et vous n'ignorez pas que vous trouverez toujours chez nous les meilleurs... (*détail des articles, services. fabrications, etc.*) à des prix fort justement calculés pour répondre aux exigences actuelles du marché.

Les événements de... (*guerre, incendie, etc.*) ont entraîné pour nous une assez longue suspension d'activité. Nous l'avons mise à profit pour réorganiser nos... (*magasins, ateliers, etc.*) suivant les derniers progrès de la technique moderne. Nous disposons maintenant d'une installation perfectionnée, et le nouvel outillage importé par nos soins nous permet d'assurer dorénavant... (*détail des fabrications, réparations, installations, usinages, etc.*) aux meilleures conditions et dans le minimum de temps.

La documentation ci-jointe vous permettra d'ailleurs de constater la variété des... (*articles, services, etc.*) que nous sommes heureux de mettre à votre disposition, et le tarif que nous y avons annexé vous montrera que votre intérêt vous conseille de faire appel à nous pour tout ce qui concerne...

Vous signalant que nous sommes à votre disposition pour vous adresser par retour tous renseignements complémentaires sur telle... (*fourniture, fabrication, etc.*) dont vous pourriez avoir particulièrement besoin, nous vous prions d'agréer, Monsieur, nos salutations les plus distinguées.

Signature.

Avis de reprise d'une fabrication

Lieu et date.

Monsieur,

Nous sommes heureux de vous informer que le décret du..., en rendant de nouveau possible l'importation du... (*nom de la matière première*), nous a permis de reprendre la fabrication de notre... (*nom de l'article, produit, etc.*) et de lui assurer cette qualité constante qui, depuis plus de trente ans, a consacré sa réputation.

Notre fabrication est encore limitée, mais nous nous efforcerons, dans toute la mesure possible, de satisfaire, dès réception des commandes, tous les ordres que vous voudriez bien nous passer.

Veuillez nous croire toujours, Monsieur, vos sincèrement dévoués.

Signature.

Avis de fabrication d'un nouvel article

Lieu et date.

Monsieur,

Commerçant avisé, vous n'ignorez pas que les affiches et enseignes phosphorescentes, ou luminescentes, sont actuellement à l'ordre du jour. Elles attirent le regard, s'imposent à l'attention, et l'emportent de beaucoup sur tous les autres procédés utilisés jusqu'à présent pour frapper l'œil du passant distrait.

Vous savez que la plupart des produits utilisés jusqu'à ce jour pour assurer à votre publicité cet « éclat » tant souhaité présentaient des inconvénients multiples : fragilité aux intempéries, durée très courte, couleurs mal venues, etc.

Nous sommes heureux de vous informer que nous venons de mettre au point, après de longues recherches effectuées dans nos laboratoires par une équipe de spécialistes, une gamme d'encres et peintures luminescentes qui ne possèdent aucun des défauts signalés plus haut. Nos encres et peintures... (*marque*), au contraire, sont remarquables pour leur éclat, pour leur durée, ainsi que pour la fraîcheur et la « solidité » de leurs coloris.

A notre avis, ce ne sont pas de simples affirmations qu'il faut offrir aux hommes d'affaires modernes, mais des faits contrôlables, indiscutables. Nous vous signalons donc que vous pourrez voir, dans nos magasins de la rue... un ensemble d'affiches, panneaux et pancartes réalisés grâce à l'emploi de notre... (*marque du produit*). Des constats dressés par M^e..., huissier à..., rue... n°..., précisant dans quelles conditions et à quelles dates ont été fabriqués ces spécimens de démonstration, vous permettront aisément d'en apprécier toute la véritable valeur, tout l'indiscutable intérêt.

Nous précisons, au reste, que nous sommes à votre entière disposition, sur un simple appel téléphonique de votre part, pour vous envoyer l'un de nos collaborateurs qui vous fera la démonstration des résultats exceptionnels obtenus par l'utilisation du... (*marque*), sans aucun frais ni engagement de votre part.

Veuillez agréer, Monsieur, l'expression de nos sentiments distingués.

Signature.

Dans un cas comme celui-ci, *l'en-tête imprimé de la lettre* serait évidemment tiré avec l'encre proposée, et une *mention spéciale, très apparente, portée en travers de la lettre*, indiquerait : TIRÉ AVEC NOS ENCRES... (*marque*).

Avis de création d'un rayon nouveau

Lieu et date.

Monsieur,

Vous comptez parmi nos plus anciens et nos plus fidèles clients. Vous savez que notre maison a toujours eu à cœur de fournir aux... (*indication des commerçants visés*) tous les... (*détail des articles ou services*) dont ils pouvaient avoir besoin dans l'exercice de leur... (*profession, commerce, art, spécialité*).

Nous avons aujourd'hui le plaisir de vous informer que, toujours soucieux de ne rien omettre de ce qui pouvait mieux servir les intérêts des clients et amis de notre firme, nous venons de créer un rayon de... où nous avons réuni pour vous l'assortiment le plus complet de... (*détail*). La liste ci-jointe vous fournira d'ailleurs toutes précisions détaillées à cet égard.

Nous nous permettons d'attirer tout particulièrement votre attention sur les... (*noms des articles ou produits*), numéros..., ..., et..., de notre liste, qu'il était jusqu'à présent impossible de se procurer dans notre pays et dont nous sommes les dépositaires exclusifs pour la France.

En attendant vos ordres, nous vous prions d'agréer, Monsieur, nos salutations distinguées.

Signature.

Proposition d'un article exclusif

Lieu et date.

Monsieur,

L'attention du public français se tourne de plus en plus, vous ne l'ignorez pas, vers les appareils et machines permettant le lavage du linge sans brassage, par simple diffusion des ondes sonores.

Ce système, ainsi que l'a récemment démontré un remarquable article de M..., paru dans le numéro d'août de notre *Bulletin Syndical*, est *le seul* qui permette d'assurer un lavage efficace, tout en garantissant que le linge traité ne subira *aucune usure.*

Les appareils proposés jusqu'à présent au public français étaient d'un prix trop élevé ou d'une qualité imparfaite. Nous sommes aujourd'hui en mesure, grâce à un accord signé par nous le... avec les Établissements..., de... (*nom du pays étranger*), de vous offrir l'appareil « Washall », dont l'éloge n'est plus à faire. Représentants et dépositaires exclusifs des Établissements... pour la France, nous avons également créé dans nos ateliers un service *d'entretien et de dépannage gratuit* de tous les appareils « Washall »... (*énumération des appareils*).

Un simple coup d'œil à la documentation ci-jointe, et au tarif qui l'accompagne, vous permettra d'apprécier immédiatement l'importance que peut avoir notre proposition pour la satisfaction de votre clientèle et le développement de vos affaires.

Veuillez nous croire, Monsieur, vos tout dévoués.

Signature.

Demande de matériel publicitaire

Lieu et date.

Messieurs,

Coiffeur à..., j'ai signalé à M..., votre représentant, lors de son dernier passage dans notre ville, que de grandes fêtes allaient se dérouler chez nous, du... au..., à l'occasion du Concours International de Musique...

Pour favoriser le développement du commerce local et encourager les touristes à visiter..., notre municipalité, en accord avec les différentes Chambres Syndicales, a décidé de nous demander à tous d'accomplir un gros effort pour la décoration de nos devantures et vitrines.

Ainsi que la plupart de mes collègues, j'ai déjà mis au point un ensemble décoratif et publicitaire que je crois assez heureux. Toutefois, le matériel dont je dispose étant relativement restreint, je vous serais très obligé s'il vous était possible de m'envoyer des articles publicitaires de votre marque que je pourrais utiliser à des fins décoratives.

Je vous remercie à l'avance et vous prie d'agréer, Messieurs, mes salutations distinguées.

Signature.

Réponse à la précédente

Lieu et date.

Monsieur et cher client,

Le représentant qui visite votre région, M..., nous avait en effet signalé l'imminence de l'important Concours International qui va se dérouler dans votre ville et nous nous excusons vivement d'avoir retardé jusqu'à présent l'envoi du matériel que nous vous destinions.

Nous n'ignorons pas l'importance de vos Salons modernes de Coiffure, ni l'excellente impulsion que vous avez su donner, dans votre ville, à la vente et à la diffusion de nos produits. Aussi sommes-nous tout particulièrement heureux de vous adresser ce jour, par service rapide, port payé, un colis de 20 kilos dans lequel nous avons réuni pour vous les articles suivants :

1° Trois mille dépliants en couleurs concernant nos... (*énumération des produits*) ;

2° Six grandes affiches polychromes pour décoration intérieure ou application sur vitrines ;

3° Vingt-cinq affichettes ;

4° Cent flacons-spécimens de notre Brillantine..., pour être remis gracieusement à votre clientèle ;

5° Cent savonnettes-échantillons, marque..., parfums assortis ;

6° Cinq cents images amusantes, jeux à découper, mots croisés publicitaires, etc., destinés aux enfants ;

7° Trois savons et trois pulvérisateurs géants qui peuvent être utilisés en vitrine, juchés sur voitures, etc. ;

8° Trois mille prospectus illustrés en couleurs concernant notre émission publicitaire, diffusée chaque semaine par Radio..., de 19 heures à 19 heures 30 ;

9° Six grandes banderoles sur calicot, pour apposition sur votre façade et, si possible, dans quelques emplacements judicieusement choisis de votre ville (tous frais éventuels à notre charge) ;

10° Une boîte serpentins et appareils de cotillon publicitaires.

Nous prenons la liberté de joindre à notre envoi un coffret contenant un grand flacon de notre nouveau parfum... (*nom*) dont nous prions Madame... de vouloir bien accepter l'hommage.

Nous souhaitons à vos efforts le meilleur succès et nous vous signalons que la grande baisse publicitaire de 10 % sur tous nos articles, décidée par nous aux termes et conditions précisés dans notre lettre du..., pourrait être heureusement appliquée, à notre avis, à l'occasion du Concours International.

Nous vous prions d'agréer, Monsieur et cher client, l'expression de nos sentiments bien cordialement dévoués

Signature.

Annonce d'un concours commercial

Lieu et date.

Monsieur et cher client,

Les excellentes relations commerciales qui se sont nouées, depuis long-temps déjà, entre votre maison et la nôtre vous auront montré, pensons-nous, combien vif était notre constant souci de travailler toujours en complet accord, en entente parfaite, avec nos détaillants et dépositaires

Nos intérêts sont liés et nous recueillons de part et d'autre le fruit de nos efforts communs pour la satisfaction de notre clientèle et l'accroissement de nos affaires.

Nous avons pensé que l'approche des fêtes du Nouvel An nous fournissait l'occasion de faire une nouvelle tentative pour augmenter encore, en collaboration étroite, la vente et la diffusion de nos... (*énumération des articles*).

Nos services de Publicité ont donc décidé la création d'un Grand Concours de Vitrines, ouvert à tous les commerçants qui vendent nos produits. La documentation ci-incluse vous fournira tous renseignements explicites et toutes précisions détaillées sur ce Concours.

Ainsi que vous le verrez, *plus de dix mille francs de prix* seront distribués entre les commerçants dont les étalages auront présenté à l'occasion des fêtes, la meilleure et la plus pittoresque utilisation de nos... (*produits, articles, etc.*).

Dix inspecteurs délégués par nous visiteront la France entière, du... au..., et un jury spécial désignera les gagnants, dont la liste sera dressée le... De toute façon, et afin de nous fournir toutes garanties utiles et tous les moyens de contrôle nécessaire, nous vous prions de nous adresser *avant le...* une ou plusieurs photographies des vitrines, installations, etc., réalisées dans vos magasins en utilisant nos articles.

Nous vous disons « Bonne chance ! », Monsieur et cher client, et vous prions de trouver ici l'expression de nos meilleurs sentiments.

Signature.

Lettre à un client à propos d'insertions publicitaires dans les journaux de sa région

Lieu et date.

Monsieur et cher client,

Toujours soucieuse, vous le savez, de soutenir autant qu'elle le peut l'effort accompli par les détaillants qui diffusent ses produits, notre maison s'impose, chaque année, de très gros sacrifices publicitaires. Nos grands placards, publiés périodiquement dans les quotidiens, les hebdomadaires et les revues féminines, nous assurent, pensons-nous, les meilleurs résultats ainsi que nos émissions radiophoniques hebdomadaires de Radio-Luxembourg, Radio Monte-Carlo et Europe n° 1.

Nous ne négligeons nullement la presse de province, ainsi que vous avez eu maintes fois l'occasion de le constater. Cette année, justement, au moment de renouveler nos contrats avec certains organes de votre région, nous serions heureux de recueillir votre avis sur la question. Nos services de Publicité sont d'avis que les meilleurs quotidiens de votre région (envisagés au strict point de vue du rendement publicitaire) peuvent, dans l'ordre, être classés ainsi :

1° *Le Phare ;*
2° *La Liberté ;*
3° *L'Écho ;*
4° *Télé-France.*

Cette classification, par ordre d'efficacité, rencontre-t-elle votre approbation ? Dans le cas contraire, voudriez-vous nous indiquer la vôtre, et les motifs qui la justifient ? Pourriez-vous, enfin, nous indiquer quels sont les principaux *arguments publicitaires* sur lesquels il convient d'insister particulièrement dans chacun de ces journaux ?

Nous espérons vivement que vous ne nous tiendrez pas rigueur du petit travail que nous vous demandons là. Nous savons bien que les instants d'un homme d'affaires tel que vous sont précieux, mais nous croyons aussi que l'effort supplémentaire que nous nous permettons de vous demander peut avoir des résultats particulièrement heureux pour nos intérêts communs.

Nous vous remercions par avance des précieux renseignements que vous voudrez bien nous communiquer et nous vous prions de croire, Monsieur et cher client, à nos sentiments les plus cordialement dévoués.

Signature.

Demande de catalogues

Lieu et date.

Messieurs,

Je vous prie de me faire savoir si votre Catalogue général n'a pas fait l'objet, cette année, d'une nouvelle édition ?

J'ai bien reçu, le 8 janvier dernier, votre nouveau tarif, mais les catalogues que je possède et qui nous servent, à moi et à ma clientèle, pour rédiger nos commandes, remontent à l'année 19... et je n'y vois aucune mention concernant certaines fabrications nouvelles, comme les... et les... ?

Veuillez agréer, Messieurs, mes salutations distinguées.

Signature.

Envoi de catalogues

Lieu et date.

Monsieur,

Nous avons l'honneur de vous informer que nous vous expédions ce jour, par colis franco domicile, 50 exemplaires de notre nouveau Catalogue général, édition augmentée (19...).

Nous nous permettons d'attirer particulièrement votre attention sur les articles nouveaux (pages roses) et les conditions spéciales de remises consenties pour certains articles (Annexe A, feuille verte), ainsi que sur les bons de commande à découper qui figurent dans chaque exemplaire de notre Catalogue 19...

Dans l'attente de vos ordres, dont nous vous remercions à l'avance et qui recevront tous nos soins, nous vous prions d'agréer, Monsieur, nos salutations distinguées.

Signature.

Envoi de catalogue spécial

Lieu et date.

Nous venions de vous expédier les exemplaires de notre Catalogue général, quand notre imprimeur nous a livré la brochure-catalogue spéciale concernant le scooter FURAX sur lequel vous nous aviez demandé quelques précisions, déjà par votre lettre du 16 mars.

Nous vous adressons immédiatement cent exemplaires de la brochure-catalogue FURAX, persuadés qu'elle intéressera vivement votre clientèle. Ainsi que vous le verrez, nos scooters FURAX sont *de 10 à 30 % meilleur marché* que tous les véhicules analogues proposés par des marques concurrentes. Ils sont seuls, en outre, à présenter les avantages suivants : ... *(exposé)*.

Nous attirons votre attention sur le *crédit* que nous accordons aux acquéreurs de scooters FURAX (feuille annexe jaune), et nous vous signalons que toutes nos livraisons peuvent être faites *dès réception de la commande.*

Dans l'attente de vos ordres, nous sommes toujours, Monsieur et cher client,

Très sincèrement vôtres.

Signature.

Avis de hausse

Lieu et date.

Monsieur,

Vous n'ignorez pas quels efforts nous n'avons cessé de nous imposer, au cours de ces deux dernières années, pour maintenir sans modification le prix de nos... (*désignation du ou des articles*).

La hausse continue des matières premières (le caoutchouc, surtout), l'augmentaiton des salaires et les nouvelles charges qui viennent de frapper notre industrie, aux termes de la loi du..., nous mettent aujourd'hui dans l'obligation d'appliquer, sur tous les articles (ou *sur tels articles*) de notre dernier tarif, une augmentation de 10 %.

Vous pouvez être assuré que cette hausse nous a été imposée à notre corps défendant et que nous ne nous sommes résignés à l'appliquer qu'afin de pouvoir continuer notre fabrication sans rien sacrifier de l'exceptionnelle qualité de nos articles.

Veuillez agréer, Monsieur, nos sincères salutations.

Signature.

Avis de baisse

Lieu et date.

Monsieur,

Nous avons le plaisir de vous informer que tous les articles mentionnés *en caractères gras* sur le tarif ci-joint font l'objet, à ce jour, d'une baisse de 10 %.

La demande, considérable pour ces divers articles, et les améliorations qu'il nous a été possible d'apporter, après étude, au rythme de notre fabrication, nous permettent aujourd'hui d'appliquer une mesure qui ne peut manquer d'être favorablement accueillie et qui rendra plus facile encore, nous en sommes sûrs, la vente par grosses quantités de ces articles particulièrement intéressants.

Veuillez agréer, Monsieur, l'expression de nos sentiments les meilleurs.

Signature.

Avis de solde

Lieu et date.

Monsieur,

Nous tenons à faire savoir à tous nos clients qu'une exceptionnelle occasion leur est offerte d'acquérir un vêtement de haute qualité à des prix absolument sans concurrence.

Du 5 au 20 mai, en effet, nous solderons un stock considérable d'imperméables, chaussures, chemises et vêtements de travail *au prix de fabrique*.

Une visite à nos magasins vous convaincra des économies que vous pouvez réaliser en profitant des affaires que nous vous proposons.

Nos magasins sont ouverts sans interruption, de 8 heures à 19 heures, lundi compris.

Dans l'attente de votre visite, nous vous prions d'agréer, Monsieur, nos sincères salutations.

Signature.

La lettre qui précède est évidemment le type même de la *circulaire* destinée à un très vaste public. A l'heure actuelle, on lui préfère d'ordinaire la publicité faite dans les journaux à fort tirage.

Avis de passage d'un représentant

Lieu et date.

Monsieur,

J'ai l'honneur de vous informer que mon représentant pour votre région, M. Neveux, sera de passage chez vous, pour sa visite trimestrielle, entre le 18 et le 22 mai.

J'espère que vous voudrez bien lui réserver l'excellent accueil qu'il reçoit toujours chez vous et lui confier vos ordres, qui feront l'objet de mes soins les plus attentifs.

Vous en remerciant à l'avance, je vous prie d'agréer, Monsieur, mes salutations distinguées.

Signature.

Cette fois encore, il s'agit d'un avis qui peut faire l'objet d'une circulaire (imprimée, au besoin, sur carte postale). Plus souvent *le représentant écrira lui-même* aux principaux commerçants avec lesquels il est habituellement en rapports d'affaires, pour les aviser de sa visite prochaine.

Lettre d'un représentant à un commerçant
pour l'aviser de son passage prochain

Lieu et date.

Cher Monsieur,

J'ai le plaisir de vous faire savoir que je compte être à Nice, sauf imprévu, le 28 de ce mois.

Ma première visite sera pour vous, bien entendu, et j'aurai plaisir à vous soumettre les... (*énumération des articles nouveaux*) dont je vous avais déjà parlé lors de mon dernier passage.

Je vous remettrai également le volume que vous recherchiez et que j'ai eu la chance de découvrir pour vous chez un ami libraire, à Strasbourg.

Il ne fait guère chaud, dans l'Est, et j'ai hâte de respirer à vos côtés la brise tiède de cette jolie ville de Nice où vous avez la chance de vivre toute l'année !

A bientôt, cher Monsieur, et croyez-moi toujours, je vous prie,
Très cordialement à vous.

J. MANUEL.

P.-S. — Je serai à Lyon le 11, et descendrai à l'hôtel Terminus. Si vous désirez que j'aille voir Gambier de votre part pour lui demander le coupon de Madame Plessy, un mot de vous à mon adresse, au Terminus, et j'y courrai sitôt arrivé. N'hésitez pas, je vous en prie, à utiliser votre tout dévoué,

J.-M.

ANNEXE : LES « RELANCES ». — Tout le monde comprend ce que c'est que de « relancer » un correspondant. L'expression, dans le langage courant, implique une idée péjorative, mais la langue du commerce et des affaires l'utilise couramment : on appelle même « une relance » la lettre destinée à relancer le client.

Une bonne *relance*, c'est l'évidence même, ne doit pas être rédigée de telle sorte qu'elle donne au client possible l'impression qu'on lui adresse un rappel à l'ordre. On se borne à reprendre les arguments déjà cités dans le premier message, en modifiant les conclusions que l'on en avait tirées dans le sens que l'on croit plus utile ou plus efficace (sans se contredire, toutefois !) ou, au contraire, on utilise des arguments nouveaux, des références non citées la première fois, des considérations juridiques, administratives, fiscales, etc.

Certains commerçants ne craignent pas de relancer ainsi, *de cinq à dix fois de suite*, les clients « en puissance ». Il faut naturellement procéder avec beaucoup de tact et d'ingéniosité, si l'on ne veut pas risquer d'importuner les correspondants ainsi relancés. Un « truc » fréquemment employé par certains organismes commerciaux consiste à varier les relances successives adressées à une même firme, en adressant chaque lettre nouvelle à un nouveau personnage : directeur, administrateur, chef de la publicité, etc. Ce système s'emploie également de façon inverse, c'est-à-dire que chacune des « relances » successives peut être signée d'un nouvel expéditeur : directeur général, gérant, chef des ventes, directeur commercial, directeur technique, etc. Dans les affaires, tous les moyens honnêtes sont bons pour réussir !

Voici quelques exemples de relances d'inspirations variées :

Première lettre de relance

Lieu et date.

Monsieur,

Nous avons eu plaisir à vous adresser, le 25 janvier dernier, le Catalogue Général que vous nous demandiez dans votre lettre de la veille. Nous sommes persuadés qu'il vous aura permis de constater en quelques instants le très grand intérêt que présentait pour vous la gamme de produits variés que nous sommes heureux de vous offrir. Les conditions de notre tarif 525, d'autre part, vous auront montré que l'on trouvait auprès de nous des conditions particulièrement étudiées.

Vérifiant vos fiches de commande, nous constatons pourtant que vous ne nous avez passé aucun ordre nouveau depuis notre envoi du Catalogue. Se pourrait-il qu'il ne vous fût point parvenu ? Dans ce cas, nous vous prions de vouloir bien nous le faire savoir, et nous prendrons aussitôt toutes dispositions utiles pour vous en adresser un autre exemplaire. Désirez-vous, avant de passer votre commande, des renseignements complémentaires sur tel article de notre fabrication ? Là encore, nous vous serions reconnaissants de nous le signaler, afin que nous puissions aussitôt vous éclairer plus complètement.

Vous connaissez notre firme et sa devise : SATISFAIRE. Croyez bien qu'il s'agit là d'une véritable devise, et non d'un banal slogan publicitaire. Nous entendons vous donner *entière satisfaction* et nous espérons que vous nous fournirez l'occasion de le faire en nous écrivant par un très prochain courrier.

Dans cette attente, nous vous prions d'agréer, Monsieur, l'expression de nos sentiments distingués et dévoués.

Signature.

Deuxième « relance » (argument juridique)

Lieu et date.

Monsieur,

Le décret du..., portant réglementation de la... (*vente, fabrication, etc.*) des... (*articles ou produits en cause*) n'aura pas manqué, nous en sommes persuadés, de retenir votre attention.

Vous avez certainement remarqué que les propositions exprimées dans notre letre du... prévoyaient la difficulté qui surgit aujourd'hui de la réglementation nouvelle et vous permettaient *par avance* d'appliquer celle-ci au mieux de vos intérêts commerciaux, puisque... (*argumentation*).

Notre équipe de techniciens spécialistes, comme vous le voyez, ne se laisse nullement prendre au dépourvu et s'attache au contraire, en toutes circonstances, à prévoir en temps utile les mesures qu'il importe de conseiller à notre clientèle.

Nous sommes donc persuadés que nous allons très prochainement recevoir un ordre de vous pour... (*détail des articles, marchandises, etc., que l'on préconise*) et nous tenons à vous rappeler que l'exécution de vos commandes fera, comme d'ordinaire, l'objet de nos soins les plus attentifs.

Veuillez nous croire toujours, Monsieur, vos bien dévoués.

Signature.

Troisième « relance » (argument « mode »)

Lieu et date.

Monsieur,

Si vous voulez bien relire la lettre que nous avons eu le plaisir de vous adresser le..., vous pourrez constater que nous avions prévu, dès cette date, que l'engouement du public se porterait, pour la saison qui vient, vers les... (*désignation des articles*).

La demande de ces articles est actuellement considérable, comme il fallait bien s'y attendre, mais nous avons pris toutes dispositions nécessaires en temps utile, tant pour la constitution de nos stocks de... que pour la fabrication à cadence accélérée des...

Nous pourrons donc satisfaire sans retard aucun l'ordre urgent que vous comptez certainement nous passer. Quelles que soient les quantités exigées par une firme aussi importante que la vôtre, nous vous confirmons ici notre engagement de vous les livrer par retour.

Signature.

Quatrième « relance » (argument « actualité brûlante »)

Lieu et date.

Monsieur,

Le Prix Nobel qui vient de couronner l'œuvre scientifique du Docteur... nous vaut actuellement des commandes plus importantes que jamais de..., l'excellente spécialité mise au point dans les laboratoires dirigés par ce grand savant pour lutter avec succès contre...

Dès le 28 janvier, nous vous adressions sur cet intéressant produit une documentation dont nous sommes sûrs qu'elle vous aura vivement intéressé. Les tarifs que nous vous indiquions alors sont toujours valables, malgré la demande considérablement accrue. Nous tenions à vous le signaler, persuadés que vous profiteriez de ces conditions favorables pour nous passer sans plus attendre la commande qui s'impose pour satisfaire votre nombreuse clientèle.

Veuillez agréer, Monsieur, l'expression de nos sentiments bien dévoués.

Signature.

Cinquième « relance » (argument « saison »)

Lieu et date.

Monsieur et cher client,

Nous n'ignorons pas à quel point les négociants qui dirigent une firme aussi importante que la vôtre sont accablés de besogne, en cette époque de l'année surtout.

C'est assurément ce surcroît d'occupations qui vous aura empêché de nous passer votre commande de...

Étant donné que la vente de ce (*produit, article, aliment, etc.*) s'avère plus importante que jamais pendant la saison d'hiver, nous pensons vous être utile en vous précisant que l'offre exprimée par notre lettre du... est toujours valable, sans modifications d'aucune sorte.

A votre disposition pour vous livrer, par retour, la quantité nécessaire de..., nous vous prions d'agréer, Monsieur et cher client, l'assurance de nos sentiments les meilleurs et les plus sincèrement dévoués.

Signature.

CHAPITRE XIX

Les lettres, catalogues, prospectus, tarifs, insertions publicitaires, etc., indiquent au client éventuel quels articles ou produits il peut trouver chez tel fournisseur donné, et à quel prix ce fournisseur est disposé à les lui fournir.

Mais ces renseignements, tout indispensables et précieux qu'ils soient, ne suffiront pas au client avisé pour lui permettre de passer commande. Avant de signer son ordre, le client exige de connaître les *conditions de vente* pratiquées par le fournisseur de son choix.

Ces conditions de vente sont habituellement imprimées sur le papier à lettres commercial du fournisseur ; sauf convention spéciale (*dérogation exceptionnelle, précisée par écrit*), les conditions ainsi portées à la connaissance du client *sont obligatoirement acceptées par lui*.

Si les conditions de vente appliquées par lui ne figuraient pas sur son papier à lettres, le fournisseur pourrait, sur la demande de son client, les lui indiquer par une lettre spéciale. L'exemple que nous donnons ci-dessous de ce genre de lettre réunit les principales conditions habituelles, exprimées dans les termes qui sont utilisés d'ordinaire en pareille circonstance.

Lettre pour préciser des conditions de vente

Lieu et date.

Monsieur,

Comme suite à votre lettre du..., nous vous communiquons ci-après nos conditions ordinaires de vente :

1° Sauf accord spécial, nos délais de livraison ne sont mentionnés qu'à titre indicatif et leur non-observation ne pourra donner lieu à des pénalités ou des dommages-intérêts ; ils commencent à courir à dater de l'acceptation par nous de la commande transmise ;

2° Notre matériel est garanti contre tout vice de construction pendant... à compter du jour de l'expédition. Cette garantie comporte exclusivement le remplacement, effectué par nos soins, des pièces reconnues défectueuses et ne peut donner lieu au versement d'aucune indemnité pour retard, manque à gagner, ou tout préjudice généralement quelconque. Elle cesserait entièrement de s'exercer au cas où le client procéderait lui-même, sans notre accord écrit, à des réparations, modifications ou remplacements d'un ou plusieurs organes de nos machines ;

3° Nos marchandises sont vendues et payables à..., aux conditions suivantes, expressément : (*détail des modalités de paiement, traites, domiciliation, échéance, etc.*) ;

4° Sauf accord spécial, nos emballages ne sont pas repris ;

5° En cas de livraison partielle d'une commande, la partie non livrée ne peut retarder le règlement prévu pour la partie livrée ;

6° Les marchandises voyagent aux risques et périls des destinataires ;

7° Toutes contestations ou litiges qui pourraient surgir seront portés devant le tribunal de..., seul compétent.

Nous espérons que ces conditions de vente rencontreront votre approbation et, dans l'attente de votre commande, nous vous prions de nous croire, Monsieur, vos sincèrement dévoués.

Signature.

Les conditions de vente peuvent comporter d'autres clauses, suivant les exigences particulières à chaque négoce. Elle comportent parfois une clause spéciale, stipulant que les ordres passés au fournisseur ne seront considérés par lui comme valables qu'après *acceptation écrite,* signée de sa main.

Demande de dérogation à des conditions de vente

Lieu et date.

Messieurs,

Les articles que vous me proposez par votre lettre du... répondent parfaitement à mes besoins, et vos conditions générales de vente me semblent satisfaisantes, sous réserve de quelques restrictions :

1° Si les marchandises doivent voyager à mes risques et périls (art. 6), il vaut beaucoup mieux que je m'adresse à un fournisseur habitant dans ma propre ville, ce qui réduit pour moi au minimum les risques de détérioration, vol ou perte ;

2° En cas de litige, je ne puis songer à me rendre à... pour plaider la cause devant le tribunal de cette ville (art. 7) ;

3° La non-observation des délais de livraison aurait pour mes affaires les plus graves conséquences (mon commerce est saisonnier), ce qui rend inacceptables pour moi les conditions de l'art. 1.

En résumé, je vous passerai ferme la commande projetée, si vous voulez bien :

— assumer vous-mêmes les risques et périls courus par les marchandises pendant le transport ;

— reconnaître, en cas de litige, la compétence du tribunal de... ;

— vous engager formellement à effectuer la livraison de ma commande le... au plus tard, et ce sans augmentation de prix sur le tarif actuel.

Si vous consentez à m'accorder ces dérogations, je vous prie de me donner votre accord en reproduisant tous les termes de la présente. Sans réponse de votre part sous... (*indication du délai*), je me verrai dans l'obligation de m'adresser à un autre fournisseur.

Veuillez agréer, Messieurs, l'assurance de mes sentiments distingués.

Signature.

Lettre de commande

Lieu et date.

Messieurs,

Votre lettre du..., en me garantissant la dérogation que je souhaitais aux articles 1, 6 et 7 de vos conditions générales de vente, me permet de vous confirmer aujourd'hui ma commande de... (*énumération des machines, articles ou produits*).

Il est entendu que la livraison devra m'être faite avant le... De mon côté, je réglerai ma commande suivant les modalités précisées dans votre lettre du..., c'est-à-dire...

Veuillez agréer, Messieurs, mes salutations distinguées.

Signature.

Accusé de réception d'une commande

Lieu et date.

Monsieur,

Nous vous remercions vivement de l'ordre que vous avez bien voulu nous confirmer par votre lettre du...

Nous apporterons tous nos soins à l'exécution de cette commande qui vous sera expédiée, suivant vos instructions, en... (*grande ou petite vitesse, service rapide, etc.*) et qui vous parviendra au plus tard le...

Nous espérons que cette première affaire traitée avec notre maison vous donnera entière satisfaction et qu'elle nous vaudra l'avantage d'entrer en relations suivies avec la vôtre.

Veuillez agréer, Monsieur, l'expression de nos sentiments très sincèrement dévoués.

Signature.

Refus d'une commande

Lieu et date.

Monsieur,

A notre grand regret, il nous est impossible de vous livrer les articles commandés par votre lettre du... en vous garantissant, à six mois de date, les mêmes tarifs que ceux qui sont actuellement appliqués.

Les hausses très fréquentes des diverses matières premières utilisées pour nos fabrications, l'augmentation régulière des salaires et les menaces que constituent pour nous les nouvelles taxes dont l'application doit être prochainement décidée, — toutes ces raisons nous interdisent d'accepter votre commande aux conditions que vous nous indiquez.

Veuillez agréer, Monsieur, avec l'expression renouvelée de nos regrets, l'assurance de notre considération très distinguée.

Signature.

Confirmation d'un ordre passé à un représentant

Lieu et date.

Messieurs,

Notre représentant pour la région Sud-Ouest, M. Demarchais, nous fait part de l'aimable accueil que vous avez bien voulu lui réserver et nous transmet votre commande du..., dont nous vous remercions très sincèrement.

Nous vous livrerons donc, au plus tard le... prochain, les articles ci-après : ... (*rappel de la commande*).

L'expédition, ainsi qu'il a été convenu, vous sera faite par... (*indiquer le mode d'expédition*), en caisse de..., franco de port et d'emballage.

Règlement à 30 jours et le mois, suivant nos conditions habituelles.

Nous vous renouvelons nos remerciements et vous prions, Messieurs, de nous croire toujours

Vos bien sincèrement dévoués.

Signature.

Lettre d'appel d'offre

Lieu et date.

Messieurs,

Désirant accroître et moderniser le matériel de mon imprimerie, je

serais heureux de recevoir vos offres détaillées (catalogues, tarifs, conditions de règlement, etc.) concernant :
1 presse à retiration, encrage cylindrique et papier continu, marque..., modèle... ;
1 machine à retiration à grande vitesse marque..., modèle... ;
2 pédales de..., marque... ;
6 casses métalliques à tirette, de... (*dimensions*) ;
1 presse à épreuves, typo...

J'espère que vos conditions me permettront de vous passer commande et je vous prie d'agréer, Messieurs, l'expression de ma considération distinguée.

Signature.

Proposition en réponse à la précédente

Lieu et date.

Monsieur,

Nous nous empressons de vous adresser sous ce pli notre dernier catalogue, accompagné de notre tarif janvier 19... Nous pouvons vous fournir la totalité du matériel que vous recherchez, c'est-à-dire... (*énumération*) aux conditions suivantes : ... (*détail des prix*).

L'importance de votre maison nous étant connue, ainsi que l'excellente réputation dont elle jouit à tous égards, nous serions prêts à vous consentir, par dérogation exceptionnelle à l'article 3 de nos conditions générales de vente, reproduites ci-contre, un règlement de votre commande suivant... (*mode de règlement proposé*).

Dans l'attente de vos ordres, nous vous prions d'agréer, Monsieur, l'expression de nos sentiments distingués.

Signature.

Formule de soumission à une adjudication

Je soussigné, (*nom, prénoms, profession*), demeurant à..., rue..., n°..., après avoir pris connaissance du cahier des charges relatif à la fourniture de (*marchandise fournie*) pour les... (*indication de l'organisme, du service public intéressé*), me soumets et m'engage à assurer la fourniture des objets énumérés dans le (*numéro du lot, en toutes lettres*), aux prix stipulés par l'état *B*, sous rabais de (*en toutes lettres*) par franc, et aux clauses et conditions du cahier des charges.

A......... le......... 19,.

Signature.

Annulation de commande

Lieu et date.

Messieurs,

Le 9 août dernier, lors du passage de votre représentant, M Tixier, nous lui avions remis un ordre pour la fourniture de 5.000 collerettes à vis, modèle T 829, destinées à nos appareils « Nerval-Suprême ». Or, notre Directeur général, retour de vacances, vient de nous aviser qu'il avait lui-même passé une importante commande de ces collerettes, la veille de son départ.

En conséquence, nous vous prions de bien vouloir annuler notre ordre du 9 août, pour cause de double emploi.

Veuillez agréer, Messieurs, l'expression de nos sentiments distingués.

Signature.

Refus d'annulation d'un ordre

Lieu et date.

Messieurs,

Votre lettre du 3 courant, par laquelle vous nous demandez d'annuler l'ordre passé par vous, le 9 août, à notre représentant, nous a vivement surpris.

Vous savez en effet, Messieurs, que les collerettes T 829 destinées aux appareils « Nerval-Suprême » ne sont pas fabriquées par notre firme. mais par les Établissements Scoop and Sons, de Sheffield (Angleterre). Sitôt en possession de votre ordre, nous avons passé aux susdits établissements un ordre ferme pour la quantité demandée par vous. Les marchandises nous ont été expédiées la semaine dernière et nous allons les recevoir d'un jour à l'autre.

Il nous est impossible de refuser l'envoi qui nous est fait, et nous ne pouvons songer à placer chez un autre de nos clients une aussi grosse quantité d'un tel article, dont l'utilisation répond à des exigences particulières.

En conséquence, nous nous trouvons dans l'obligation de vous aviser, à notre grand regret, que nous ne pouvons accepter l'annulation de votre ordre du 9 août.

Signature.

Nous voulons espérer que ce regrettable incident ne nuira en aucune façon à nos bonnes et anciennes relations et nous vous prions d'agréer, Messieurs, nos sincères salutations.

Lettre-contrat pour la mise en dépôt d'articles
chez un commerçant grossiste

Lieu et date

Messieurs,

Comme suite à la correspondance précédemment échangée entre nous, nous vous confirmons que nous sommes disposés à vous confier en dépôt général nos... (*indication des marchandises, articles ou produits*), si vous voulez bien souscrire sans restriction ni réserve aux conditions ci-après :

1° Les articles qui vous sont confiés ne pourront être vendus que dans le territoire... (*délimitation de la région, indication de la ville, du pays étranger, etc...*), exclusivement ;

2° Le dépôt de nos articles chez vous n'implique nullement que nous renoncions aux *ventes directes* effectuées par nos soins aux clients de votre région. Nous nous engageons toutefois à ne fournir aucun *grossiste* de la région susdite sans avoir préalablement sollicité et obtenu votre accord ;

3° En aucun cas, vous ne pourrez dépasser la marge bénéficiaire de... sur nos articles ;

4° Nous nous engageons à vous fournir les articles plus haut énumérés en qualité conforme aux échantillons qui vous ont été remis, et dans les quantités demandées par vous, à titre de constitution de dépôt. Nous veillerons à effectuer les réassortiments nécessaires au fur et à mesure de vos besoins, pendant toute la durée de la présente convention. En cas de contingentement ou restriction de la production dus à des circonstances indépendantes de notre volonté, nous alimenterons le dépôt créé chez vous dans toute la mesure de nos possibilités, étant entendu que nous cesserons alors nos *ventes directes* aux clients de votre région ;

5° Toute vente effectuée par vos soins devra faire l'objet d'une facture mentionnant les nom et adresse de l'acheteur, la désignation des articles, la date de l'achat, la remise consentie et le montant net à payer. Un double de cette facture, établi par vous, devra nous être adressé en même temps que l'inventaire trimestriel prévu au paragraphe 8 ;

6° Les fournitures vous seront adressées par le moyen d'expédition le plus économique, les frais de port étant à votre charge ; les marchandises voyagent à vos risques et périls, exception faite pour le cas où vous pourriez prouver qu'une faute ou négligence caractérisée de notre part a entraîné leur détérioration ;

7° Nous vous accordons une remise de ... %, calculée sur le prix... ;

8° Vous vous engagez à faire procéder à un inventaire trimestriel du stock de nos articles en dépôt dans vos magasins et à nous faire tenir, le... du mois suivant chaque inventaire, un état portant montant des ventes effectuées, déduction faite de la remise qui vous est consentie, ledit état devant être accompagné des doubles de factures mentionnés au paragraphe 5°. Nous vous adresserons alors une facture dûment acquittée du montant total des ventes réalisées, étant entendu que vous vous engagez, de votre côté, à nous envoyer dans les huit jours... (*indication du mode de règlement : traite acceptée, domiciliée, etc.*) ;

9° Il est formellement entendu que nous nous réservons le droit de faire procéder, à tout moment et sans avertissement préalable, à la vérification du stock de dépôt constitué dans vos magasins ;

10° Le présent accord, conclu sans limitation de durée, prend effet à dater du jour où les parties l'ont revêtu de leur signature. La partie qui entendrait y mettre fin s'engage à en aviser l'autre, trois mois au moins à l'avance, par lettre recommandée ;

11° La présente convention se trouverait annulée de plein droit, sans donner lieu à aucune indemnité ou dédommagement d'aucune sorte :

— au cas où vous manqueriez à nous adresser les état de vente trimestriels prévus au paragraphe 8° ;

— au cas où votre chiffre d'affaires trimestriel serait inférieur à... ;

12° En cas de différend, contestation ou litige entre les parties, quelle qu'en puisse être la nature, le tribunal de... est seul compétent pour en connaître.

Nous pensons, Messieurs, que le projet ci-dessus rencontrera votre agrément et que nous recevrons bientôt votre accord, lequel devra reprendre, sans exception, tous les paragraphes de la présente.

Dans l'espoir de vous satisfaire, et comptant bien nouer avec vous des relations favorables à nos intérêts communs, nous vous prions d'agréer, Messieurs, l'assurance de notre considération distinguée.

Signature.

Lettre concernant la mise en dépôt chez un détaillant

Lieu et date.

Monsieur,

Nous vous confirmons ci-après les modalités de l'accord conclu entre nous, au cours de notre entretien du...

1° Vous acceptez de recevoir en dépôt... (*quantité*) de notre... (*indication de la marchandise, article ou produit*) et de les exposer en bonne place dans vos magasins ;

2° Les marchandises voyagent à nos risques et périls, port à notre charge ; sur votre demande, nous les intallerons nous-mêmes, gracieusement, dans vos magasins et vitrines ;

3° A titre d'indemnité forfaitaire pour l'emplacement occupé dans vos locaux commerciaux par nos marchandises et pour l'exposition que vous en ferez, nous vous verserons mensuellement une somme de... ;

4° Les articles de notre fabrication vendus par vous ne pourront l'être autrement qu'au prix marqué ;

5° Vous nous créditerez mensuellement des sommes encaissées par vous lors de ces ventes et nous vous adresserons, sous... jours au plus tard, une commission de...% sur le montant des ventes ainsi effectuées ;

6° La présente convention est valable pour... mois, à compter de la date de livraison des marchandises ; elle pourra se trouver renouvelée, de trois mois en trois mois, par tacite reconduction. A l'expiration de l'accord ainsi conclu entre nous, la reprise des marchandises demeurées en dépôt dans vos magasins sera faite par nos soins et à nos frais.

Veuillez agréer, Monsieur, nos salutations distinguées.

Signature.

Reprise d'articles invendus

Lieu et date.

Monsieur,

Aux termes de la convention conclue entre nous le..., j'ai fait mettre en dépôt dans vos magasins une certaine quantité d'articles que je jugeais devoir être d'un écoulement facile dans votre région.

En étudiant les états trimestriels de vente que vous m'avez adressés depuis la fin de l'année dernière, je constate que l'écoulement de la plupart de mes articles est assez satisfaisant, dans l'ensemble, sauf toutefois en ce qui concerne les (*désignation des articles*), dont vous n'avez vendu que... (*nombre ou quantité*) en seize mois.

Il semble donc que la demande de ces articles soit extrêmement faible dans votre région. Comme elle est considérable, en revanche, dans d'autres localités, je vous serais obligé de vouloir bien me retourner ces articles en port dû, à l'exception de deux ou trois objets de chaque catégorie, conservés par vous à titre d'échantillons ou de spécimens pour des ventes éventuelles.

Veuillez agréer, Monsieur, mes sincères salutations.

Signature.

Annulation d'un contrat de dépôt

Recommandée

Lieu et date.

Monsieur,

Malgré les représentations réitérées que nous vous avons faites, notamment les 8 février, 16 juin et 21 septembre de cette année, je constate que le chiffre des ventes réalisées par vous pour nos... (*indication des articles*), que nous vous avions confiés en dépôt, reste nettement inférieur au minimum de... francs par mois stipulé dans notre convention du 15 octobre 19..., paragraphe II.

En conséquence, et conformément aux termes de la convention susdite, même paragraphe, je vous avise que je considère notre accord comme annulé de plein droit, à compter du...

Je vous prie de me faire savoir comment vous pouvez assurer le retour des articles de notre marque déposés chez vous. Si besoin est, M. Lebas, notre chef de ventes, se rendra auprès de vous pour étudier les conditions dans lesquelles ce retour pourrait s'effectuer.

Veuillez agréer, Monsieur, mes sincères salutations.

Le Directeur Général,
V. MORILLON.

Ordre d'achat à un fournisseur

Lieu et date.

Messieurs,

Je vous prie de vouloir bien m'expédier *d'urgence*, et *par service rapide*,

— 25 kilos d'acier au tungstène, laminé surfin, type B5-623 (réf. 81 de votre catalogue), au prix de..., port en sus à ma charge.

Paiement comme à l'ordinaire, par traite à trente jours fin de mois, domiciliée à la Banque TESSIER et Cie, 10, rue Joubert, à Paris (9ᵉ).

Veuillez agréer, Messieurs, mes salutations distinguées.

Signature.

Ordre d'achat passé à un commissionnaire

Lieu et date.

Monsieur,

Veuillez acheter au mieux, pour mon compte :

— 2 pièces soie brochée, largeur 140, conforme à l'échantillon joint ;

— 2 pièces satinette noire, largeur 90 (même qualité que votre livraison du 8 écoulé) ;

— 1 grosse mouchoirs dames linon fin (article analogue à ceux fournis en janvier dernier).

Paiement par traite à 30 jours fin de mois.

Veuillez agréer, Monsieur, mes salutations distinguées.

Signature.

CHAPITRE XX

LIVRAISONS, TRANSPORTS ET EXPÉDITIONS
RÉCLAMATIONS, REFUS ET RETOURS
AVIS D'EXPÉDITION

Avis d'expédition

Lieu et date

Monsieur,

Nous vous expédions ce jour, par colis postal franco domicile, les articles commandés par votre lettre du 16 mai.

Vous en souhaitant bonne réception, nous vous prions d'agréer, Monsieur, l'expression de nos sentiments dévoués.

Signature.

Autre avis

Lieu et date.

Messieurs,

Nous vous informons que nous vous avons expédié hier, 8 octobre, en petite vitesse, port dû, les articles commandés par votre lettre du 6 courant :

— 6 chaises de jardin métal laqué modèle 4 ;

— 2 fauteuils métal chromé garnis toile rose ;

— 1 parasol à crémaillère, type « champignon », garni toile Arc-en-ciel, modèle n° 814.

En règlement de ces fournitures, qui voyagent à vos risques et périls, et suivant facture jointe, nous avons disposé sur vous à trois mois, conformément à vos instructions, et nous espérons que vous voudrez bien réserver bon accueil à la traite qui vous sera présentée le 15 juillet prochain.

Avec nos remerciements, nous vous prions d'agréer, Messieurs, l'expression de nos sentiments distingués.

Signature.

Réclamation d'un destinataire à l'expéditeur

Lieu et date.

Monsieur,

Je vous ai passé commande, par ma lettre du..., de trois... (*indication des objets commandés*). Votre avis de livraison m'est parvenu le..., et j'ai reçu votre envoi à mon domicile le...

Conformément aux prescriptions d'usage, j'ai vérifié l'état extérieur de l'emballage avant d'accepter la livraison du colis. Cet état était parfaitement normal, sans la moindre trace de détérioration ou d'effraction d'aucune sorte.

A l'ouverture du colis, pourtant, j'ai constaté que... (*exposé des détériorations*).

Un examen attentif de l'emballage intérieur m'a convaincu que ces détériorations graves étaient dues à votre négligence. Les précautions indispensables, en effet, n'avaient pas été prises lors de l'expédition, puisque... (*détail des fautes commises : absence de coton, de sciure, de paille, etc.*).

En conséquence, j'estime que la responsabilité des dommages constatés vous est entièrement imputable. J'évalue le préjudice qui m'est ainsi causé à la somme de F... et je vous prie de... (*m'adresser ladite somme, en créditer mon compte, etc.*).

Je pense que vous ne songerez pas à contester le bien-fondé de ma réclamation et que vous prendrez d'urgence toutes mesures utiles pour me donner satisfaction, en m'accusant réception de la présente.

Veuillez agréer, Monsieur, mes sincères salutations.

Signature.

Note : La réception des objets transportés éteint toute action pour avarie ou perte partielle, si le destinataire ne notifie pas sa réclamation *dans les trois jours*, par lettre recommandée ou par ministère d'huissier.

Réclamation à la S.N.C.F.
pour un colis avarié, fracturé ou détérioré
(lettre recommandée)

Lieu et date.

A Monsieur le Chef de gare de...

Monsieur le Chef de gare,

J'ai l'honneur de vous informer qu'il m'est impossible d'accepter la livraison des... (*colis, paquets, caisses, etc.*), expédiés à mon adresse par... et qui m'ont été présentés le...

J'ai refusé la feuille de route qui accompagnait l'envoi, car... (*exposé des avaries extérieures constatées*).

Attendu que ces colis voyageaient à mes risques et périls, je tiens à votre disposition la liste des objets qu'ils contenaient lors de leur expédition, ainsi que le montant de la perte que me fait subir leur détérioration pendant le transport. Je compte que vous voudrez bien faire le nécessaire pour que me soit versée l'indemnité qui m'est due.

Veuillez agréer, Monsieur le Chef de gare, l'assurance de ma considération distinguée.

Signature.

Si la Compagnie, le voiturier, le transporteur, etc., refuse de donner satisfaction au destinataire d'un colis avarié, endommagé ou pillé à l'occasion de son transport, l'auteur de la réclamation peut s'adresser au Tribunal de Commerce, à fin de *nomination d'expert*.

Si l'expert ne peut obtenir un règlement amiable du litige entre les parties, il le signale dans un rapport qu'il adresse au Tribunal et le destinataire peut alors assigner le transporteur en justice. *Cette assignation doit être faite devant le tribunal du lieu où la contestation s'est élevée.*

Demande d'indemnité au transporteur
pour livraison retardée
(lettre recommandée)

Lieu et date.

A Monsieur le Directeur de la Compagnie des Transports...

Monsieur le Directeur,

J'ai l'honneur de vous informer que j'ai reçu le... un colis expédié le... par... et transporté par les soins de votre compagnie.

En application des prescriptions du Code du Commerce (art. 105), j'ai fait toutes réserves en ce qui concerne mon acceptation formelle dudit colis.

Mes raisons sont les suivantes : ... (*exposé du préjudice causé au destinataire par le retard apporté dans le transport*).

J'estime, en conséquence, que votre compagnie m'est redevable de F..., à titre d'indemnité, et je compte que vous voudrez bien me faire tenir sous quinzaine la somme susdite.

Veuille agréer, Monsieur le Directeur, l'assurance de ma considération.

Signature.

Excuses de l'expéditeur pour un retard dans la livraison

Lieu et date.

Messieurs,

Nous avons l'honneur de vous faire savoir que nous vous expédions, ce jour, en grande vitesse, port dû, les cinquante pièces de ruban moiré, teintes assorties, référence n° 13 A, dont vous avez bien voulu nous passer commande par votre lettre du 9 courant.

Aux termes de votre commande, cette livraison devait vous être faite sous huitaine et nous n'avions pas manqué de le noter. Des difficultés de fabrication ayant surgi dans nos ateliers de Lyon, nous avons dû, malheureusement et à notre vif regret, surseoir jusqu'à présent à l'expédition de ces articles.

Nous voulons espérer que vous ne nous tiendrez pas rigueur de ce retard exceptionnel, entraîné par des événements indépendants de notre volonté, et que nos bonnes relations commerciales ne souffriront pas d'un incident dont nous nous efforcerons désormais d'éviter le retour.

Veuillez agréer, Messieurs, l'assurance de nos sentiments bien sincèrement dévoués.

Signature.

Refus d'une commande pour livraison trop tardive

Lieu et date.

Messieurs,

Nous avons le regret de vous informer qu'il nous est impossible d'accepter la commande que nous vous avions passée par notre lettre du 11 juin, le colis ayant été présenté aujourd'hui seulement.

Ainsi que nous vous le précisions dans notre lettre de commande, ces articles devaient nous être fournis *sous quinzaine*, à peine d'annulation. Nous vous retournons donc votre colis en port dû et annulons votre facture n°...

Veuillez agréer, Messieurs, nos sincères salutations.

Signature.

Refus de marchandises de mauvaise qualité

Lieu et date.

Messieurs,

Les deux pièces de Haut-Sahel 12°5 que vous m'annonciez par votre avis d'expédition du 29 courant m'ont été livrées hier, mais j'ai constaté, dès leur mise en perce, que le vin qu'elles contiennent était impropre à à la consommation.

Ce vin, annoncé par vous comme « supérieur », est en effet du vin *piqué*.

Il va de soi que je ne saurais proposer un tel vin à ma clientèle Je tiens donc ces deux pièces à votre disposition, vous priant de me faire connaître au pluts tôt quelle destination je dois leur faire prendre.

Veuillez agréer, Messieurs, mes salutations distinguées.

Signature.

Refus d'articles non conformes à l'échantillon

Lieu et date.

Monsieur,

Je vous ai commandé, le 3 août dernier, 20 kilos de poudre « Cocolux », destinée à stimuler la ponte des volailles d'élevage.

L'échantillon que vous m'aviez adressé peu de temps avant, sur ma demande, m'avait paru satisfaisant. J'avais pu constater, notamment, que votre produit ne contenait pas de déchets de viande boucanée ou séchée. C'était là, pour moi, un détail de grande importance, car mon expérience de ce genre de choses m'a prouvé que les déchets de cette nature se retrouvaient parfois, à peine transformés, dans les œufs des volatiles. J'ai donc pris bien soin de préciser, dans ma lettre de commande, que j'entendais avoir livraison d'un produit *rigoureusement conforme à l'échantillon soumis.*

Or les 20 kilos de « Cocolux » reçus ce jour contiennent une très importante proportion de déchets animaux non broyés, dont certains atteignent la taille d'une noisette.

Ainsi que je vous le disais plus haut, je suis résolument opposé à l'emploi de pareils produits. La poudre livrée ne m'est donc d'aucune utilité et je suis étonné de voir une maison aussi importante que l'est la vôtre recourir à de tels procédés.

Je vous réexpédie votre envoi en port dû et vous prie, dans ces conditions, de considérer mon ordre du 3 août comme nul et non avenu.

Veuillez agréer, Monsieur, mes sincères salutations.

Signature.

Refus d'un envoi fait contre remboursement

Lieu et date.

Monsieur,

Le facteur m'a présenté ce jour un colis expédié par vos soins contre remboursement.

Ce colis contenait évidemment la montre que je vous avais commandée par ma lettre du 16 avril, mais je n'ai pu faire autrement que de la refuser.

Vous annonciez en effet, dans votre catalogue, que les montres fournies par vous ne seraient payées qu'*après réception et complète satisfaction.* Comment pourrais-je savoir si je suis satisfait de l'article fourni tant que je n'ai pas pu l'examiner ? Et comment pourrais-je l'examiner avant d'en effectuer le règlement, puisqu'il me faut acquitter le prix de l'objet avant de pouvoir ouvrir le paquet qui le contient ?

J'annule donc ma commande par la présente, non sans vous signaler, puisque j'en ai malheureusement l'occasion, quel préjudice des agissements comme les vôtres peuvent causer à des intérêts commerciaux bien entendus.

Agréez, Monsieur, mes salutations.

Signature.

Réclamation pour un retard dans la livraison

Lieu et date.

Messieurs,

J'ai l'honneur de vous rappeler par la présente ma lettre du... et la demande que je vous transmettais à cette date.

Il était entendu que l'expédition des articles commandés devait m'être faite *au plus tard sous quinzaine.* Or, plus de trois semaines se sont écoulées et je n'ai toujours rien reçu de votre maison.

Je compte sur vous pour faire diligence afin que la livraison dont il s'agit soit effectuée au plus vite.

Veuillez agréer, Messieurs, l'expression de ma considération distinguée.

Signature.

Réclamation plus pressante

Recommandée.

Lieu et date.

Messieurs,

Je m'étonne vivement de n'avoir toujours rien reçu de votre maison, malgré ma réclamation du 11 courant au sujet de la commande que je vous ai passée le 16 mars.

J'ai absolument besoin des articles commandés, pour l'aménagement du magasin de charcuterie que je viens de créer à... Chaque jour de retard supplémentaire dans la livraison me cause un préjudice considérable et je compte absolument sur votre diligence pour me donner satisfaction à lettre lue.

Veuillez agréer, Messieurs, l'expression de mes sentiments distingués.

Signature.

Demande d'indemnité pour retard dans la livraison
Menaces de poursuites

Lieu et date.

Messieurs,

225

Je tiens à rappeler ici la correspondance échangée entre nous :

1° La lettre de commande du 15 mars, demandant livraison *sous quinzaine au plus tard ;*

2° Votre lettre du 20 mars, par laquelle vous déclariez accepter ma commande et vous engager à me la livrer dans le délai fixé ;

3° Ma réclamation du 11 avril ;

4° Ma réclamation (pli recommandé) du 23 avril ;

5° Votre tardive réponse du 2 mai.

A propos de cette dernière lettre, j'ai le regret de vous préciser que je ne suis nullement satisfait des banales excuses qui m'y sont exprimées. Je vous rappelle les termes mêmes de la réclamation que je vous adressais, par lettre recommandée, le 23 avril : « chaque jour de retard supplémentaire me cause un préjudice considérable. » Voilà, pour moi, ce qui compte, et toutes vos excuses, malheureusement, ne pourront rien changer à la chose.

En conséquence, je fais auprès de vous par la présente *une dernière tentative* pour obtenir satisfaction. Avant de vous notifier par lettre recommandée mon refus de votre livraison et ma décision de vous assigner devant la juridiction compétente, je vous donne *trois jours* encore pour me faire savoir si vous vous engagez formellement à m'expédier sur-le-champ les articles commandés ainsi que le montant de l'indemnité que vous êtes disposés à me verser en réparation amiable du préjudice que m'a causé la non-observation de vos engagements.

Sans réponse le..., je prendrai toutes dispositions utiles.

Veuillez agréer, Messieurs, mes salutations.

Signature.

Lettre pour solliciter l'avis d'un avocat

Lieu et date.

Mon cher Maître,

Comme suite à notre conversation du 30 écoulé, j'ai l'honneur de vous transmettre sous ce même pli le dossier complet des pièces concernant mes tractations avec les Établissements... Vous y trouverez toutes les lettres qui m'ont été adressées par cette firme, ainsi que les doubles de ma propre correspondance.

Je vous rappelle que le matériel commandé le 16 mars ne m'a toujours pas été livré ; je viens seulement de recevoir des Établissements... un avis d'expédition. La commande, au mieux, ne me parviendra donc pas avant le 8 ou le 10 de ce mois, *c'est-à-dire avec un retard de plus de 90 jours.*

Dois-je refuser la livraison ? Dans ce cas, il me faudrait commander ailleurs et risquer ainsi, peut-être, une nouvelle perte de temps ?

A dire vrai, et pour en finir avec cette affaire qui n'a que trop duré, je préférerais accepter la livraison, pour tardive qu'elle soit. Toutefois :

— J'entends bien ne rien faire sans votre avis, afin de ne pas risquer de compromettre ma position ;

— Je tiens absolument, au cas où j'accepterais la livraison du matériel enfin expédié, à obtenir des Établissements... une indemnité importante pour réparation du préjudice qui m'a été causé dans l'exercice de ma profession pour ces 90 jours de retard.

D'avance, je m'en remets à vous et j'agirai à l'égard des Établissements... comme vous me conseillerez de le faire.

Veuillez croire, mon cher Maître, à mes sentiments d'estime et de reconnaissance parfaites.

Signature.

Demande de prix de transport

Lieu et date.

Monsieur le Directeur,

Je vous prie de bien vouloir me faire connaître les prix, délais et conditions diverses pour le transport, par les camions de votre compagnie, de

16 tonnes de papier en balles
d'Aubervilliers (Seine) à Mantes-Gassicourt (Seine-et-Oise).

Le prix indiqué doit comprendre chargement et déchargement (rez-de-chaussée, au départ comme à l'arrivée ainsi que le montant de l'assurance pendant le transport. Veuillez également m'indiquer le ou les itinéraires proposés.

Vous remerciant à l'avance d'une prompte réponse, je vous prie d'agréer, Monsieur le Directeur, mes salutations distinguées.

Signature.

Demande de prix à une compagnie de transports aériens

Lieu et date.

Messieurs,

L'accroissement de notre commerce avec le Maroc nous amène à envisager l'acheminement par avion des colis envoyés par notre firme à destination de ce pays.

Nos articles (incassables et ininflammables) sont enfermés dans des boîtes de carton pesant de 3 à 5 kilogrammes l'une. Bien que n'étant pas particulièrement fragiles, ces petits colis demandent à être manipulés avec soin. Le poids total de nos envois mensuels destinés au Maroc est d'environ deux tonnes et ils sont tous expédiés à destination de Casablanca, où leur répartition dans l'ensemble du territoire est confiée aux bons soins de notre agent local.

Voulez-vous étudier la question et nous faire une proposition détaillée, comportant un chiffrage précis ?

D'avance, nous vous en remercions, et nous vous prions d'agréer, Monsieur le Directeur, l'expression de notre considération distinguée.

Signature.

Demande de wagons à la S.N.C.F.

Lieu et date.

A Monsieur le Chef de gare principal de...

Monsieur le Chef de gare principal,

J'ai l'honneur de vous faire savoir que j'attends, le 11 septembre, cinquante tonnes de paddy, embarquées pour moi sur le cargo mixte *Jamaïque.*

Le déchargement du navire devant s'effectuer sitôt le cargo à quai, je vous prie de bien vouloir mettre à ma disposition, dès le 12, à 7 heures du matin, dix wagons de cinq tonnes au tarif n°... de Marseille à Paris-Batignolles.

Je vous prie d'agréer, Monsieur le Chef de gare principal, l'assurance de ma considération distinguée.

Signature.

Demande de prix à une compagnie de navigation

Lieu et date.

Messieurs,

Nous vous serions obligés de vouloir bien nous faire savoir à quelles dates et à quelles conditions vous pourriez accepter de transporter pour nous :

1° Vingt tonnes d'outillage (en caisses de 150 kilos) de Bordeaux à Abidjan (Côte d'Ivoire), tous frais de chargement, déchargement et transbordement compris ;

2° Cinq tonnes de produits pharmaceutiques (en fûts métalliques de 250 kilos) de Bordeaux à Casablanca (Maroc), tous frais compris, comme ci-dessus.

Comptant sur une prompte réponse, nous vous prions d'agréer, Messieurs, l'assurance de notre considération distinguée.

Signature.

Les règles établies par le Code Civil (art. 1782 à 1786) *et le* Code de Commerce (art. 96 à 108) *en matière de transports s'appliquent à tous les transports effectués* par terre et par voie fluviale, quel que soit le véhicule employé. *Les* transports maritimes et aériens, *au contraire, sont soumis à une* législation spéciale *sur laquelle on aura soin de recueillir tous les renseignements nécessaires.*

CHAPITRE XXI

FACTURATION
RÈGLEMENT ET COMPTABILITÉ

Envoi d'un relevé de compte

Lieu et date.

Messieurs,

Nous vous prions de trouver ci-inclus le relevé de votre compte annuel, arrêté au 15 octobre.

Ainsi que vous le verrez, ce compte établit un solde de F..., en notre faveur.

Après vérification, vous voudrez bien nous donner votre accord sur ce solde, que nous vous prions de régler à votre convenance (*indiquer, s'il y a lieu, des modalités de règlement précises*).

Veuillez nous croire, Messieurs,

Vos sincèrement dévoués.

Signature.

Demande de règlement de marchandises livrées

Lieu et date.

Monsieur,

Je vous prie de vouloir bien trouver ci-inclus le bordereau des livraisons qui vous ont été faites au cours du trimestre écoulé, avec échéances habituelles de...

Je compte que vous aurez l'obligeance de m'adresser ces sommes dès que possible, car j'aimerais pouvoir les remettre à ma banque avant le...

Avec mes remerciements, je vous prie d'agréer, Monsieur, mes salutations distinguées.

Signature.

Réponse à la précédente

Lieu et date.

Monsieur,

Comme suite à votre lettre du..., contenant le bordereau des expéditions que vous m'avez faites au cours du... *ième trimestre* 19..., je vous confirme mon accord pour la somme de F... à votre crédit.

Veuillez trouver ci-inclus, en couverture, une traite de F... à vue, et six traites dont détail suit :

$$
\begin{array}{r}
F \ldots\ldots\ \textit{(montant)}\\
F \ldots\ldots\ (\quad » \quad)\\
F \ldots\ldots\ (\quad » \quad)\\
au \ \ldots\ldots\ \textit{(date d'échance)}\\
au \ \ldots\ldots\ (\quad » \quad\quad » \quad)\\
au \ \ldots\ldots\ (\quad » \quad\quad » \quad)
\end{array}
$$

— soit, au total la somme de ....
F *(total)* dont je vous prie de m'accuser réception, comme d'usage, par avis de crédit.

Recevez, Monsieur, mes sincères salutations.

Signature.

Envoi d'un compte de vente

Lieu et date.

Messieurs,

Comme suite à notre conversation téléphonique d'hier, nous vous prions de trouver ci-joint le compte détaillé des ventes effectuées pour votre compte et par nos soins, au cours de la période...

Nous vous prions de vouloir bien nous couvrir, comme d'usage, et sous bénéfice de l'escompte habituel, de la somme de F..., montant de ce compte, par traite à... *(indication de l'échéance)*.

Espérant que notre activité vous donne satisfaction et que les opérations traitées par nous rencontrent votre pleine approbation, nous vous prions d'agréer, Messieurs, l'expression de nos sentiments très sincèrement dévoués.

Signature.

Avis de traite

Lieu et date.

Messieurs,

Nous avons l'honneur de vous faire savoir que nous prenons la liberté, pour nous couvrir du montant de notre facture du..., de tirer sur votre caisse une traite (*à vue, à échéance du... etc.*) de F..., à laquelle nous comptons que vous voudrez bien réserver bon accueil.

Veuillez nous croire, Messieurs,

Vos sincèrement dévoués.

Signature.

Envoi de traites pour acceptation

Lieu et date.

Monsieur,

Comme suite à votre lettre du..., je vous prie de vouloir bien trouver ci-joint :

— doubles de mes factures n° 813, du 15 mars, et n° 1140, du 4 avril, d'un montant total de F... ;

— 1 traite n° 231, à... (*échéance*), de F...

— 1 traite n° 232, à... (*échéance*), de F...

ces deux traites représentant au total le montant des factures susdites.

Vous priant de me retourner ces traites dûment revêtues de votre acceptation, ce dont je vous remercie à l'avance, je vous prie d'agréer, Monsieur, l'expression de mes sentiments bien dévoués.

Signature.

Demande de renouvellement de traite

Lieu et date.

Messieurs,

Nous avons le regret de vous informer que les... (*exposé des raisons ou prétextes invoqués : lenteur des rentrées d'argent, sinistre récent, situation économique défavorable, effets de la morte-saison, etc.*) nous mettent dans l'impossibilité d'honorer votre traite N°... de F..., payable le...

Pour la première fois et à titre exceptionnel, nous vous demandons de vouloir bien retirer cette traite de la circulation, pour la remplacer par deux autres, l'une de F..., à... (*date d'échéance*), l'autre de F..., à... (*date d'échéance*).

Nous espérons que vous consentirez à nous accorder les facilités que nous vous demandons, compte tenu des difficultés exceptionnelles que nous vous avons signalées plus haut et de l'ancienneté des bonnes relations d'affaires existant entre nos deux firmes.

Avec nos remerciements, nous vous prions d'agréer, Messieurs, l'expression de nos sentiments distingués.

Signature.

Réponse à la précédente

Lieu et date.

Messieurs,

Nous regrettons vivement de ne pouvoir vous rendre le service que vous nous demandez par votre lettre du...

En effet, les rentrées d'argent se font également très difficiles chez nous, et nous avons nous-même compté sur la somme fournie par la traite tirée sur votre caisse pour faire face à nos échéances du...

Toujours soucieux, néanmoins, d'être agréables à nos plus anciens clients dans toute la mesure possible, nous vous proposons de repousser au... l'échéance de la traite qui nous occupe, à condition que... (*exposé des avantages demandés en contrepartie du service consenti*).

S'il nous était impossible de nous entendre sur ce dernier point, nous nous verrions obligés, à notre grand regret, de prendre toutes dispo-

sitions utiles pour obtenir le paiement de notre traite à l'échéance prévue
Veuillez agréer, Messieurs, nos salutations distinguées.

Signature.

Demande de renouvellement d'un billet à ordre

Lieu et date.

Monsieur,

Les frais imprévus qu'a entraînés pour moi l'accident survenu dans
mon atelier (*ou la maladie de ma femme, la modernisation de mon installation ou de mes locaux, etc.*) font que je me trouve, à mon grand regret,
dans l'impossible de payer à son échéance du..., le billet de F... que j'ai
souscrit à votre ordre le...

Je vous demande donc, à titre tout à fait exceptionnel, de vouloir bien
me renouveler ce billet pour... (*durée du renouvellement sollicité*).

Dans l'espoir que vous consentirez à me rendre ce service, je vous
prie d'agréer, Monsieur, l'expression de mes sentiments les meilleurs.

Signature.

Demande de fonds pour honorer une traite

Lieu et date.

Monsieur,

J'ai le grand regret de vous faire savoir que je suis actuellement dans
l'impossibilité de faire honneur à votre traite de F..., à échéance du..

Je vous demande donc de repousser au... (*date*) l'échéance de cette
traite, ou encore de me faire tenir, moyennant l'intérêt habituel de...%
les fonds nécessaires pour y faire face.

Vous savez comment je gère mon commerce et vous n'ignorez pas que
j'ai toujours fait en sorte, jusqu'à présent, de tenir mes engagements ;
mais... (*exposé des raisons ou motifs particuliers*) m'obligent à solliciter
de vous cette marque de complaisance exceptionnelle.

Avec mes remerciements anticipés, je vous prie d'agréer, Monsieur,
l'expression de mes sentiments de gratitude.

Signature.

235

Envoi de chèque en paiement

Lieu et date.

Monsieur,

En règlement de votre facture n° 65, du 16 mai, je vous prie de vouloir bien trouver ci-joint un chèque de même montant, tiré à votre ordre sur la Banque de Bretagne, succursale M.

Je compte que vous voudrez bien me retourner, en même temps que vous m'accuserez réception de ce chèque, le relevé acquitté de mon compte.

Recevez, Monsieur, mes sincères salutations.

Signature.

Accusé de réception d'un chèque

Lieu et date.

Monsieur,

J'ai l'honneur de vous accuser réception de votre lettre du... et du chèque n°..., de F... qui s'y trouvait joint, en règlement de ma facture du...

Je vous prie de trouver ci-inclus le relevé acquitté de votre compte.

Veuillez agréer, Monsieur, l'expression de mes sentiments tout dévoués.

Signature.

Réclamation pour une erreur de facturation

Lieu et date.

Messieurs,

Vérifiant votre facture du..., reçue ce jour, je constate que vous calculez les huit rames de papier sulfurisé que j'ai commandées le... sur la base de F... le kilo.

J'ai dans mon dossier le double de l'ordre que j'ai passé à votre représentant, M. Lemoine, pour ce papier et le prix qui y est mentionné est de F... le kilo.

Comptant que vous voudrez bien éviter le retour de pareilles erreurs et me faire tenir au plus tôt facture rectifiée ou note d'avoir, je vous prie d'agréer, Messieurs, mes sincères salutations.

Signature.

Réclamation pour retard dans des paiements

Lieu et date.

Messieurs,

Balançant nos écritures en fin d'exercice, nous constatons que votre compte accuse un solde débiteur de F... correspondant au montant total de nos factures des 8 février et 13 mars derniers, dont le règlement aurait dû être effectué par vos soins au plus tard le...

Nous vous avisons donc par la présente que nous disposons à vue sur votre caisse de F...

Veuillez agréer, Messieurs, l'assurance de nos sentiments dévoués.

Signature.

Rappel d'une facture impayée

Lieu et date.

Monsieur,

Je vous prie de vouloir bien m'adresser le plus tôt possible la somme de F..., montant de ma facture n°..., du...

Veuillez agréer, Monsieur, mes salutations distinguées.

Signature.

Second rappel pour le même motif

Lieu et date.

Monsieur,

Je suis surpris que vous ne m'ayez pas adressé la somme de F..., montant de ma facture n°..., du..., à propos de laquelle je vous ai déjà écrit, le...

Comptant que vous voudrez bien faire le nécessaire sans plus tarder,

237

je vous prie d'agréer, Monsieur, mes salutations distinguées.

Signature.

Troisième lettre (rappel énergique)

Lieu et date.

Monsieur,

Malgré les lettres que je vous ai adressées à ce sujet les..., ... et... derniers, vous ne m'avez toujours pas adressé la somme de F..., montant de ma facture impayée n°..., du...

Très surpris de voir mes lettres demeurer sans réponse comme sans effet, je compte absolument que vous ferez le nécessaire pour m'adresser la somme due *par retour du courrier.*

Veuillez agréer, Monsieur, mes salutations distinguées.

Signature.

Avis de poursuites pour défaut de paiement

Recommandée.

Lieu et date.

Monsieur,

Sans réponse à mes lettres des..., ... et ..., par lesquelles j'insistais auprès de vous pour obtenir d'urgence le règlement de ma facture n°..., du..., d'un montant de F..., j'ai le regret de vous prévenir que je vais être obligé de prendre toutes dispositions utiles pour obtenir le paiement de ce qui m'est dû.

Les bonnes relations que nous entretenions depuis assez longtemps font que je suis peiné de me voir forcé de recourir à des mesures dont je me suis efforcé de retarder l'application autant que je l'ai pu.

Je tiens néanmoins à vous aviser que, sauf règlement intégral de votre facture avant le..., je me verrai forcé de transmettre le dossier de cette créance à mon service de contentieux, qui en poursuivra le règlement par toutes les voies de droit.

Espérant encore que vous ferez en sorte de nous éviter à tous deux l'emploi de ces moyens qui, j'en suis sûr, nous répugnent également, je vous prie d'agréer, Monsieur, mes sincères salutations.

Signature.

Demande de renseignements sur la solvabilité d'une firme

Lieu et date.

Messieurs,

Les Établissements.. viennent de nous passer un ordre fort important, pour le règlement duquel ils nous prient de leur consentir des conditions tout à fait exceptionnelles.

Avant d'accepter une aussi grosse commande, que conditionnent des exigences si particulières, nous prenons la liberté de solliciter, à titre rigoureusement confidentiel, les renseignements qu'il vous serait possible de nous communiquer sur l'honorabilité de cette firme, son ancienneté, le genre d'affaires qu'elle traite et la valeur que l'on peut accorder aux engagements qu'elle souscrit d'ordinaire.

Bien entendu, les renseignements que vous nous communiqueriez à titre confraternel ne sauraient en aucune manière engager votre responsabilité.

Vous remerciant à l'avance, et bien à votre disposition pour la réciprocité qui s'impose en pareille circonstance, nous vous prions d'agréer, Messieurs, l'expression de nos sentiments très distingués.

Signature.

Réponse à la précédente

Lieu et date.

Messieurs,

En réponse à votre lettre du..., nous avons le plaisir de vous informer que la firme dont il y est question est une entreprise des plus sérieuses, fort honorablement connue sur la place de... (*localité*) depuis sa fondation (1896).

Les Établissements..., fondés par le grand ingénieur qu'était Lucien Marnier, repris à sa mort (1913) par son fils Hector Marnier, lui-même ingénieur distingué, sont aujourd'hui placés, depuis 19..., sous la direction de Jacques Sizeret, ingénieur des Arts et Manufactures, gendre de ce dernier.

M. Jacques Sizeret, bien loin de démériter de la responsabilité dont il se trouvait investi, a poursuivi des travaux d'étude personnels dont les résultats, récemment encore, se sont avérés des plus heureux sur le

239

plan financier. L'essor pris par les Établissements... se poursuit donc dans d'excellentes conditions et le sérieux des affaires traitées par eux, ainsi que la régularité dont ils ont toujours fait preuve dans leurs paiements depuis plus d'un demi-siècle, devraient vous permettre, à notre avis, de leur accorder sans risques aucuns le crédit qu'ils vous ont demandé.

Nous vous adressons ces renseignements sous les réserves d'usage et sans qu'ils puissent engager notre garantie, vous priant d'agréer, Messieurs, l'expression de notre considération distinguée.

Signature.

Réponse défavorable à une demande de renseignements

Strictement confidentiel.

Lieu et date.

Messieurs,

Comme suite à votre lettre du..., nous sommes au regret de devoir vous informer que les Établissements... nous paraissent actuellement dans une situation délicate.

A la mort de M. Alexandre Vasseur, son fondateur, la maison est passée aux mains de son neveu, M. Julien Courtet-Saugnac, dont les initiatives semblent ne pas avoir été des plus heureuses. Quoi qu'il en soit au juste, les Établissements... éprouvent de sérieuses difficultés financières depuis un an au moins.

Vous transmettant les renseignements ci-dessus sous les réserves d'usage et sans qu'ils puissent engager notre responsabilité ni sous-entendre notre garantie, nous vous prions d'agréer, Messieurs, nos salutations distinguées.

Signature.

Annonce d'une suspension de paiements

Lieu et date.

Monsieur,

C'est avec infiniment de regret que je me vois dans la nécessité de suspendre mes paiements à compter de ce jour.

Les faillites nombreuses survenues parmi ma clientèle, les pénibles effets d'une concurrence souvent peu difficile sur le choix des moyens et les difficultés de toute nature que rencontrent actuellement les entreprises comme la mienne m'obligent à déposer mon bilan.

Je fais établir actuellement la balance de mes écritures et je compte qu'il me sera possible de convoquer mes créanciers le... afin de leur soumettre un bilan exact et précis. J'espère que vous voudrez bien considérer la présente comme une convocation et y répondre par votre présence au jour dit, sauf avis contraire.

L'actif est important, ce qui me permet d'espérer que je me trouverai en mesure d'honorer tous mes engagements si l'on veut bien m'accorder des délais suffisants.

Veuillez agréer, Monsieur, l'expression de mes sentiments distingués.

Signature.

On trouvera, page 290, *un exemple de* pouvoir spécial *permettant de représenter un tiers à une faillite ou à une liquidation judiciaire.*

Plainte portée pour faillite frauduleuse

Voir page 155

Requête pour apposition de scellés au domicile d'un débiteur mort

Voir page 155

Lettre d'un failli pour faire part de sa réhabilitation

Lieu et date.

Monsieur,

Déclaré en faillite par jugement du tribunal de commerce de..., prononcé le..., j'avais pu obtenir de mes créanciers un concordat, aux termes duquel remise m'était faite de 35 % des sommes dues par moi, le solde devant être acquitté au moyen de versements effectués annuellement, suivant mes possibilités.

Mes efforts soutenus m'ont permis de désintéresser tous mes créanciers, en remboursant intégralement le montant de mon passif, capital et intérêts.

En conséquence, le tribunal de... a promulgué en ma faveur, le..., un arrêt portant réhabilitation, dont j'ai l'honneur de vous adresser ci-joint une copie.

Vous remerciant une nouvelle fois du bienveillant appui que vous n'avez pas hésité à m'apporter au moment du dépôt de mon bilan, je vous prie d'agréer, Monsieur, avec tous mes sentiments de gratitude, l'expression de ma considération distinguée.

Signature.

Formule de dispense de protêt

Je déclare par la présente dispenser expressément la Banque... de protêt ou dénonciation de protêt, pour tous les effets de commerce que je lui ai remis ou lui remettrai pour escompte ou encaissement, et qui lui ont été retournés, ou pourraient lui être retournés impayés lors de leur échéance.

A..., le...

Lu et approuvé,
Signature.

Lettre pour demander l'ouverture d'un compte en banque

Lieu et date.

Monsieur le Directeur,

Comme suite à notre entretien de ce jour, j'ai l'honneur de vous demander par la présente l'ouverture d'un compte sur vos livres au nom de ma firme.

Ainsi que je vous l'ai dit, il s'agit pour moi d'un compte courant destiné à faciliter mes opérations commerciales.

Veuillez agréer, Monsieur le Directeur, l'expression de ma considération distinguée.

Signature.

Demande de carnet de chèques

Lieu et date.

Messieurs,

Je vous prie de vouloir bien me faire délivrer un carnet de... (*nombre*) chèques... (*indication du format désiré*) que je prendrai moi-même à vos guichets lors de mon passage à... (*ou que je vous prie de m'envoyer à l'adresse suivante : ...*).

Veuillez agréer, Messieurs, mes salutations distinguées.

Signature.
(Compte N°...).

Ordre de virement bancaire

Lieu et date.

Messieurs,

Je vous prie de vouloir bien faire virer la somme de F... au crédit du compte n° 76 538 de M. Walter Monnier à l'agence Z de votre société, en débitant mon compte n° 41 825 de ce montant.

Veuillez agréer, Messieurs, mes salutations distinguées.

Signature.

Envoi d'effets à une banque pour encaissement

Lieu et date.

Messieurs,

Veuillez trouver sous ce pli :

— F .... en un chèque sur Niort ;
— F .... en un chèque sur Paris ;
— F .... en un chèque sur Paris ;
— F .... en un chèque sur Rouen ;
— F .... sur une traite sur Roubaix, au 15 avril prochain, soit au total :
— F .... que je vous prie de vouloir bien encaisser pour en créditer mon compte n°... dans votre établissement.

Veuillez agréer, Messieurs, mes salutations distinguées.

Signature.

Ordre d'achat de valeurs passé à une banque

Lieu et date.

Messieurs,

Veuillez acheter pour mon compte, à la date de demain et au meilleur cours :

— 10 Shell française ;
— 25 Chartered ;
— 5 Royal Dutch 1/10°.

Vous voudrez bien garder ces valeurs à mon dépôt et débiter mon compte n°... du montant de l'achat augmenté des frais.

Veuillez agréer, Messieurs, mes salutations distinguées.

Signature.

Ordre de vente de valeurs

Lieu et date.

Messieurs,

Je vous prie de vendre pour mon compte, au meilleur cours et à la date de votre choix, mais *avant le 8 courant,* les valeurs suivantes qui figurent à mon dépôt dans votre établissement :

— 50 Union Corporation ;
— 10 Air Liquide ;
— 20 Crédit Commercial de France ;
— 10 Havraise Péninsulaire.

Une mention spéciale pour ces dernières valeurs (Havraise Péninsulaire) : ne les vendez pas si leur cours tombait au-dessous de 65 pendant la période envisagée.

Je vous adresse ci-joint les récépissés, dûment datés et signés, concernant ces différentes valeurs. Je vous prie de m'aviser lorsque l'opération aura été réalisée et d'en porter le montant au crédit de mon compte n°...

Veuillez agréer, Messieurs, l'expression de mes sentiments distingués.

Signature.

Remise d'effets à l'escompte

Lieu et date.

Messieurs,

Nous vous adressons ci-inclus, en vous priant de les négocier au mieux, les traites dont l'énumération suit :
— F ...., sur Castaing-Moreau, Paris, au 15 mai ;
— F ...., sur Garnier et Cie, Casablanca, au 15 juin ;

— F . . . ., sur Ruy Perez et Fils, Salḅoa, au 31 juillet.

Nous vous prions de présenter à l'acceptation ces trois traites, dûment endossées à votre ordre.

Veuillez noter que la dispense de protêt signée par nous et déposée entre vos mains *ne s'applique pas* aux traites que nous vous adressons aujourd'hui. En cas de défaut de paiement à leur échéance, nous vous prions donc d'intervenir pour notre compte et de faire protester en temps utile.

Veuillez créditer notre compte courant n°... du montant net de cette remise.

Nous vous prions d'agréer, Messieurs, l'expression de notre considération distinguée.

Signature.

Réclamation à une Banque
pour un relevé de compte erroné

Lieu et date.

Messieurs,

Vérifiant le relevé trimestriel de notre compte courant n° 65.493, arrêté au 30 septembre dernier, nous avons la surprise de constater qu'il ne fait pas mention de la remise par nos soins à vos guichets, le 11 août dernier, d'un chèque de F. 198,30, sur Ajaccio.

Nous vous prions donc de nous renseigner au plus tôt à cet égard et de nous adresser un relevé rectificatif, s'il y a lieu.

Veuillez agréer, Messieurs, nos salutations distinguées.

Signature.

Demande de lettre de crédit à une banque

Lieu et date.

Messieurs,

Je vous prie de vouloir bien m'adresser une lettre de crédit de F. 1 500, établie au nom de M. Jules Lemaître, 8, rue Sainte-Thérèse, à Paris (xvie), sur vos agences ou vos correspondants de... (*indiquer les villes désirées*). Cette lettre de crédit devra être valable du 15 mai au 31 juillet.

Il est entendu que je suis responsable envers vous de cette somme de

F. 1 500 (mille cinq cents), dont vous débiterez mon compte, au fur et à mesure de la réception des reçus signés par M. Lemaître.

Veuillez agréer, Messieurs, mes salutations distinguées.

Signature.

Nous croyons inutile de donner ici un modèle de lettre de crédit ; on pourra se le procurer sur simple demande dans tout établissement de banque.

Les traveller's chèques *sont utilisés plus volontiers par les voyageurs se rendant en pays étranger.*

CHAPITRE XXII

LA CORRESPONDANCE COMMERCIALE TÉLÉGRAPHIQUE
ADRESSE ET CODE TÉLÉGRAPHIQUE

Nous avons déjà signalé, au début de cet ouvrage, les précautions qui s'imposaient pour la rédaction et l'expédition des télégrammes, en général.

Les *télégrammes commerciaux* doivent faire l'objet de soins tout particuliers. En effet, si les erreurs ou les obscurités qui défigurent une dépêche familiale ou amicale peuvent avoir d'ennuyeuses conséquences, ces mêmes défauts, dans un télégramme d'affaires, risqueraient d'entraîner des suites absolument catastrophiques. Dans certains cas extrêmes, un télégramme erroné, imprécis ou confus, peut suffire pour entraîner la faillite ou la ruine de son expéditeur.

Méfions-nous donc, lorsque nous rédigeons un télégramme d'affaires, de l'emballement et de la prépicipitation. Pesons-en mûrement les termes. Méfions-nous aussi des inconvénients graves que peut avoir pour nous un souci d'économie mal entendue ; ne perdons pas mille francs pour en gagner cinq, ne manquons pas une affaire pour le plaisir d'économiser un mot. Utilisons les STOP séparatifs pour remplacer la ponctuation absente et, notre télégramme rédigé, efforçons-nous de le relire *en nous mettant à la place de son destinataire* pour en contrôler *la précision, la clarté, l'intelligibilité* parfaites.

Renseignons-nous, enfin, sur les *possibilités variées* qui nous sont offertes par la correspondance télégraphique. La plupart des gens, par exemple, ignorent qu'il est parfaitement possible de transmettre par dépêche des plans, dessins, graphiques, etc. Avant de critiquer l'administration des P. et T., remarquablement organisée dans notre pays, préoccupons-nous donc de savoir exactement ce qu'elle met à notre disposition.

ADRESSE TÉLÉGRAPHIQUE. — Toute firme de quelque importance, qui reçoit fréquemment des dépêches, aura intérêt à obtenir, après entente avec les P. et T., une *adresse télégraphique,* formule condensée, économique et facile à retenir.

Supposons l'adresse suivante : *Société Nouvelle de Thermodynamique Appliquée,* 223 *bis rue Jehan-de-Beauvais prolongée, à Strasbourg-Molsheim (Bas-Rhin).*

La Société en question, sur sa demande, obtient l'adresse télégraphique suivante : *SOTHERBOURG.*

A vous de conclure.

TÉLÉGRAMMES CHIFFRÉS. — Le chiffrement d'un message, aux fins d'en assurer le secret, est un système vieux comme le monde. Couramment utilisé par les Égyptiens, deux mille ans avant notre ère, il l'est encore, de nos jours, par les indigènes *illettrés* de Polynésie ou du Centre-Afrique qui échangent, au moyen de baguettes à encoches ou de lianes aux nœuds multiples, des messages parfaitement intelligibles pour leurs destinataires, mais rigoureusement impénétrables aux non-initiés.

A noter époque, le télégramme est parfois chiffré pour des raisons d'État (correspondance officielle, militaire, diplomatique, policière, etc.). C'est là de la *cryptographie* pure, qui ne nous concerne pas.

Mais on peut également échanger des télégrammes chiffrés, entre commerçants ou industriels, pour assurer le secret des tractations, décisions ou informations qu'ils concernent, et aussi pour *condenser économiquement* des textes dont la transmission en clair serait trop onéreuse.

Il est toujours permis (sauf en temps de guerre) de correspondre télégraphiquement en utilisant un langage conventionnel, emprunté à un *code télégraphique.*

CODES TÉLÉGRAPHIQUES. — Le principe d'un code télégraphique est le suivant : les mots, phrases ou expressions y sont représentés par un groupe de lettres ou de chiffres. On utilise la plupart du temps des groupes de cinq lettres ou chiffres ; pour les codes à lettres, on peut aller jusqu'à *dix* lettres, *admises par le télégraphe pour le prix d'un mot.* On voit l'avantage du système.

L'utilisation d'un code télégraphique suppose évidemment la possession, tant par l'expéditeur du message que par son destinataire, d'un exemplaire du *code* employé.

Il existe *plus de trois cents* codes, ou *dictionnaires télégraphiques,* édités et vendus au public. Voici les codes qui sont le plus fréquemment employés :

En langue française : codes Mamert-Gallian, Nilac, Sittler, Louis, Veslot, Telescand, de Mailhol, Bazeries, Lugagnes, A-Z, Hermann.
En langue anglaise : codes Slater, Western-Union, Lieber, Bentley, Marconi, A. B. C.
En langue allemande : codes Mosse, Krohn, Walter, Niethe, Friedmann, Katscher, Galland, Stern et Steiner.
En langue italienne : codes Cicero, Mengarini, Baranelli.

Les firmes qui utilisent l'un de ces codes classiques le signalent sur l'en-tête de leurs lettres commerciales : *code télégraphique : BENTLEY,* ou, en anglais, *BENTLEY Code used.*
Toutefois, rien n'empêche évidemment les correspondants d'utiliser un *code personnel,* compris d'eux seuls.
A titre d'exemple des avantages présentés par le code télégraphique, supposons que la *Société Nouvelle de Thermodynamique Appliquée, 223 bis, rue Jehan-de-Beauvais-prolongée, à Strasbourg-Molsheim (Bas-Rhin)* veuille écrire à la *Compagnie Industrielle des Frigorifiques d'Australie, 136, Bishop Boulevard, à Sydney (Australie).*
Le message télégraphique à transmettre est le suivant :

Accusons réception votre message du 15 juillet STOP. Acceptons votre offre mais impossible fournir avant trois mois minimum STOP. Sommes acheteurs appareils proposés au prix indiqué si pouvez expédier par bateau arrivant Marseille 20 août dernier délai STOP. Envoyer immédiatement avion échantillon condensateur.

Signature.

On voit ce que coûterait, avec l'adresse et la signature, l'envoi d'un pareil télégramme à destination de l'Australie. Rédigé avec l'un des codes en usage, au contraire, il peut être condensé en sept formules qui seront transmises *pour le prix de sept mots :*

FRIGINCY SYDNEY — NHCYUIOPVI BECOPLIWIS VITYGUSTRO ABIGUROSIX — SOTHERBOURG

Télégrammes téléphonés : Voir p. 45.

Radiogrammes : Voir p. 45.

SIXIÈME PARTIE

LES ACTES SOUS SEING PRIVÉ

CHAPITRE XXIII

LES ACTES SOUS SEING PRIVÉ :
DÉFINITION, PRESCRIPTIONS LÉGALES

On appelle *acte sous seing privé* tout contrat souscrit par les intéressés (ou *parties*) sous leur seule signature, sans intervention d'un officier public.

L'acte sous seing privé s'oppose donc à *l'acte authentique,* lequel est rédigé par un notaire et conservé par lui dans les archives de son étude.

On peut rédiger sous seing privé tous les actes et contrats, *sauf :*

— les contrats de mariage ;

— les donations entre vifs (*voir p.* 295) ;

— les constitutions d'hypothèques et mainlevées d'inscriptions hypothécaires ;

— les cessions de brevets d'invention ;

— les testaments mystiques, authentiques et privilégiés (*voir chapitre XXIX.*

Les actes sous seing privé doivent, en principe, être établis sur papier timbré, sauf les testaments et les effets de commerce ou quittances, qui sont soumis seulement à l'apposition du timbre proportionnel.

Les *actes synallagmatiques* (c'est-à-dire ceux par lesquels plusieurs personnes s'engagent réciproquement : baux, contrats de vente, etc.) doivent être faits en autant d'originaux qu'il y a de parties représentant un intérêt distinct (*Code Civil,* art. 1325), *plus un exemplaire destiné à l'enregistrement.*

L'enregistrement n'est pas obligatoire, mais c'est une formalité qui constitue une précaution utile pour donner *date certaine* aux actes sous seing privé qu'on pourrait être ultérieurement amené à produire en justice.

Pour faire enregistrer un contrat quelconque, il suffit d'en déposer un exemplaire chez le receveur de l'Enregistrement et d'acquitter un *droit* d'enregistrement variable, calculé sur la valeur de l'objet mentionné dans l'acte. Par la suite, si l'une des parties en cause venait à perdre son exemplaire personnel du contrat souscrit, elle pourrait en obtenir une *copie* aux bureaux de l'Enregistrement.

Sauf pour les testaments olographes (*voir chapitre XV*) et les billets ou promesses par lesquels l'une des parties s'engage à payer une certaine somme à l'autre, la rédaction des actes sous seing privé n'est nullement assujettie à l'emploi d'une terminologie particulière. Chacun peut les rédiger comme il l'entend et y faire figurer les clauses qu'il veut. Remarquons toutefois qu'il est prudent de ne pas faire preuve de tendances exagérément fantaisistes dans la rédaction de ces contrats, car toute convention qui s'écarterait trop de la *norme* consacrée par l'usage pourrait donner lieu à des chicanes, contestations et procès.

Toute personne considérée comme légalement capable peut souscrire un acte quelconque. Les *mineurs,* les *prodigues* et les *interdits* sont, sauf exception, *incapables* par définition. C'est donc leur représentant légal (*tuteur, tuteur légal, conseil judiciaire, etc.*) qui signera le contrat en leur lieu et place, en indiquant sa qualité, et en mentionnant la décision de justice qui l'a investi de ses fonctions spéciales.

La *femme mariée* peut également contracter.

CHAPITRE XXIV

ACHAT ET VENTE DE TOUS BIENS

La *vente* est une convention aux termes de laquelle l'une des parties s'oblige à livrer une chose que l'autre s'engage à payer (*Code Civil*, art. 1582). Toute vente suppose un *objet existant ;* que cet objet vienne à disparaître avant la signature du contrat et la vente, automatiquement, devient nulle (*Code Civil*, art. 1601).

Le vendeur doit livrer la chose vendue à son acquéreur *dans l'état où elle se trouve et se comporte au jour de la vente,* sans qu'il lui soit permis de la modifier en aucune façon. Il doit *procurer à l'acheteur une possession utile* (*Code Civil,* art. 1641) et il ne peut exciper de son ignorance des défauts de la chose vendue qui la rendraient impropre à l'usage (vices rédhibitoires, maladies du bétail, etc.). Le vendeur doit encore *garantir à l'acheteur la possession paisible de la chose* (*Code Civil,* art. 1625), ce qui l'oblige à seconder utilement son acquéreur en cas de revendication ou contestation, à l'indemniser du préjudice qui pourrait lui être causé par une décision de justice entraînant son éviction des locaux achetés, etc.

Exemple de contrat de vente de meubles

Entre les soussignés,
M... (*nom, prénoms, profession et domicile du vendeur*),

d'une part,

et M... (*nom, prénoms, profession et domicile de l'acheteur*),

d'autre part,

Il a été convenu et arrêté ce qui suit :
M... (*vendeur*) vend par les présentes à M... (*acheteur*), qui accepte, les meubles ci-après désignés : ... (*état détaillé des meubles vendus*), lesquels

255

meubles lui ont été livrés ce jour (ou bien : *lui seront livrés le... à...*) moyennant la somme de..., payée comptant, dont quittance.

Fait en... exemplaires, à..., le... (*date en toutes lettres*).
Lu et approuvé,   Lu et approuvé,
(*Signature du vendeur*).   (*Signature de l'acheteur*).

Vente de meubles avec paiement différé

Au cas où les objets cédés ne sont pas réglés au comptant, on modifie la formule finale du contrat, suivant les conditions particulières qui sont consenties :

Ces meubles ont été livrés ce jour à M... qui a versé le tiers de cette somme. M... (*acheteur*) s'engage à payer le solde en... mensualités de..., le 15 de chaque mois, la première à échéance du..., sans intérêts.

Lors de chacun des versements mensuels, M... (*vendeur*) fournira à M... (*acheteur*) une quittance de son versement libellée comme suit : Reçu de M..., demeurant à..., rue..., n°..., la somme de F..., acompte mensuel convenu sur l'achat de meubles effectués par lui le...

(*Signature du vendeur*).

... Lesdits meubles ont été livrés ce jour à M..., qui s'engage à payer la somme de..., dans le délai d'un an à compter de ce jour.
... Lesquels meubles M... (*acheteur*) s'engage à faire enlever et transporter à ses frais avant le..., moyennant la somme de..., payable avant tout enlèvement.

Promesse de vente d'immeuble (dite « *compromis* »)

Entre les soussignés,

M... (*nom, prénoms, profession et domicile*),

d'une part,

et M... (*nom, prénoms, profession et domicile*),

d'autre part,

Il a été convenu et arrêté ce qui suit :

M... s'engage par les présentes à vendre à M..., qui accepte, une maison sise à... (*désignation de l'emplacement exact, avec toutes indications utiles : localité, rue et numéro, département, commune, canton, climat, lieudit, etc.*), tenant d'un côté à M... (*nom du propriétaire de l'immeuble contigu*) par un mur (*mitoyen ou non, en totalité ou en partie, etc.*) ;

D'autre côté à M... (*indiquer ici tous les autres voisins dont la propriété borne l'immeuble vendu, avec, dans chaque cas, toutes précisions utiles*).

Ladite maison construite en... (*matériaux*), couverte d'un toit de... (*ardoises, tuiles, etc.*) et comprenant : (*description détaillée et complète : superficie, cours et jardins, plantations, nombre d'étages et de pièces, escaliers, salles de bains, aménagements divers*).

Ainsi d'ailleurs que lesdits lieux s'étendent, se poursuivent et se comportent, avec toutes leurs dépendances, sans aucune exception ni réserve, et sans qu'il soit besoin d'en faire description plus détaillée, le preneur déclarant les parfaitement connaître pour les avoir vus et visités.

Ledit immeuble appartient au vendeur qui l'avait acquis de... (*historique de la propriété au cours des trente années qui précèdent : biens achetés, échangés, recueillis par succession, etc. ; indication des actes successifs et de leurs dates*). Les actes seront passés avant le...

Il est donc convenu que M... (*vendeur*) cède à son tour à M... (*acheteur*), avec la garantie du vendeur, la pleine et entière propriété dudit immeuble à compter du...

La vente est faite moyennant le prix de... que M... (*acheteur*) s'engage à payer dans un délai de... pendant lequel il remplira les formalités de transcription et purge.

Dès le paiement intégral du prix ci-dessus fixé, M... (*vendeur*) remettra à M... (*acheteur*) les titres de propriété de l'immeuble. M... (*acheteur*) pourra cependant percevoir les loyers afférents aux locaux loués dans ledit immeuble à partir... (*de ce jour, ou de telle date déterminée*).

Fait en... exemplaires, à..., le... (*date en toutes lettres*).

Lu et approuvé,　　　　　　　　Lu et approuvé,
(*Signature du vendeur*).　　　　　(*Signature de l'acheteur*).

PURGE DES HYPOTHÈQUES. — Le premier paiement stipulé dans un acte de cette nature ne doit pas avoir lieu avant un délai assez long, afin que l'acheteur ait le temps de faire procéder à la *purge des hypothèques*.

Cette formalité (dont l'accomplissement exige l'assistance d'un avoué) consiste à faire les démarches nécessaires pour que l'immeuble ne soit plus grevé d'hypothèques légales.

CHARGES ET CONDITIONS. — La formule de contrat ci-dessus indiquée peut être l'objet d'adjonctions nombreuses, portant notamment sur les *charges et conditions imposées à l'acheteur* (acceptation de prendre les locaux dans l'état où ils se trouvent, renonciation à toute indemnité pour vétusté ou réparations indispensables, acceptation des servitudes, paiement des contributions et charges, acquittement des droits et frais de timbre et d'enregistrement, engagement d'entretenir aux lieu et place du vendeur l'assurance contre l'incendie contractée par lui, etc.). De son côté, le vendeur s'engage habituellement à rapporter mainlevée des hypothèques ou privilèges antérieurs à la vente dont il doit fournir les certificats de radiation, etc.

Vente d'un terrain

Entre les soussignés :
M... (*nom, prénoms, profession et domicile du vendeur*).

d'une part,

et M... (*nom, prénoms, profession et domicile de l'acheteur*),

d'autre part,

Il a été convenu ce qui suit :

M... (*vendeur*) cède et vend à M... (*acheteur*), qui accepte, une pièce de terre en nature de prairie, de la contenance de ... hectares ... ares environ, ou... mètres carrés environ, sis à..., bordée au Nord par M..., au Sud par le rû de..., à l'Est par la voie ferrée du chemin de fer de..., à l'Ouest par le chemin vicinal ordinaire de... à...

Ladite pièce de terre avait été acquise par... (*vendeur*) à M..., par acte de vente passé devant Mᵉ..., notaire à..., le..., moyennant le prix de... (*somme en toutes lettres*), qui a été payé, après toutes formalités de transcription et de purge d'hypothèques régulièrement remplies.

M... (*acheteur*) déclarant connaître suffisamment la pièce de terre susdésignée, M... (*vendeur*) ne garantit ni sa contenance exacte, ni les revenus qu'elle peut produire.

La vente est faite moyennant le prix de... (*somme en toutes lettres*) que M... (*acheteur*) s'engage à payer dans un délai de..., pendant lequel il pourra, s'il le désire, remplir les formalités de la transcription et de la purge.

Les titres de propriété seront remis à M... (*acheteur*) dès le paiement intégral du prix fixé. M... (*acheteur*) aura le droit de percevoir les revenus afférents à ladite pièce de terre à compter du...

Fait en... exemplaires, à..., le... (*date en toutes lettres*).

Lu et approuvé,   Lu et approuvé,
(*Signature du vendeur*).   (*Signature de l'acheteur*).

ACHAT ET VENTE DE FONDS DE COMMERCE. — Le Code de Commerce, dont l'article 1ᵉʳ définit les commerçants (« les personnes qui exercent des actes de commerce et en font profession habituelle »), est muet sur les *fonds de commerce*, ainsi d'ailleurs que le Code Civil.

Le fonds de commerce n'en existe pas moins, composé d'éléments *incorporels* (clientèle, nom commercial, marque de fabrique, enseigne, droit au bail, etc.) et *corporels* (matériel, marchandises, mobilier commercial). Le *droit au bail*, parmi tous ces éléments, est bien souvent, à l'heure actuelle, celui qui possède le plus de valeur.

Les transactions concernant les fonds de commerce se font d'ordinaire par l'intermédiaire de courtiers ou agents d'affaires, dit « mandataires en fonds de commerce » et couramment appelés « marchands de fonds ». Le marchand de fonds est responsable devant l'acheteur et le vendeur de fonds (*loi du 29 juin* 1935). Sa rémunération consiste en une commission (généralement de 10 %) versée par le vendeur et *qui ne doit être payée que si la vente a été conclue.*

Les marchands de biens sont groupés par spécialités, suivant le genre de commerces dont ils s'occupent plus particulièrement.

L'acheteur éventuel d'un fonds de commerce s'adressera à un marchand de fonds connu et solvable, sans négliger pour autant de requérir l'assistance d'un *conseil juridique*.

L'acte de vente d'un fonds de commerce doit énoncer un certain nombre de mentions obligatoires, telles que l'indication du chiffre d'affaires des trois dernières années, des bénéfices de ces mêmes années, etc. L'omission des mentions légales pourrait entraîner la nullité de l'acte (*voir p.* 262).

Lettre d'un vendeur à un marchand de fonds

Lieu et date.

Monsieur,

Je vous prie de négocier la cession du fonds de commerce de... que j'exploite à..., rue..., n°...

Le prix minimum exigé par moi est de F...

Vous trouverez dans le dossier ci-joint toutes pièces utiles concernant mon fonds de commerce.

Votre commission, fixée à (*maximum 10 %*) du prix indiqué ci-dessus, vous sera payée le jour où l'acquéreur me versera ce prix (la totalité en étant exigible au comptant).

Le mandat que je vous donne par la présente expirera le... Il ne vous donne nullement le droit de traiter en mes lieu et place, votre activité devant se borner à me mettre en rapport avec les acquéreurs possibles. Il est entendu, en outre, que vous vous engagez à ne me présenter comme acquéreurs éventuels que des personnes connues et notoirement solvables.

Veuillez agréer, Monsieur, l'assurance de ma considération distinguée.

Signature.

Lettre d'un acheteur possible à un marchand de fonds

Lieu et date.

Monsieur,

Désirant acquérir éventuellement un fonds de commerce de... dans la ville (*ou la région, ou la rue*) de..., et si possible situé près (*du centre, de la gare, du port, etc.*), je vous prie de me faire savoir si vous pouvez m'indiquer une affaire de ce genre.

Je vous précise que je cherche un fonds (*ancien ou non, en plein essor ou « tombé », etc.*) dont le prix, que je souhaiterais payable par termes, ne devrait pas dépasser F... Pour les marchandises... (*importance du stock souhaité, refus d'un stock très ancien, etc.*).

Au cas où je parviendrais à traiter par votre intermédiaire, il est entendu que votre commission vous serait payée, comme d'usage, par le vendeur.

J'attends vos propositions et suis prêt à vous accompagner pour visiter les fonds que vous pourriez me signaler.

Veuillez agréer, Monsieur, mes salutations distinguées.

Signature.

Lettre du vendeur à l'acquéreur éventuel de son fonds

Lieu et date.

14 pièces jointes.

Monsieur,

Je suis disposé à vous céder mon fonds de commerce de... situé à..., rue..., n°..., aux conditions suivantes :

1° Prix : F..., payable à raison de F... à la signature du compromis, F... à la signature de l'acte définitif, et le solde (F...) par billets de fonds à échéance trimestrielle.

2° Charges et conditions habituelles, frais et droits acquittés par vous, prise de possession fixée au jour de la signature de l'acte définitif.

3° Je me réserverais, bien entendu, le privilège de vendeur, action résolutoire et nantissement, en garantie des... F. qui me resteraient dus.
Veuillez trouver sous ce pli :

— l'état descriptif et estimatif du matériel et des marchandises ;
— mon titre de propriété ;
— le bail des locaux occupés ;
— la feuille d'inscription au Registre du commerce ;
— les polices d'assurances ;
— le bordereau délivré par le percepteur ;
— un état récapitulatif du chiffre d'affaires réalisé par moi au cours
   des cinq dernières années, ainsi que tous documents afférents aux
   frais généraux et impôts.

Espérant que ma proposition rencontrera votre agrément, je vous prie d'agréer, Monsieur, l'expression de mes sentiments distingués.

Signature.

Lettre donnant option sur la vente d'un fonds de commerce

Lieu et date.

Monsieur,

Faisant droit bien volontiers à la demande que vous m'exprimez par votre lettre du..., j'ai l'honneur de vous préciser par la présente que je vous donne aux conditions stipulées dans ma lettre du..., et ce jusqu'au..., date fixée pour la signature du compromis, la préférence à tout autre acheteur qui pourrait m'être envoyé pour l'acquisition de mon fonds de commerce.

Veuillez agréer, Monsieur, l'expression de mes sentiments distingués.

Signature.

Acceptation d'achat d'un fonds de commerce

Lieu et date.

Monsieur,

Après étude du dossier que vous avez bien voulu me confier, je vous informe que je suis à votre disposition pour rédiger avec vous le compromis de vente.

Sous réserve de la signature de ce compromis, et sauf imprévu, j'accepte de me rendre acquéreur de votre fonds de... sis à..., rue..., n°..., au prix de F..., payable comme suit : (*rappel des modalités de paiement*).

La prise de possession aura lieu le jour de la signature de l'acte définitif dans l'étude de M⁰..., notaire à..., étant entendu que cette signature ne saurait être repoussée au-delà du..., dernier délai.

Veuillez agréer, Monsieur, l'expression de mes sentiments distingués.

Signature.

Formule d'acte de vente d'un fonds de commerce

Entre les soussignés :

M... (*nom, prénoms, profession et domicile du vendeur*),

d'une part,

et M... (*nom, prénoms, profession et domicile de l'acheteur*),

d'autre part,

Il a été convenu ce qui suit :

M... (*vendeur*) cède et vend par les présentes avec toutes garanties de droit à M... (*acheteur*), qui accepte, la pleine et entière propriété, à partir du..., du fonds de commerce de... (*nature du commerce*) qu'il exploite à..., rue..., n°..., et qui comprend :

(*détail des éléments corporels et incorporels : clientèle, matériel, marchandises, marque de fabrique, etc.*).

Ainsi d'ailleurs que le tout s'étend, se poursuit et se comporte sans aucune exception ni réserve, l'acquéreur déclarant le parfaitement connaître pour l'avoir vu et visité.

M... (*vendeur*) indique ici qu'il est propriétaire dudit fonds, pour l'avoir acquis de M..., le..., par acte..., pour le prix de F..., se décomposant comme suit : F... pour les éléments incorporels ; F... pour le matériel et les marchandises.

Il précise que le fonds n'est actuellement grevé d'aucun privilège ni nantissement.

Il indique qu'il a réalisé au cours des trois dernières années les bénéfices et les chiffres d'affaires suivants : 19... F... F... ; 19... F... F... ; 19... F... F...

En outre, M... (*vendeur*) cède et transporte par les présentes à M... (*acheteur*), qui accepte, pour le temps qui en reste à courir à compter du..., date fixée pour l'entrée en jouissance, le bail concernant les lieux où est présentement installé le fonds de commerce dont s'agit, et dont copie a été remise à l'instant à M... (*acheteur*), qui le reconnaît. Ledit bail avait été consenti à M... (*vendeur*) par M... (*nom, prénoms, profession et domicile du bailleur*) pour une durée de... années, commençant le... et finissant le..., moyennant le versement annuel de F..., payables en termes égaux, outre les charges et conditions portées.

M... (*acheteur*) s'engage à ce sujet à :

1° Exécuter toutes les clauses et conditions que comporte ledit bail ;

2° Payer en l'acquit de M... (*vendeur*) à M... (*bailleur*) le montant des loyers convenus, le premier paiement devant être effectué le... et les autres aux époques indiquées audit bail, et ce jusqu'à son expiration, de telle sorte que M... (*vendeur*) ne puisse être inquiété ni recherché à leur propos.

La présente vente est faite moyennant la somme principale de F..., savoir :

— F... pour le fonds de commerce ;
— et F... pour le matériel d'exploitation ci-énoncé.
M... (*acheteur*) s'engage à s'acquitter de cette somme comme il suit :
— F... comptant, le... ;
— F... le...

Pour ce qui concerne le prix des marchandises, il est entendu que M... (*acheteur*) paiera comptant la somme de F..., le solde, soit F..., devant être réglé... (*préciser les modalités de règlement dans le détail*).

Fait en... exemplaires, à..., le... (*date en toutes lettres*).

La partie soussignée affirme, sous les peines édictées par l'art. 8 de la loi du 18 avril 1918, que le présent acte exprime l'intégralité du prix.	La partie soussignée affirme, sous les peines édictées par l'art. 8 de la loi du 18 avril 1918, que le présent acte exprime l'intégralité du prix.
Lu et approuvé, certifié sincère et véritable,	Lu et approuvé, certifié sincère et véritable,
Signature du vendeur.	*Signature de l'acheteur.*

Ces mentions (depuis « *La partie soussignée* »... jusqu'à la fin de l'acte) doivent être écrites *à la main* par chacune des parties.

L'acte de vente souscrit à l'occasion de la cession d'un fonds de commerce comporte encore, la plupart du temps, des clauses particulières concernant la *publicité* qui doit être donnée à la transaction dans un journal d'annonces légales, la *purge des hypothèques,* les *charges et conditions* spéciales acceptées par l'acheteur et le vendeur, etc. L'acte mentionne encore le *privilège du vendeur* et son droit de *nantissement*.

PRIVILÈGE DU VENDEUR. — Le privilège permet au vendeur qui a accepté de l'acheteur des *billets de fonds* d'être garanti du solde à percevoir, avant tous créanciers, *même en cas de faillite*.

Pour bénéficier de cette garantie exceptionnelle, le vendeur doit :

1° Faire constater la vente par un acte enregistré :
2° Faire inscrire le privilège au Greffe du Tribunal de Commerce dans les quinze jours qui suivent la signature de l'acte.

Le vendeur peut également obtenir la *résolution de la vente pour défaut d'exécution* (*Code Civil,* art. 1184), mais seulement s'il est fait mention de cette réserve dans l'acte et si ladite mention figure également dans l'inscription du Greffe.

NANTISSEMENT. — Aux termes de l'article 8 de la loi du 7 mars 1909, les fonds de commerce peuvent faire l'objet de *nantissements*.
Contrairement à ce que l'on croit volontiers, le nantissement ne permet pas au créancier-gagiste de « reprendre son fonds », c'est-à-dire de se le faire attribuer en paiement. Le nantissement porte seulement sur la clientèle, le droit au bail et l'achalandage ; éventuellement, il peut concerner aussi, moyennant mention spéciale, le matériel, l'outillage, les marques de fabrique.

Nécessairement exprimé dans l'acte, et enregistré, le nantissement doit être inscrit au Greffe du Tribunal de Commerce dans le délai de quinze jours, tout comme le privilège. Il n'est pas opposable en cas de faillite.
Voici d'ailleurs un résumé des formalités qu'il est nécessaire d'accomplir après la vente d'un fonds de commerce.

FORMALITÉS NÉCESSAIRES APRÈS LA VENTE D'UN FONDS DE COMMERCE

1° *Enregistrement* (délai : un mois).

2° *Première insertion dans un Journal d'annonces légales* (délai : 15 jours).

3° *Deuxième insertion* (doit être faite du 8ᵉ au 15ᵉ jours après la première).

4° *Insertion dans* le Bulletin du Registre du Commerce.

5° *Réquisition d'un* état des inscriptions de privilège de vendeur ou de nantissement.

6° *Inscription, au Greffe du Tribunal de Commerce,* du privilège de vendeur, privilège de nantissement (*sous quinze jours*), réserve d'action résolutoire et dépôt de bordereaux.

7° *Signification de la vente au bailleur* (s'il n'a pas déjà accepté par un acte quelconque la cession de bail au nouveau locataire).

8° *Signification de la vente aux Compagnies d'assurances qu'elle intéresse.*

9° *Radiation du vendeur* au Registre du Commerce ; *inscription du nouveau propriétaire du fonds.*

10° *Déclaration de la vente aux services* du Chiffre d'Affaires, des Allocations Familiales, de la Sécurité Sociale, *à l'inspecteur des* Contributions Directes *et, si besoin est,* au Syndicat Professionnel.

11° *Transfert des contrats* d'eau, gaz, électricité, téléphone.

CHAPITRE XXV

LA LOCATION : BAUX, RENOUVELLEMENT, ENTRETIEN DES LOCAUX

Le louage, ou *location*, est un contrat par lequel l'une des parties donne à l'autre la jouissance d'une chose qui lui appartient pendant un certain temps et moyennant un prix fixé (*Code Civil*, art. 1709).

Les baux de location d'une maison, d'un appartement ou d'un local commercial (*baux à loyer*), ainsi que ceux qui concernent les exploitations rurales (*baux à ferme*), sont généralement rédigés par les notaires. *Ils doivent être enregistrés.*

De simples « engagements de location » peuvent en tenir lieu.

Acte de location d'un immeuble (bail à loyer)

Entre les soussignés :

M... (*nom, prénoms, profession et domicile*), propriétaire (ou *locataire principal*) des lieux ci-après désignés,

d'une part,

et M... (*nom, prénoms, profession et domicile du nouveau locataire*),

d'autre part,

Il est convenu ce qui suit :

M... (*propriétaire*) loue par les présentes à M..., qui accepte, et ce pour une durée de... années entières et consécutives qui commenceront le... pour finir le... (ou bien : ... *pour trois, six ou neuf années entières et consécutives au choix respectif des parties, qui commenceront à courir le...*) les lieux ci-après désignés : ... (*description aussi complète que possible des lieux loués : maison, appartement, etc., en indiquant l'étage, le nombre de pièces, les jardins, cours, remises ou garages, etc.*).

Ainsi d'ailleurs que lesdits lieux s'étendent, se poursuivent et se comportent, avec toutes leurs dépendances, sans aucune exception ni réserve, et sans qu'il soit besoin d'en faire désignation plus détaillée, le preneur déclarant les bien et parfaitement connaître pour les avoir vus et visités.

M... (*locataire*) s'oblige par les présentes à remplir les conditions suivantes :

1° Garnir les lieux loués de meubles ou objets mobiliers d'une valeur suffisante pour garantir le paiement des loyers ;

2° Occuper les lieux bourgeoisement, sans y exercer aucune industrie ni commerce ;

3° Les entretenir de toutes réparations locatives et les rendre, à la fin du présent bail, conformes à l'état des lieux qui en sera dressé, en double exemplaire, aux frais du preneur et contradictoirement avec lui par... (*l'architecte, le gérant, etc.*) du bailleur lors de l'entrée en jouissance (ou bien : *dans la quinzaine, dans le mois, etc. qui suivra l'entrée en jouissance*) ;

4° Acquitter exactement et ponctuellement les contributions qui peuvent lui incomber, satisfaire à toutes les charges ;

5° Souffrir toutes les grosses réparations auxquelles il pourrait être nécessaire de procéder, tant que durera le présent bail, et sans pouvoir prétendre pour cela à une diminution de loyer, ni à aucun dommages-intérêts, à condition que lesdits travaux n'excèdent pas une durée de... (ou bien : *...quelle que soit la durée desdits travaux*) ;

6° Ne pas céder son droit au présent bail, ni sous-louer tout ou partie sans le consentement exprès et par écrit du bailleur, et, dans ce cas, sans demeurer débiteur, solidairement avec le cessionnaire ou sous-locataire, du montant des loyers et de l'entière exécution du présent bail pendant toute sa durée ;

7° S'assurer contre les risques d'incendie auprès d'une compagnie notoirement solvable et justifier de ladite assurance sur toute demande du bailleur ;

8° Supporter tous les frais du présent bail.

Le présent bail est consenti moyennant un loyer annuel de... francs, que M... (*locataire*) s'oblige à payer au bailleur (ou bien : *...au porteur de ses titres et pouvoirs, à M..., gérant de l'immeuble, etc.*) en quatre termes égaux, les 1er janvier, avril, juillet et octobre de chaque année, pour le paiement être effectué le... et les autres de trois en trois mois jusqu'à expiration du bail, étant expressément convenu qu'à défaut de paiement d'un seul terme à son échéance, et huit jours après (ou *quinze jour,* ou *un mois*) un simple commandement demeuré sans effet, le présent bail sera résilié de plein droit, sans préjudice de tous dépens, dommages et intérêts.

Et M... (*locataire*) a remis à l'instant à M... (*propriétaire, gérant, etc.*), qui le reconnaît, la somme de F... pour... mois d'avance du loyer ci-dessus indiqué, laquelle somme est uniquement imputable sur les droits de jouissances des... derniers mois du présent bail et sera acquise de plein droit au bailleur ou à ses ayants droit à titre d'indemnité, en cas de résiliation anticipée du fait de M... (*locataire*), dont quittance.

Fait en... exemplaires, à..., le... (*date en toutes lettres*).

Lu et approuvé,
(*Signature du vendeur*).

Lu et approuvé,
(*Signature de l'acheteur*).

État des lieux

On appelle *état des lieux* un acte, passé entre propriétaire et locataire, contenant une description aussi exacte que possible des lieux loués et de l'état dans lequel ils se trouvent au moment de l'entrée en jouissance.

L'état des lieux peut être dressé par le propriétaire lui-même, en présence du locataire, ou par un architecte, un gérant, etc., dûment mandaté pour cela par le bailleur.

Sauf convention contraire, les frais entraînés par l'établissement de *l'état des lieux* sont habituellement supportés solidairement par le propriétaire et le locataire qui en acquittent chacun la moitié.

Assez fréquemment, le locataire s'engage, dans l'acte de location, à rendre les lieux loués, à l'expiration de son bail, *dans l'état même où il les a trouvés lors de l'entrée en jouissance.*

Pour la location des maisons ou appartements meublés, *l'état des lieux* se trouve toujours augmenté d'un inventaire précis, détaillé et complet de tous les meubles, objets, linge, bibelots, etc., qui garnissent les locaux loués. Vérifié et collationné par le locataire à son entrée en jouissance, cet inventaire l'est aussi par le propriétaire quand la location prend fin.

Échanges

La loi autorise l'échange des locaux d'habitation « en vue d'une meilleure utilisation familiale ». Chaque co-échangiste doit avertir son propriétaire par lettre recommandée avec accusé de réception ; le propriétaire qui entend s'opposer à l'échange doit saisir la juridiction compétente *dans un délai de quinze jours.*

Notification d'échange
(lettre recommandée avec accusé de réception)

Lieu et date.

Monsieur,

J'ai l'honneur de vous informer que j'entends échanger l'appartement que j'occupe dans votre immeuble avec celui de Mme V. Robert, 24, rue Turgot, à Paris, dont le propriétaire est la Société..., rue... Cet échange réalisera la meilleure utilisation familiale aux termes de la loi, puisque j'irai avec ma femme et mes deux enfants occuper l'appartement de 5 pièces de la rue Turgot, tandis que Mme Robert, qui est seule, occupera mon logement de deux pièces.

Veuillez agréer, Monsieur, mes salutations distinguées.

Signature.

Bail concernant une ferme

Entre les soussignés :

M... (*nom, prénoms, profession et domicile*), propriétaire des lieux ci-après désignés,

d'une part,

et M... (*nom, prénoms, profession et domicile*),

d'autre part,

Il est convenu ce qui suit :

M... (*propriétaire*) afferme par les présentes à M.. (*locataire*), et ce pour... années consécutives, qui commenceront le... et finiront le... les biens ci-après désignés : ...

(*énumération des bâtiments : habitation, écuries, granges, caves, etc. ; désignation des terrains, prés, bois, vignes, plantation ou cultures*).

Le présent bail est fait moyennant la somme annuelle de F... que le preneur s'engage à payer chaque année en... versements égaux, dont le premier le... prochain, le second, le..., pour être ainsi continué, de terme en terme, jusqu'à l'expiration du bail.

Ledit bail est consenti aux clauses et conditions suivantes :

1° Le preneur s'oblige à tenir ladite ferme constamment garnie de meubles, grains, fourrages, bestiaux et tous objets d'exploitation représentant une valeur suffisante pour garantir le paiement des fermages ;

2° Il sera tenu d'effectuer à ses frais toutes réparations locatives (dont ramonage des cheminées, vidange des fosses d'aisance, curage des puits et mares) et devra rendre les lieux, à l'expiration du présent bail, conformes à l'état qui en sera dressé entre les parties avant l'entrée en jouissance ; il devra également souffrir, sans aucune indemnité ou diminution de loyer, les grosses réparations que pourraient exiger lesdits bâtiments, et ce quelle qu'en soit la longueur ;

3° Il labourera, fumera et ensemencera les terres arables, fauchera les prés en saison convenable, le tout aussi fréquemment qu'il sera nécessaire ;

4° Il convertira toutes les pailles en fumier pour l'engrais des terres, sans pouvoir en vendre ou distraire aucune portion, et laissera sur place, en fin de bail, toutes celles qui resteront ;

5° Il entretiendra, soignera, taillera les arbres fruitiers et les vignes, remplaçant à ses frais les arbres ou pieds en cas de mort, toutes les fois qu'il sera nécessaire ;

6° Il entreprendra tous travaux utiles pour maintenir les lieux loués en bon état de production : entretien des clôtures, plantation et taillage des haies, vidange et curage des fosses d'écoulement, etc., selon que besoin sera ;

7° Il acquittera l'impôt foncier pendant toute la durée du présent bail, ainsi que toutes les charges annexées aux présentes ;

8° Ledit bail expiré, il rendra les cultures en bon état, ainsi que tous ustensiles, instruments ou machines ;

9° Il prendra à son compte tous risques de grêle, inondation, gelée, épidémie, stérilité ou tous autres, sans jamais pouvoir prétendre de ce fait à une diminution quelconque du loyer et des charges.

10° Il s'assurera contre les risques d'incendie auprès d'une Compagnie notoirement solvable et justifiera de l'entretien de ladite assurance à toute réquisition du bailleur ;

11° Il est expressément entendu, au surplus, qu'il ne pourra céder ni transporter son droit au présent bail sans le consentement exprès et par écrit du bailleur.

Fait en... exemplaires, à..., le... (*date en toutes lettres*).

Lu et approuvé,   Lu et approuvé,
(*Signature du locataire*).   (*Signature du propriétaire*).

Acte de cession de bail

Entre les soussignés :

M... (*nom, prénoms, profession et domicile du cédant*),

d'une part,

et M... (*nom, prénoms, profession et domicile du cessionnaire*),

d'autre part,

Il a été convenu et arrêté ce qui suit :

M... (*cédant*) cède et transporte par les présentes à M..., qui accepte, le droit au bail qui lui a été consenti par M... (*propriétaire*) suivant acte sous seing privé souscrit le... et enregistré le..., et ce pour le temps qui en reste à courir à compter du...

Ledit bail concernant (*désignation des locaux loués avec description précise et détaillée*) sis à..., rue..., n°..., et dont copie a été remise ce jour à M... (*cessionnaire*), qui le reconnaît, avait été consenti à M... (*cédant*) pour une durée de... années, commençant le... et finissant le..., moyennant le paiement d'un loyer annuel de F..., payables par termes égaux, de... mois en... mois, outre les clauses, conditions et charges y portées.

Ledit bail est cédé et transporté par les présentes à M... (*cessionnaire*) à charge pour lui :

1° D'exécuter toutes clauses et conditions mentionnées audit bail ;

2° De payer en l'acquit de M... (*cédant*), à M... (*propriétaire*) le montant des loyers fixés, le premier paiement devant être effectué le..., et les autres suivant les époques mentionnées audit bail et jusqu'à son expiration, de telle sorte que M... (*cédant*) ne puisse être inquiété ni recherché à leur propos.

M... (*nom, prénoms, profession et domicile*), propriétaire des lieux susdits, est intervenu aux présentes et il a déclaré tenir pour agréable la présente cession, dispensant les parties de la lui signifier.

Fait en... exemplaires, à..., le...

Lu et approuvé,
(*Signature du cessionnaire*).

Lu et approuvé,
(*Signature du cédant*).

Lu et approuvé,
(*Signature du propriétaire*).

Exemple de résiliation de bail

Entre les soussignés :

M... (*nom, prénoms, profession et domicile*), propriétaire des lieux ci-après désignés,

d'une part,

et M... (*nom, prénoms, profession et domicile du locataire*),

d'autre part,

Il a été convenu et arrêté ce qui suit :

1° Un bail pour... (*désignation précise des lieux loués*) et qui doit expirer le... a été souscrit entre MM... (*noms du propriétaire et du locataire*), suivant acte sous seing privé signé le..., enregistré le..., à...

2° MM... (*propriétaire et locataire*) désirant tous deux y renoncer aujourd'hui, ils déclarent par les présentes et d'un commun accord que ledit bail sera résilié à dater du...

3° En conséquence, M. (*locataire*) s'oblige à rendre les lieux loués à la date susdite, en bon état de réparations locatives, et à payer le montant des loyers échus.

4° La somme de F..., versée par M... (*locataire*) à M... (*propriétaire*) à titre d'avance sur loyers lui sera remboursée... (*indication de la date du remboursement, ou de la forme sous laquelle il sera effectué : imputation de la somme aux réparations locatives, aux loyers échus, etc.*).

Fait en... exemplaires, à..., le...

Lu et approuvé,   Lu et approuvé,
Signature du propriétaire.   *Signature du locataire.*

Modèle de congé

Entre les soussignés, il est convenu et arrêté ce qui suit :

M..., propriétaire d'une maison sise à..., rue..., n°..., donne par les présentes, congé à M..., son locataire, qui l'accepte, pour quitter les lieux qu'il occupe dans ladite maison, à la date du...

De son côté, M..., locataire, promet de quitter lesdits lieux au jour convenu, avant midi, et d'en remettre les clefs au propriétaire, après avoir satisfait à toutes les prescriptions légales.

Fait en... exemplaires, à..., le...

Lu et approuvé,   Lu et approuvé,
Signature du propriétaire.   *Signature du locataire.*

Modèle de quittance de loyer

Je reconnais avoir reçu de M... la somme de... (*en toutes lettres*) pour le terme échu le... (*date en toutes lettres*) de l'appartement qu'il occupe (ou *de la maison, de la remise, etc., que je lui ai louée*) dans ma maison sise à..., rue..., n°...

Dont quittance, sous réserve de tous droits.

A..., le...

Signature du propriétaire, mandataire ou gérant.

Les quittances de loyer comportent d'ordinaire, dans leur partie gauche, un détail de la somme due (loyer principal, portes et fenêtres, eau, ordures ménagères, prestations, timbre, etc.). Elles sont généralement établies au moyen de formules imprimées qu'il suffit de remplir.

Sous-locations

Lorsque le locataire est en droit de sous-louer une partie des lieux loués, il est tenu de notifier au bailleur, *dans un délai d'un mois*, la sous-location, par lettre recommandée avec accusé de réception, en précisant le prix demandé au sous-locataire.

Notification de sous-location
(lettre recommandée avec accusé de réception)

Lieu et date.

Monsieur,

Par la présente lettre recommandée, j'ai l'honneur de vous faire savoir que depuis le 1er courant je sous-loue à M..., moyennant le prix mensuel de F... ma chambre du 6e étage.

Veuillez agréer, Monsieur, mes salutations distinguées.

Signature.

Demande de renouvellement d'un bail commercial

La loi du 30 juin 1926, plusieurs fois modifiée par d'autres prescriptions légales, consacre l'existence de la *propriété commerciale* en assurant aux locataires commerçants le renouvellement de leurs baux, ou le versement d'une importante indemnité d'éviction.

Toutefois, pour bénéficier des dispositions légales lui assurant le renouvellement de son bail, le commerçant doit :

1° Pouvoir justifier d'une jouissance consécutive des lieux loués *pendant trois ans au moins*.

2° Adresser au bailleur la demande de renouvellement dans les six mois précédant l'expiration du bail.

La demande de renouvellement doit être signifiée au propriétaire par ministère d'huissier. Voici un exemple de ce genre de demande :

Mon cher Maître,

Aux termes d'un acte sous seing privé intervenu entre nous le... et enregistré à..., le..., M..., propriétaire d'un (*immeuble, magasin, atelier, etc.*) sis à..., rue..., n°..., m'a consenti un bail de... années, à compter du... et venant à expiration le... pour... (*désignation précise des lieux loués*) sis au lieu susdit (*indication éventuelle de la cour, de l'étage, etc.*).

Je vous prie de délivrer à M... (*propriétaire*) l'acte nécessaire pour me permettre de bénéficier du droit de renouvellement accordé par le décret du 3 janvier 1966.

Veuillez agréer, mon cher Maître, l'expression de mes sentiments les meilleurs.

Signature.

Avant l'envoi d'une telle demande par ministère d'huissier, on peut, si l'on entretient de bonnes relations avec le propriétaire, lui adresser une simple *demande amiable* de renouvellement.

Le propriétaire *peut refuser* de renouveler le bail commercial, sans être obligé, pour autant, de verser au commerçant *l'indemnité d'éviction* prévue, *mais seulement dans les cas suivants :*

— S'il peut prouver que l'immeuble en cause doit être démoli ou complètement réaménagé pour cause de vétusté, insalubrité, etc. ;

— S'il justifie d'un motif grave et légitime à l'encontre du locataire sortant.

D'autre part, le bailleur peut refuser le renouvellement du bail, exclusivement sur la partie constituant des locaux d'habitation accessoires des locaux commerciaux, s'il désire reprendre ces lieux pour les habiter lui-même, ou pour y loger son conjoint, ses ascendants ou ses descendants (à condition que le bénéficiaire de la reprise ne dispose pas d'une habitation correspondant à ses besoins).

Le locataire commerçant peut demander à son bailleur l'autorisation d'exercer une ou plusieurs activités non prévues au bail ; le bailleur doit faire connaître son acceptation ou son refus dans *un délai d'un mois*.

Le fonds ne peut pas être cédé dans les trois années qui suivent la transformation.

*Demande de réparations
par un locataire commerçant à son propriétaire*

Recommandée.

Lieu et date.

Monsieur,
La porte de mon arrière-boutique donnant sous la voûte de l'immeuble où j'exerce mon commerce de... est à ce point vermoulue qu'il est impossible d'en assurer la fermeture.

Je vous prie donc de faire procéder d'urgence à sa réparation ou à son remplacement, ce défaut de clôture m'exposant à des vols que mon assurance refuserait de couvrir.

Veuillez agréer, Monsieur, mes salutations distinguées.

Signature.

*Réclamation d'un commerçant à son propriétaire
pour trouble de jouissance*

Recommandée.

Lieu et date.

Monsieur,
Le marchand de poisson installé chaque matin, depuis quelques jours, sous la voûte de l'immeuble où j'exerce mon commerce de parfumerie-ganterie, m'affirme qu'il a obtenu de vous l'autorisation nécessaire.

Je suis persuadé qu'il n'en est rien et que vous lui ferez immédiatement signifier d'avoir à déguerpir.

Au cas, pourtant, où vous auriez jugé bon de lui accorder cette autorisation, je vous prie de la rapporter immédiatement. La présence de ce marchand, les exhalaisons qui se dégagent de ses produits, la saleté qui résulte de son activité et l'affluence qu'attire sa présence au seuil même de ma porte me sont autant de raisons de protester avec énergie contre une situation qui entraîne pour moi des troubles de jouissance que je ne saurais tolérer.

Comptant absolument que vous agirez au plus tôt, je vous prie d'agréer, Monsieur, mes salutations distinguées.

Signature.

Si le propriétaire refusait de donner satisfaction aux réclamations qui précèdent (défaut de clôture, trouble de jouissance), *le locataire serait obligé, pour obtenir gain de cause, de l'assigner devant le Tribunal Civil.*

276

CHAPITRE XXVI

L'ÉCHANGE ET LE PRÊT

L'échange est un contrat par lequel les deux parties se donnent respectivement une chose pour une autre (*Code Civil*, art. 1702).

Si les deux choses échangées ne présentent pas la même valeur, ce qui est fréquemment le cas, la somme à payer par l'une des parties pour compenser cette différence de valeur peut être mentionnée dans l'acte d'échange. Cette somme complémentaire est appelée *soulte*.

Formule générale d'échange

Entre les soussignés :

M. A... (*nom, prénoms, profession et domicile*),

d'une part,

et M. B... (*nom, prénoms, profession et domicile*),

d'autre part,

Il a été dit et convenu ce qui suit :

M. A... cède à titre d'échange à M. B..., qui accepte, un... (*désignation et description précises de l'objet échangé*)

et M. B... cède au même titre au susdit M. A..., qui accepte également : (*désignation et description précises de l'objet échangé*).

Il est entendu que MM. A... et B... se transfèrent réciproquement, avec toutes garanties de fait et de droit, la pleine et entière propriété des objets ci-dessus désignés, et ce à dater du...

Le présent échange est fait sans soulte ni retour (ou bien : ... *moyennant une somme de..., payée comptant par M. A..., dont quittance,* ou encore : ...*moyennant le versement par M. B... d'une soulte de F... qu'il s'engage à verser à M. A... en un seul paiement, en plusieurs paiements d'égale valeur, le premier le..., et les autres..., etc...)*

Pour la perception des droits d'enregistrement seulement, et sans que cela puisse tirer à conséquence entre elles, les parties déclarent :

— que le... *(objet donné en échange par M. A...)* donné en échange par M. A... possède une valeur vénale de F... ;

— et le... *(objet donné en échange par M. B...)* donné en échange par M. B..., une valeur vénale de F...

Fait en... exemplaires, à..., le...

<table>
<tr><td>Lu et approuvé,
Signature de M. A...</td><td>Lu et approuvé,
Signature de M. B...</td></tr>
</table>

En cas *d'échange d'immeubles*, l'acte devra préciser outre la description exacte et détaillée des immeubles, l'obligation pour les échangistes de remplir, dans un délai fixé, les formalités de la transcription et de la purge des hypothèques.

PRÊT A USAGE. — Défini par l'article 1889 du *Code Civil*, le *prêt à usage* s'applique uniquement à un ou des objets que l'emprunteur doit utiliser pour un usage déterminé, convenu entre les parties, et qu'il doit restituer à l'expiration du délai fixé.

Le prêt à usage est obligatoirement *gratuit* ; payant, il deviendrait une *location*.

Acte de prêt à usage

Entre les soussignés :
M... *(nom, prénoms, profession et domicile du prêteur),*

d'une part,

et M... *(nom, prénoms, profession et domicile de l'emprunteur),*

d'autre part,

Il est dit et convenu ce qui suit :

M... *(prêteur)* prête à M... *(emprunteur)*, qui accepte :
(énumération et description des choses prêtées, précisant leur nature exacte et l'état dans lequel elles se trouvent).

M... *(emprunteur)* reconnaît par les présentes qu'il a reçu ce jour lesdits objets, dont il s'engage à ne se servir que pour... *(usage prévu par l'emprunteur et permis par le prêteur).*

Il devra veiller en bon père de famille à leur entretien et conservation et il s'engage à les rendre à M... (*prêteur*) dans l'état où ils se trouvent actuellement, dans le délai de..., ainsi qu'à indemniser ce dernier de toutes les détériorations qu'ils pourraient avoir subies de son fait, à dire d'experts.

Fait en... exemplaires, à..., le...

Lu et approuvé,
Signature du prêteur.

Lu et approuvé,
Signature de l'emprunteur.

PRÊT DE CONSOMMATION. — Ce genre de prêt (*Code Civil*, art. 1894) s'applique aux choses susceptibles d'être consommées par l'usage (aliments, boissons, grains et fourrages, bois de chauffage, etc.). Il résulte de cette définition qu'un objet susceptible d'être consommé mais *seul de son espèce, unique en son genre,* ne saurait être prêté.

Si l'emprunteur ne peut restituer au prêteur des objets ou marchandises semblables à ceux qu'il avait reçus de lui, il peut s'acquitter de sa dette par un versement d'argent (*Code Civil*, art. 1903) ; il peut être amené aussi, en cas de restitution tardive, à payer des intérêts au prêteur (art. 1904).

Le *prêt de consommation*, gratuit en principe, entraîne souvent le paiement d'intérêts, surtout lorsqu'il s'agit d'un *prêt d'argent* (*voir plus loin :* Prêt à intérêt).

CONTRAT POUR PRÊT DE CONSOMMATION

Entre les soussignés :

M... (*nom, prénoms, profession et domicile du prêteur*),

d'une part,

et M... (*nom, prénoms, profession et domicile de l'emprunteur*),

d'autre part,

Il est dit et convenu ce qui suit :

M... (*prêteur*) prête à M... (*emprunteur*), qui accepte :

(*énumération des denrées, marchandises ou produits prêtés ; définition de leur nature exacte ; qualité et quantité ; valeur vénale, etc.*).

lesdits... (*objets, marchandises, etc.*) ayant été dûment... (*mesurés, comptés ou pesés*) ce jour même, en présence et sous contrôle de M... (*emprunteur*), qui le reconnaît.

M... (*emprunteur*) s'oblige à rendre à M... (*prêteur*) une pareille quantité... (*un pareil nombre, un pareil poids, etc.*) de... (*choses prêtées*) de... (*même qualité, même valeur*) le...

Au cas où M... (*emprunteur*) manquerait à se libérer à la date ci-dessus fixée, il est expressément convenu qu'il devra en outre et de plein droit l'intérêt à...% l'an du prix des (*marchandises, denrées...*), calculé à raison de... francs le... (*litre, kilogramme, mètre, douzaine, etc...*).

Fait en... exemplaires, à..., le...

Lu et approuvé,   Lu et approuvé,
Signature du prêteur.   *Signature de l'emprunteur.*

PRÊT D'ARGENT. — Le prêt d'argent est une opération commerciale par définition, mais il peut arriver que la nature des relations qui existent entre prêteur et emprunteur lui enlève ce caractère. Le prêt, dans ces conditions, n'est plus qu'un *service amical* et, comme tel, il n'est pas obligatoirement assujetti aux formalités d'usage dans les autres cas.

Lettre pour solliciter un prêt d'argent

Lieu et date.

Cher Monsieur,

La vieille amitié qui nous lie et la bienveillance dont vous avez fait preuve à mon égard, dans de si nombreuses circonstances, depuis que nous nous connaissons, m'autorise aujourd'hui à recourir à vous.

Par suite de la faillite Mesnier (ou *de la maladie de ma femme*, ou *du retard apporté dans leurs paiements par mes débiteurs, etc.*), je me trouve avoir besoin de... francs sous... (*délai*) pour... (*exposé des motifs : paiements qui ne peuvent être différés, conclusion d'affaires importantes et urgentes, acquisitions « à saisir », etc.*).

Voudriez-vous, s'il vous est possible de disposer de cette somme, me l'envoyer aussitôt ? Je m'engage ici à vous la restituer au plus tard le...

En cas d'impossibilité de votre part, veuillez me le faire savoir sans tarder, afin que je m'efforce de trouver la somme par ailleurs. Mais je ne vous cache pas que j'aimerais mieux ne devoir qu'à vous un service de cette nature.

Avec tous mes sentiments de gratitude anticipée, veuillez croire, cher Monsieur, à mon plus cordial souvenir.

Signature.

Réponse à la précédente (refus)

Lieu et date.

Cher Monsieur,

Rien ne m'aurait été plus agréable, vous le pensez bien, que de vous rendre le petit service que vous me demandez par votre lettre du...

Il m'est malheureusement impossible de le faire, car je viens de payer moi-même une très forte somme pour... (*détails sur le prétexte invoqué*) et je manque totalement de fonds disponibles, à l'heure actuelle.

Je vous en exprime tous mes regrets et vous prie de croire, cher Monsieur, à mes sentiments bien sincères.

Signature.

Autre réponse (acceptation)

Lieu et date.

Cher Monsieur,

C'est avec plaisir que je vous adresse par... (*mandat, mandat télégraphique, chèque joint, virement bancaire ou postal, etc.*) la somme dont vous avez besoin.

Vous avez eu parfaitement raison de faire appel à moi et la chance a voulu que j'aie justement quelques fonds disponibles, que je suis bien heureux de mettre ainsi à votre disposition.

Que la date du remboursement, je vous en prie, ne vous donne aucune inquiétude. Je n'aurai pas besoin de ces fonds avant le... Vous pouvez donc, si besoin est, les conserver jusque-là sans me gêner en aucune façon.

Croyez-moi toujours, cher Monsieur,

Très cordialement vôtre.

Signature.

PRÊT D'ARGENT A INTÉRÊT. — Le *prêt d'argent* n'est qu'une des formes du *prêt de consommation*.

La formule générale de contrat pour *prêt de consommation* servira donc pour les prêts d'argent.

On se bornera, dans le cas d'un *prêt à intérêt,* à indiquer le taux de l'intérêt fixé :

Entre les soussignés :
M... (*nom, prénoms. profession et domicile du prêteur*),

d'une part,

et M... (*nom, prénoms, profession et domicile de l'emprunteur*),

d'autre part,

Il est convenu ce qui suit :

M... (*prêteur*) prête à M... (*emprunteur*), qui accepte, la somme de F... qui lui ont été réellement comptés ce jour, ainsi qu'il le reconnaît par les présentes.

M... (*emprunteur*) s'engage à rendre à M... (*prêteur*) une pareille somme le..., augmentée des intérêts calculés à...% l'an, à compter du...

Il est expressément convenu que si M... (*emprunteur*) manquait à se libérer à la date susdite, il devrait en outre et de plein droit un intérêt supplémentaire de...% l'an, calculé de la même façon, et à compter de la même date.

Fait en... exemplaires, à..., le...

<table>
<tr><td>Lu et approuvé,
Signature du prêteur.</td><td>Lu et approuvé,
Signature de l'emprunteur.</td></tr>
</table>

CHAPITRE XXVII

MOYENS DE CRÉDIT, EFFETS DE COMMERCE CAUTIONNEMENTS ET NANTISSEMENTS

Reconnaissance de dette

Je, soussigné... (*nom, prénoms, profession et domicile*), reconnais devoir à M... (*nom, prénoms, profession et domicile*), la somme de F... pour... (*origine de la dette contractée*).

Bon pour la somme de... (*somme en toutes lettres*).

Fait à... le...

Signature du débiteur.

Billet simple

Le *billet simple* indique seulement le nom du créancier envers qui le débiteur souscrit une obligation. Il ne peut être *endossé* pour transmission à une tierce personne. Le *délai de prescription* d'un billet simple est de *trente ans*.

Je, soussigné (*nom, prénoms, profession et domicile du débiteur*), m'engage à payer à M... (*nom, prénoms, profession et domicile du créancier*), le... (*date de l'échéance*) la somme de... (*somme en toutes lettres*) pour... (*origine de la dette : travaux exécutés, marchandises fournies, argent prêté sans intérêts, etc.*).

A...., le... (*date en toutes lettres*)

Signature.

Si le billet est écrit d'une autre main que celle du débiteur, ce dernier intercalera, entre la date et sa signature, *la mention suivante :* Bon pour... (*somme en toutes lettres*), de sa main.

Billets à intérêts

Je soussigné (*nom, prénoms, profession et domicile du débiteur*), reconnais avoir reçu ce jour, à titre de prêt, de M... (*nom, prénoms, profession et domicile du créancier*), la somme de... (*en toutes lettres*) que je m'engage à lui rembourser le... (ou bien : *en... paiements trimestriels, annuels de... francs chaque, dont le premier viendra à échéance le...*) avec intérêts à...% l'an à dater de ce jour (ou bien : *chacun de ces remboursements étant augmenté des intérêts échus à... pour cent l'an, portant sur le paiement effectué et la somme restant due*).

Signature.

Quittance d'un billet à intérêts payé

Je soussigné (*nom, prénoms, profession et domicile du créancier*), reconnais avoir reçu ce jour de M... (*nom, prénoms, profession et domicile du débiteur*) la somme de... (*somme en toutes lettres*) en remboursement (ou *en remboursement partiel*) du prêt que je lui ai consenti le... (ajouter s'il y a lieu : *et la somme de... montant des intérêts dus à ce jour*).

A..., le...

Signature.

Billet à ordre

Le *billet à ordre* est celui par lequel le souscripteur s'engage à payer une certaine somme à son créancier *ou à son ordre*, c'est-à-dire à une personne devenue cessionnaire de ses droits par un *endossement*.

Au... (*date*), je paierai à M... (*nom, prénoms, profession et domicile du créancier*) ou à son ordre, la somme de... (*somme en toutes lettres*), valeur reçue en... (*marchandises, en compte, etc.*).

A..., le...

Signature du souscripteur, accompagnée de ses nom et adresse.

ENDOSSEMENT D'UN BILLET A ORDRE. — *L'endossement* consiste en une mention portée au dos d'un effet négociable, par laquelle on autorise une tierce personne à en percevoir le montant.

Payez à l'ordre de M... (*nom du bénéficiaire de l'endossement*) valeur reçue en espèces.

Paris, le... (*date en toutes lettres*).

Signature.

Le billet à ordre doit indiquer *en quoi la valeur* reçue *a été fournie ;* il peut être payable *à vue,* ou à une époque fixée.

Si le souscripteur d'un billet à ordre refuse d'en payer le montant, le porteur du billet fait constater ce refus, *le lendemain de l'échéance,* par un *protêt.* Il peut alors, *dans la quinzaine,* en demander le paiement aux endosseurs, car *toutes les personnes qui ont signé ou endossé un billet en sont solidairement responsables et garantes envers le porteur.*

Le billet à ordre souscrit par un particulier est *prescrit* au bout de *trente ans ;* souscrit par un commerçant, il l'est au bout de *cinq ans.*

LETTRE DE CHANGE OU TRAITE. — La *lettre de change,* plus couramment appelée *traite,* est un contrat par lequel le souscripteur (ou *tireur*), ayant reçu de l'argent comptant ou toute autre valeur, mande à une autre personne (ou *tiré*) de payer une somme déterminée, à celui dont la traite porte le nom (*bénéficiaire* ou *preneur*), ou à la personne à laquelle il a délégué ses droits (*porteur*).

A M... (*nom, prénoms, profession et domicile du tiré*).

A..., le...   BPF... (*somme en chiffres*)

Au... (*date*) veuillez payer contre cette lettre de change à M... (*nom, prénoms, profession et domicile du* preneur), ou à son ordre, la somme de F... (*somme en toutes lettres*), valeur reçue en... (motif de la dette contractée par le tireur : *en marchandises, en compte, etc.*).

Signature du tireur, accompagnée de ses nom et adresse.

DOMICILIATION. — La *domiciliation* (mention que l'on porte habituellement *en bas et à gauche* de la traite, *à l'encre rouge et en la soulignant*) consiste, pour le *tireur,* agissant suivant les instructions du *tiré,* à indiquer à l'encaisseur l'endroit où l'effet sera *payable.*

Payable à la Banque Mortimer, 22 rue de la République, à Brest.

ACCEPTATION ET AVAL. — *L'acceptation* est une mention portée sur l'effet par le *tiré,* qui l'engage à payer ledit effet à son échéance. Elle doit être écrite sur la lettre de change même et en travers. La formule d'acceptation se compose seulement du mot *Accepté,* suivi de la signature du *tiré.* Si l'effet est *à vue,* le mot *accepté* doit être suivi de la date.

La personne qui donne son *aval* à un effet de commerce se porte garante du paiement par cette simple mention. Pour *avaliser* un effet, il suffit d'y porter les mots : *Bon pour aval*, suivis de la signature.

L'aval peut être limité à une somme déterminée.

Acte de cautionnement

Je, soussigné (*nom, prénoms, profession et domicile*) déclare par les présentes me porter caution de M... (*nom, prénoms, profession et domicile du cautionné*) envers M... (*nom, prénoms, profession et domicile*) en ce qui concerne (*exposé de l'affaire ou de l'opération cautionnée*), et ce pour et à concurrence de... francs.

Fait à..., le...

Signature de la personne qui donne sa caution.

Contrat de gage, ou nantissement

Entre les soussignés :

M... (*nom, prénoms, profession et domicile*),

d'une part,

et M... (*nom, prénoms, profession et domicile*),

d'autre part.

Il a été convenu et arrêté ce qui suit :

M... remet et donne en gage à M..., qui accepte, un... (*désignation très précise de l'objet*) en garantie du paiement de la somme de... dont il lui est redevable pour... (*motif de la dette*).

M... (*créancier-gagiste*) sera tenu de restituer ledit gage à M... dès qu'il aura touché la somme ci-dessus mentionnée, principal et intérêts.

A défaut de paiement, au plus tard le... et... jours après une simple sommation de payer demeurée sans résultat, il aura le droit de faire vendre ledit gage en justice et de se faire payer par privilège, de préférence à tous autres, sur le prix qui en sera retiré.

A cet effet, M... (*propriétaire de l'objet donné en gage*) accepte par les présentes que le prix de ladite vente soit remis entre les mains de M... (*créancier-gagiste*), hors sa présence et sans qu'il soit besoin de l'y appeler, par l'officier ministériel qui y aura procédé, auquel il déclare donner ici toutes autorisations et décharges nécessaires.

Fait en... exemplaires, à..., le...

Lu et approuvé,
Signature du propriétaire du gage.

Lu et approuvé,
Signature du créancier-gagiste.

Le *cautionnement* et le *gage,* ou *nantissement,* constituent des *contrats de garantie* qui protègent les créanciers contre les débiteurs insolvables en leur fournissant une *sûreté personnelle* (personne qui s'engage à payer à leur place) ou une *sûreté réelle* (objets ou valeurs confiés en gage).

La *constitution d'hypothèque,* autre moyen pour le débiteur d'offrir une garantie solide à son créancier, fait obligatoirement l'objet d'un acte notarié.

CHAPITRE XXVIII

GÉRANCE, GESTION, TUTELLE ET DÉLÉGATION DE POUVOIRS

Lettre-contrat d'un gérant salarié

Lieu et date.

Monsieur,

Je vous confirme par la présente notre accord verbal de ce jour.

Il est entendu que vous serez, à compter du..., le gérant salarié de mon fonds de commerce de..., sis à..., rue... n°...

Valable pour une durée de..., ce contrat vous est consenti aux conditions ordinaires et de droit. En outre, vos obligations seront plus particulièrement les suivantes :

1° Administrer le susdit fonds de commerce en qualité de mandataire, suivant les pouvoirs que je vous donne ici même, de traiter pour moi, en mon nom et en mes lieu et place, toutes opérations commerciales ;

2° acheter et vendre toutes marchandises, passer tous marchés et assurer leur exécution, vous charger de toutes commissions, tirer et accepter toutes traites jusqu'à un montant de... ;

3° faire tous protêts, dénoncer tous comptes de retour, arrêter tous comptes-courants et autres, actifs et passifs, fixer le reliquat, les recevoir ou payer, signer toute correspondance, et, généralement, entendre, débattre et clore ;

4° retirer de toutes administrations, postes, messageries ou autres, lettres, colis et envois recommandés de toute nature expédiés à mes nom et adresse et en donner bonne et valable décharge ;

5° toucher et recevoir toutes sommes qui peuvent ou pourraient être dues au constituant à raison de l'exploitation du susdit fonds, acquitter celles dont il se trouverait débiteur et, à défaut de paiement, accepter toutes actions ou poursuites ;

6° donner ou retirer quittances ou décharges pour toutes sommes reçues ou payées, et généralement faire le nécessaire.

Votre salaire est fixé à la somme de... par mois, toutes indemnités comprises, vos frais particuliers de déplacement vous étant remboursés sur justification.

Il est expressément entendu que vous vous obligez à maintenir un chiffre d'affaires mensuel et moyen de... Si, pendant une période de... mois, le chiffre ci-dessus fixé et stipulé n'était pas atteint, votre contrat se trouverait rompu de plein droit, sur simple signification à vous faite par lettre recommandée, sans que vous puissiez prétendre à indemnité ou dédommagement quelconques.

Veuillez me confirmer votre accord en reprenant point par point, dans votre réponse, toutes les clauses de la présente.

Je vous prie d'agréer, Monsieur, l'expression de mes sentiments distingués.

Signature.

Un contrat de *gérant salarié*, comme celui qui précède, peut être conclu par une simple lettre. Le propriétaire du fonds *reste commerçant* et le contrat qu'il a souscrit avec son gérant est un *contrat de travail*.

Dans le cas d'une *gérance libre*, au contraire, c'est le gérant qui *assume tous les risques* et *encaisse tous les profits* de l'exploitation. Complètement *indépendant*, il a *seul la qualité de commerçant*. Son droit de gérance, qui n'est *ni cessible, ni aliénable*, lui est concédé par le propriétaire du fonds pour une durée déterminée et moyennant une somme variable, dont le montant est débattu entre les parties.

La *gérance libre* présente de gros risques, tant pour le propriétaire que pour son gérant. Il importe donc de se renseigner précisément à cet égard, avant de conclure toute convention de ce genre, auprès d'un officier ministériel ou d'un conseil juridique.

Le pouvoir, ou procuration

L'acte qui constate la procuration et qu'on nomme volontiers *pouvoir* est une pièce que le *mandant* remet à une tierce personne (*mandataire*) pour l'autoriser à agir en ses lieu et place.

Inutile de dire avec quel soin doit être rédigé un acte de cette nature. Toutes les fois qu'on le peut, on recourra aux bons conseils d'un officier ministériel.

Procuration non générale (ou spéciale)

Je, soussigné (*nom, prénoms, profession et domicile du* mandant), donne pouvoir, par les présentes, à M... (*nom, prénoms, profession et domicile du,* ou *de la,* mandataire) de... (*énoncer très précisément l'objet particulier du mandat*)... et, d'une manière générale, faire tout ce qui pourra être utile et nécessaire à cet effet.

En foi de quoi je m'engage dès à présent à avouer M... et à ratifier les actes qu'il aura dû passer pour moi et en mon nom.

Fait à..., le...

Bon pour pouvoir,
Signature du mandant.

Accepté le présent pouvoir,
Signature du mandataire.

Procuration portant autorisation maritale

La formule précédente peut servir pour autoriser une femme mariée à accomplir un acte déterminé, au cas où la *mandataire* est l'épouse du *mandant.* Il suffit pour cela d'y mentionner : « ...donne pouvoir par les présentes à mon épouse, Mme... (*nom du mandant*), née (*nom de jeune fille et prénoms de la* mandataire), demeurant à... (*domicile exact*), de... (*objet du mandat*).

En outre, le *mandant,* pour une procuration donnée à sa femme, fera précéder sa signature de la mention : « *Bon pour pouvoir* et autorisation maritale ».

Procuration pour représenter un tiers à une faillite ou liquidation judiciaire

Je, soussigné (*nom, prénoms, profession et domicile du* mandant), donne pouvoir par les présentes à M... (*nom, prénoms, profession et domicile du* mandataire), de me représenter aux opérations de la faillite de M... (*nom, prénoms, profession et domicile du* failli), dont je suis créancier pour une somme de... francs, en raison de... (*motif de la créance*).

Conséquemment, requérir toutes oppositions, reconnaissances et levées de scellés, procéder à tous inventaires et récolements et faire tous dires, réquisitions et réserves ; demander la nomination de tous syndics ou liquidateurs définitifs, présenter toutes requêtes, faire tous dires ou observations, faire vérifier leur créance, en affirmer la sincérité comme je le fais par les présentes ; vérifier, admettre ou rejeter tous titres produits par les autres créanciers, se faire rendre compte de l'état de la faillite ou liquidation susdite, prendre part à toutes délibérations, consentir toutes remises, accorder termes et délais, traiter, composer, transiger à cet effet, signer tous actes, tous concordats ou arrangements particuliers, s'y opposer, même par les voies extraordinaires, les représenter ou faire représenter à toutes audiences du Tribunal de Commerce qu'il appartiendra, soit en demandant, soit en défendant sur tous incidents, remettre ou retirer tous titres et pièces, toucher tous dividendes et en donner quittance, substituer tout ou partie des présentes, et généralement faire tout ce qui sera nécessaire à mes intérêts, quoique non prévu aux présentes.

En foi de quoi, je m'engage dès à présent à avouer M... (*mandataire*) et à ratifier les actes qu'il aura dû passer pour moi et en mon nom.

Fait à..., le...

Bon pour pouvoir,   Accepté le présent pouvoir,
Signature du mandant.   *Signature du* mandataire.

Procuration générale

Je, soussigné (*nom, prénoms, profession et domicile du* mandant), donne, par les présentes, pouvoir à M... (*nom, prénoms, profession et domicile du* mandataire) que je constitue mon procureur général et spécial,

De régir et administrer, activement et passivement, tous les biens mobiliers ou immobiliers m'appartenant ou pouvant m'appartenir par la suite à quelque titre que ce soit ;

Conséquemment, de toucher et recevoir de tous débiteurs les sommes en principal et intérêts, frais et accessoires, qui me sont ou pourraient m'être dues ; toucher toutes sommes, à quelque titre que ce puisse être ; accepter ou refuser tous remboursements ; compter avec tous créanciers ou débiteurs quelconques ; payer toutes sommes en principal et intérêts qui sont ou pourraient être dues par moi, à quelque titre et pour quelque motif que ce soit ; souscrire ou faire souscrire tous billets, contrats ou obligations ; louer ou affermer tout ou partie de mes biens immobiliers ;

faire effectuer toutes réparations qui pourraient être nécessaires, accepter tous legs particuliers ou universels ; assister et être présent à toutes assemblées de créanciers ; donner ou retirer quittances et décharges valables ; faire tous placements pour emploi de fonds, recueillir toutes successions qui pourraient m'échoir ; prendre connaissance de toutes donations ou de tous testaments, en consentir ou contester l'effet, procéder à tous comptes, amiablement ou en justice ; concourir à la constitution de toutes sociétés nouvelles et à la nomination de tous administrateurs et syndics ; retirer de la poste ou de toutes messageries et chemins de fer, ou recevoir à domicile les lettres, télégrammes, paquets et colis, chargés ou non, et ceux renfermant des valeurs déclarées à mon adresse ; me représenter à toutes assemblées, délibérations et conseils de famille et y donner ou refuser toutes autorisations demandées ; en cas de difficulté quelconque, paraître, tant en demandant qu'en défendant, devant tous juges et tribunaux compétents, recourir à tout arbitrage, se concilier, transiger, acquiescer, exécuter toute décision de justice obtenue ; continuer et faire toutes les opérations de commerce du mandant, acheter et vendre toutes marchandises, passer tous marchés et les exécuter, viser et accepter toutes traites, lettres de change, billets à ordre, mandats et chèques sur tous particuliers, négociants et caisses publiques, signer tous endossements, acceptations et avals, tous transferts, registres et émargements, tous comptes et bordereaux, faire tous protêts, comptes de retour, signer toute correspondance, substituer en tout ou partie des présents pouvoirs une ou plusieurs personnes, conjointement ou séparément, et, généralement, faire au sujet de la régie et administration de mes biens tout ce qui pourrait être utile, convenable ou nécessaire à mes intérêts, même dans les cas non prévus par les présentes.

En foi de quoi je m'engage dès à présent à avouer M... (*mandataire*) et à ratifier tout ce que ledit mandataire fera dans mon intérêt, car je promets avoir le tout pour agréable.

Fait à..., le...

Bon pour pouvoir,　　　　　　　　　Accepté le présent pouvoir,
Signature du mandant.　　　　　　　*Signature du* mandataire.

Selon les prescriptions légales (*Code Civil*, art. 6988), les pouvoirs qui ne constituent pas de simples *actes d'administration* (par exemple la *vente* des biens du mandant ou le droit de les *hypothéquer*) doivent être expressément mentionnés dans la procuration générale.

La procuration générale peut naturellement être donnée à la femme mariée par son époux, qui lui accorde du même coup son *autorisation maritale*.

Modèle de compte de tutelle

Compte de tutelle rendu par M... (*nom, prénoms, profession et domicile du tuteur*), tuteur de M... (*nom du* ou *de la pupille*) en vertu d'une délibération du conseil de famille reçue par M. le Juge de paix de..., en date du... Calcul établi sur la période du... au..., date de la majorité du pupille susnommé.

RECETTES :

(*Détail des recettes, avec leur origine et leurs dates.*) ......

Total ....   F

DÉPENSES :

(*Détail des dépenses, avec indication précise et datée de l'emploi des fonds.*) ....

Total ....   F

BALANCE :

Soit un excédent (*ou un débit*) de ....   F

Fait à..., le...

Signature du tuteur.

Indiquer si besoin est les sommes qui restent à payer ou à recouvrer.

Décharge de compte de tutelle

Je, soussigné (*nom, prénoms, profession et domicile de* l'ex-pupille), reconnais par les présentes avoir reçu de M... (*nom, prénoms, profession et domicile de* l'ex-tuteur), en date du... un compte de tutelle concernant la gestion de ma fortune, assurée par lui à titre de tuteur, pendant ma minorité, du... au...

Après examen et vérification du susdit compte, je déclare le tenir pour sincère et véritable et en accepter le balancement qui accuse à mon profit une somme de... francs, laquelle M... (*ex-tuteur*) vient de me verser, dont quittance.

Je déclare en outre décharger ledit M... (*ex-tuteur*) de tout ce qui concerne l'administration de mes biens et consens par les présentes à la radiation de l'hypothèque légale portant sur ses biens, promettant d'en donner mainlevée à première réquisition.

Fait à..., le...

Signature de l'ex-pupille.

Cette décharge, à lui délivrée par son ex-pupille, ne peut être exigée par le tuteur *moins de dix jours* après la remise par lui de son *compte de tutelle,* ce délai étant fixé pour permettre toutes vérifications et contrôles utiles.

CHAPITRE XXIX

LA DONATION, LE TESTAMENT ET L'HÉRITAGE

DONATION. — La *donation entre vifs* est un acte par lequel une personne (*donateur*) abandonne gratuitement à une autre (*donataire*) la propriété d'un bien quelconque.

La donation doit faire l'objet d'un *acte authentique,* rédigé par un notaire.

S'il a des héritiers, le donateur est obligé de respecter la partie de sa fortune qui leur revient de droit (*réserve*) et ne peut donc disposer que de la *quotité disponible.*

L'acceptation du donataire doit être obligatoirement mentionnée dans le contrat de donation.

Aux termes de l'article 1099 du *Code Civil, la donation est irrévocable,* sauf si elle est faite *entre époux.*

TESTAMENT. — Le *testament olographe,* le plus pratique et le plus fréquemment employé, est un acte sous seing privé qui doit être, *à peine de nullité,* écrit tout entier, daté et signé de la main du testateur. Les additions, ou codicilles, d'un testament olographe sont assujetties aux mêmes prescriptions.

A cela près, le testament olographe peut affecter la forme que désire le testateur (éventuellement, celle d'une simple lettre). Il peut être fait *sur papier libre,* mais le légataire, dans ce cas, devra payer une *amende pour défaut de timbre.*

Le *testament mystique* diffère seulement du testament olographe sur le point suivant : au lieu d'être conservé par le testateur, il est déposé par lui *chez un notaire, sous enveloppe cachetée et en présence de six témoins.*

Quant au *testament authentique*, il est *dicté* par son auteur à *un notaire assisté de quatre témoins*, ou à *deux notaires, en présence de deux témoins*.

Si le testateur possède un ou des *héritiers réservataires* (ascendants légitimes, descendants légitimes ou naturels), il ne pourra disposer comme bon lui semble que de la *quotité disponible* ; sans héritiers réservataires, il pourra léguer à qui lui plaît la totalité de son patrimoine.

Les legs prévus (*Code Civil,* articles 1002 et 1010) sont de trois sortes :

1° Le *legs universel,* qui donne au légataire *la totalité* de la succession, exception faite, s'il y a lieu, de la part légalement dévolue aux *héritiers réservataires* ;

2° Le *legs à titre universel,* qui accorde au légataire *une part* déterminée de la succession ;

3° Le *legs à titre particulier,* qui vaut à son bénéficiaire la remise d'*un ou plusieurs objets expressément désignés* par le testateur.

Le *légataire universel,* seul, est *responsable des dettes et charges pouvant résulter de la succession.* La prudence lui conseille donc, s'il ignore le montant exact de l'actif et du passif de la succession, de ne l'accepter que *sous bénéfice d'inventaire.*

Modèle de testament (un seul légataire)

Ceci est mon testament :

Je, soussigné (*nom, prénoms et domicile*), déclare instituer pour mon (ou *ma*) légataire universel (ou *universelle*) M... (*nom, prénoms et domicile*). Je révoque tous autres testaments et dispositions que j'ai pu faire antérieurement.

Ecrit en entier, daté et signé de ma main, à..., le... (*date en toutes lettres*).

Signature.

Autre modèle (plusieurs légataires)

Je, soussigné (*nom, prénoms et domicile*), déclare instituer Mme... (*nom, prénoms et domicile*), Mlle... (*nom, prénoms et domicile*) et M... (*nom, prénoms et domicile*) pour mes légataires universels.

Au cas où l'une de ces personnes, ou deux d'entre elles, viendraient à décéder avant moi, j'entends que les survivants, ou le survivant, recueillent la totalité de ma succession.

Fait à..., le... (*date en toutes lettres*).

Signature.

Autre modèle (avec les particuliers)

Je, soussigné (*nom, prénoms et domicile*), donne et lègue par les présentes à :

1° M... (*nom, prénoms et domicile*) la somme de... (*énonciation du legs*) ;

2° M... (*nom, prénoms et domicile*) la maison que je possède à... (*énonciation du legs*) ;

3° M... (*nom, prénoms et domicile*) tous les livres composant ma bibliothèque, sans aucune exception ni réserve, ainsi que... (*énonciation des différents objets du legs*).

Je désire que tous les droits et frais des legs ci-dessus indiqués soient supportés par ma succession, de manière que mes légataires perçoivent leurs legs francs et quittes de toutes charges.

Fait et écrit entièrement de ma main, à..., le...

Signature.

INSTITUTION D'UN EXÉCUTEUR TESTAMENTAIRE. — Pour instituer un *exécuteur testamentaire,* il suffira au testateur d'insérer dans l'expression de ses dernières volontés une mention comme celle-ci :

« Je nomme pour mon exécuteur testamentaire M... (*nom, prénoms et domicile*) et, à son défaut, M... (*nom, prénoms et domicile*), en le priant d'accepter, pour l'indemniser de ses peines, une somme de... (ou *tel objet désigné : meuble, bijou, etc.*) ».

Lettre d'un héritier à un notaire pour formalités de succession

(Voir page 161).

Requête au président du tribunal pour être envoyé en possession d'un legs

(Voir page 156).

Acceptation de legs

Je soussigné (*nom, prénoms et domicile*), après avoir pris connaissance du testament fait le... par M... (*testateur*) et aux termes duquel il me désigne comme son légataire (*universel, à titre universel, etc.*), déclare accepter formellement ce legs et m'obliger à l'exécution des charges et conditions qui y sont attachées. Je donne par les présentes tout pouvoir au porteur pour le signifier à qui de droit.

Fait à... le...

Signature.

La *renonciation* fait l'objet d'un acte au Tribunal Civil dans le ressort duquel s'est produit le décès du testateur.

Décharge de legs

Le soussigné (*nom, prénoms et domicile*), légataire... (*particulier, à titre universel, etc.*) de M... (*testateur*), décédé à..., le..., aux termes de son testament en date du..., enregistré le..., dont le dépôt a été ordonné en l'étude de Mᵉ..., notaire à..., par M. le Présidlent du tribunal civil de..., aux termes d'une ordonnance du..., enregistrée,

Reconnaît que M..., (*légataire universel, exécuteur testamentaire, etc.*) de M... (*testateur*), lui a remis le legs à lui fait par ledit testament.

En conséquence, il déclare ici décharger la succession de l'importance dudit legs.

Fait à... le...

Signature.

TABLE DES MATIÈRES

CHAPITRE III

CARTES, TÉLÉGRAMMES ET MESSAGES TÉLÉPHONÉS

CHAPITRE V

LES FIANÇAILLES ET LE MARIAGE

CHAPITRE VI

LA MALADIE ET LE DEUIL

CHAPITRE VII

CORRESPONDANCE AMICALE ET MONDAINE

CHAPITRE X

VACANCES, VOYAGES ET VILLÉGIATURES

CHAPITRE XI

REQUÊTES AU PRÉSIDENT DE LA REPUBLIQUE

CHAPITRE XIV

CHAPITRE XV

LETTRES AUX AVOCATS ET OFFICIERS MINISTÉRIELS

CINQUIÈME PARTIE : *CORRESPONDANCE COMMERCIALE*   167

CHAPITRE XVI

CONSEILS ET PRINCIPES GÉNÉRAUX

CHAPITRE XVII

EMPLOYEURS ET EMPLOYÉS ; CONTRATS DE TRAVAIL ; JURIDICTION PRUD'HOMALE

CHAPITRE XVIII

LE COMMERCE ;

CRÉATION ET CESSION DE FIRMES ;

L'OFFRE ET LA DEMANDE ;

PUBLICITÉ, CIRCULAIRES ET CATALOGUES ;

CONDITIONS DE VENTE ; « RELANCES »

CHAPITRE XIX

ACHAT ET VENTE ; CONDITIONS DE VENTE ; APPELS D'OFFRE ;
MISE EN DÉPÔT ; LES COMMANDES ET LEUR EXÉCUTION

CHAPITRE XX

LIVRAISONS, TRANSPORTS ET EXPÉDITIONS ;
RÉCLAMATIONS ET RETOURS

CHAPITRE XXI

FACTURATION, RÈGLEMENT ET COMPTABILITÉ

CHAPITRE XXII

LA CORRESPONDANCE TÉLÉGRAPHIQUE

ADRESSE ET CODE TÉLÉGRAPHIQUES

CHAPITRE XXIII

LES ACTES SOUS SEING PRIVÉ

CHAPITRE XXIV

DÉFINITION, PRESCRIPTIONS LÉGALES
ACHAT ET VENTE DE TOUS BIENS

CHAPITRE XXV

LA LOCATION : BAUX, RENOUVELLEMENT, ENTRETIEN DES LOCAUX

CHAPITRE XXVI

L'ÉCHANGE ET LE PRÊT

CHAPITRE XXVII

MOYENS DE CRÉDIT ; EFFETS DE COMMERCE ; CAUTIONNEMENTS ET NANTISSEMENTS

CHAPITRE XXVIII

GÉRANCE, GESTION, TUTELLE ET DÉLÉGATION DE POUVOIRS

CHAPITRE XXIX

LA DONATION ; LE TESTAMENT ET L'HÉRITAGE

ACHEVÉ D'IMPRIMER SUR LES PRESSES DE L'IMPRIMERIE TARDY QUERCY S.A. A BOURGES (CHER)
Nº d'Éditeur : K 34534 (AA.c.VII) - Nº d'Imprimeur : 11224 - Septembre 1983
Imprimé en France